JN037630

Asahi Shinsho 789

文化復興 1945年

娯楽から始まる戦後史

中川右介

朝日新聞出版

はじめに

昭和天皇がラジオで敗戦を伝えた一九四五年八月十五日から一週間、劇場や映画館は自主的に休業した。逆に言えば、戦争に負けようとしていたなか、八月十四日まで劇場や映画館は営業していたのである。そして一週間後の二十二日に映画館は営業を再開した。九月になると、焼け残っていた劇場では演劇、バラエティーショーの公演が始まり、十一月には大相撲が十六日に、プロ野球の東西対抗試合が二十三日に開かれた。

敗戦直後の東京はあたり一面が焼け野原で、人びとは住む家もなければ食べるものもなく、茫然自失となっていた――そんなイメージがあるが、映画館や劇場へ出かけた人も、それなりにいたのだ。

もちろん大多数の人は明日のことも分からぬなか、不安と飢えと貧困のなかにいたが、主要産業よりも先に、映画、演劇、音楽、スポーツといった娯楽産業は復興へ歩みだし、「戦後初の〇〇」の多くが一九四五年のうちに行なわれていた。

この本は、「戦後初の〇〇」が、誰によってどのようにして実現したのかを描くものだ。すべての「戦後初」を描けるわけがないし、できたとしてもデータブックにはなるが、読み物としては面白くないだろう。この本が扱うのは、一九四五年よりも前からの歴史があり、二〇二〇年の現在も健在の分野のなかで、映画・演劇・音楽・出版・プロ野球・大相撲に限った。

偶然だが、二〇二〇年春に新型コロナウイルスの感染が拡大していったのは、一九四五年の東京大空襲から敗戦へと至る時期とほぼ重なる。

連合国軍による東京への大規模な空襲は一九四五年三月十日が最初のもので、最後の大空襲は五月二十五日から二十六日にかけての夜だ。その後、六月の沖縄戦終結、八月に入っての広島と長崎への原爆投下、ソ連参戦で、日本はとどめを刺され、無条件降伏する。

二〇二〇年の日本国政府が、新型コロナウイルス対策としてスポーツやイベントなどの二週間の中止・延期・規模縮小を要請したのが二月二十六日だった。二週間ならば我慢しようと、演劇や音楽、スポーツの興行会社がそれに応じたが、二週間では終わらなかった。三月二日には一斉休校が始まり、十一日には高校野球の春の選抜大会の中止が決定した。十三日に改正新型インフルエンザ等対策特別措置法が国会で成立し、四月七日に同法に基づいて緊急事態宣言が発令された。その間の三月二十四日には夏に予定されていたオリンピック・パラリンピックが延期と決まった。演劇・音楽のみならず、スポーツの試合・大会も含め、四月、五月、さらには秋の公演までが中止・延期となっていった。緊急事態宣言が全国で解除されるのは五月二十五日で、それは七十五年前に二度目の東京大空襲があった日でもあった。

六月十九日にプロ野球が無観客で開幕し、七月になると演劇公演も再開していくが、同時に、感染が確認された人の数も増えていった。

コロナ禍では映画・演劇・音楽・スポーツといった娯楽産業は、大きな打撃を受けた。壊滅的と言っていい。

一九四五年の文化壊滅は、担い手の多くが徴兵・徴用され、戦死・負傷したという人的な被害と、劇場や映画館が空襲で焼けたという物質面での被害によってもたらされた。それに加えて戦時下では内閣情報局による検閲があり、自由に作ることができなかった。

一九四五年にすべてを喪いかけた文化人・藝術家・スポーツ人たちが、何を考え、どう行動し、どうやって文化・藝術を再興させていったかを、戦後最大の文化・藝術の危機にある現在、振り返ってみたい。

本書は序章で主要な登場人物がどのようにして「八月十五日」を迎えたかを記し、第一章からは、基本的には時系列にそって、「戦後初の〇〇」が実現するまでを描いていく。だが、完全な時系列にすると、話が錯綜しすぎてしまうので、人物・事件ごとに、その前後をまとめて記すこともある。

本書の記述は文献資料を参照してなされる。ひとの記憶はあやふやなので、同じ時、同じ場所にいた人の回想が異なるケースも多い。

フィクションの要素はないつもりだが、登場する人物が、演劇や映画など「架空の世界」を創造する人たちなので、その回想は事実を脚色しているケースが多い。脚色ならまだいいが、なかには「創作された記憶」もあり、それを事実と誤認しているケースもあるかもしれない。当事者の回想だけでなく、客観的な記録を参照して、なるべく事実を確定したが、なかにはできないものもある。当事者の多くが物故者でもあるので、何が正しいかはもはや分からず、史料間の矛盾そのものが何らかの真実を物語っている。

記述について

〈　〉でくくったものは引用である。引用にあたっては、数字の表記、「　」などの記号は、一部、改めた。

〈　〉内の／は原文での改行を示す。

引用は正字・旧仮名はそのままにした。

引用文中には今日の基準では不適切な表現もあるが、当時の時代状況を記録するためそのままにしてある。

とくにことわりのない限り、「新聞」とあるのは「朝日新聞」のことである。

文化復興　１９４５年

娯楽から始まる戦後史

目次

序章
それぞれの一九四五年八月十五日

「玉音放送」を聞く人々＝大阪市・曽根崎警察所前（朝日新聞社提供）

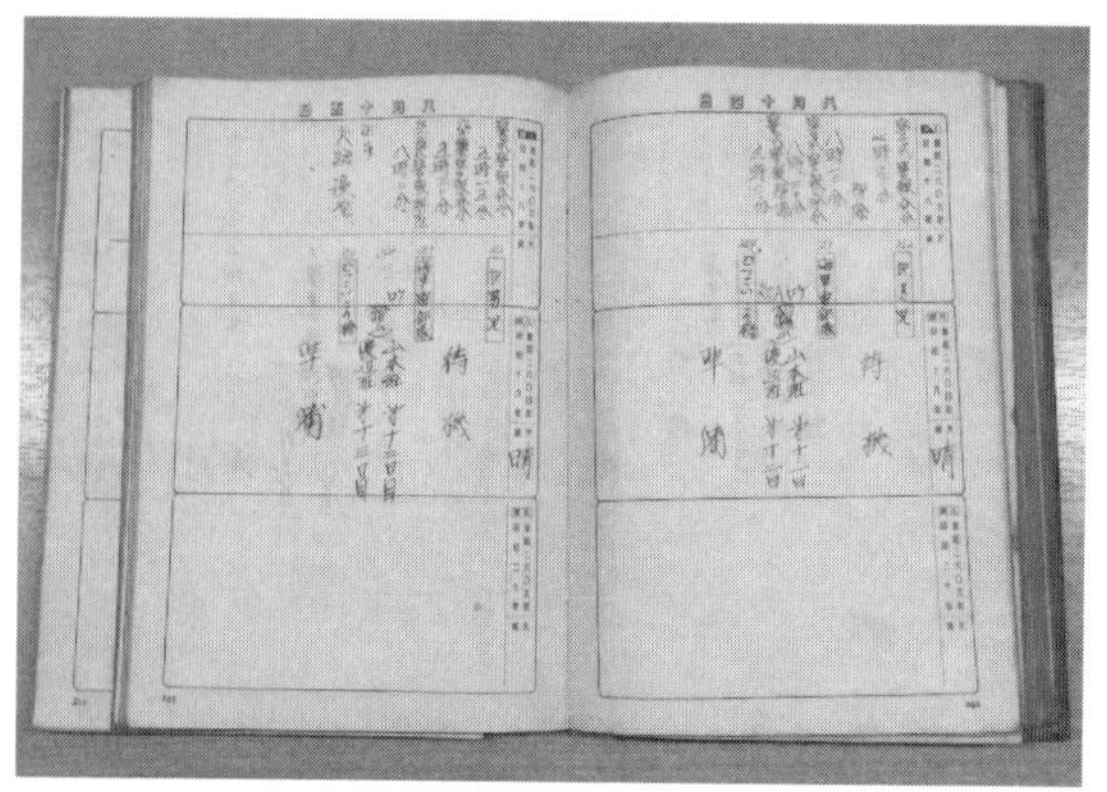

東宝の「撮影日誌」（清水俊文氏所蔵）

東宝砧撮影所・黒澤明

八月十五日、東宝の砧撮影所では中央噴水広場前のバルコニーに鉱石ラジオを置いて、その前に全所員が集まって、玉音放送を聞いた。

この日、東宝が製作中だった映画は「撮影日誌」によると、『快男児』『海軍雷部隊』『どっこいこの槍』の三作である。日誌には、『快男児』は「待機」、『海軍雷部隊』は館山でロケ、『どっこいこの槍』は「準備」となっている。

しかしこの三作のタイトルの映画は、東宝の作品リストのどこにもない。『快男児』は改題されて公開されるが、『海軍雷部隊』『どっこいこの槍』は製作中止となってしまう。

『どっこいこの槍』は黒澤明の監督第四作になるはずだった映画だ。五月から『豪傑讀本』のタイトルで、ロケハンをし、打ち合わせも重ね、六月十一日に『どっこいこの槍』に改題され、ポスターも作られた。六月二十二日からは山形へロケに行っていたが、七月になると、「撮影日誌」には「準備」が続くようになり、八月はついに空欄になる。それでも、八月十一日から再び「準備」となって、十五日も「準備」の状態だった。

黒澤明（一九一〇～九八）はこの年、三十五歳だった。五月まで渋谷に住んでいたが、空襲で危ないと察知し、東宝の砧撮影所近くの祖師谷大蔵にある堀川弘通監督の実家に身を寄せていた。

黒澤は自伝『蝦蟇の油』で当時をこう振り返っている。

〈戦争は、急速に敗戦への道を突き進んでいたが、東宝の撮影所は空っ腹をかかえた人達の手で、意外と活発に、映画製作が続けられていた。／しかし、その中央部の広場では、仕事に追われていない者は、みんなしゃがんで話をしていた。腹が空いて、立っているのは辛いのである。〉

東宝首脳部は数日前から敗戦決定を知り、八月十五日に天皇が放送することも知っていたので、その日は撮影中止となっていた。それでも黒澤はラジオを聞くために撮影所へ向かった。自伝にはこう書かれている。

〈その時歩いた道の情景を忘れる事が出来ない。／往路、祖師谷から砧の撮影所まで行く商店街の様子は、まさに一億玉砕を覚悟した、あわただしい気配で、日本刀を持ち出し、その鞘を払って、抜身の刃をじっと眺めている商家の主人もいた。〉

正午から「重大放送」があることが周知されていたので、人びとは、いよいよ本土決戦なのかと覚悟していたのだ。

黒澤自身が玉音放送をどのように聞いて、そのあと誰と何を話したかは、自伝には書かれていない。

〈家を帰るその道は、まるで空気が一変し、商店街の人々は祭りの前日のように、浮々とした表情で立ち働いていた。／これは日本人の性格の柔軟性なのか、それとも虚弱性なのか。／私は、少くとも、日本人の性格には、この両面がある、と考えざるを得なかった。／この両面は、私自身の中にもある。〉

東宝砧撮影所・今井正

今井正（一九一二〜九一）は撮影中の映画はなかったが、砧撮影所に呼び出され、重大放送を聞いた。

今井は一九三五年に東京帝国大学を中退して東宝の前身のひとつJOスタヂオに助監督として入り、三九年に『沼津兵学校』で監督デビューした。黒澤より二歳下だが監督デビューは四年早く、敗戦までに九作を撮っていた。この年、三十三歳である。

長谷川一夫のマネージャーでプロデューサーだった人が重臣クラスと親交があり、重臣会議で話されたことを教えてくれたので、今井は十日には敗戦を知っていたという。十五日は電報で撮影所へ来るよう呼び出され、いよいよ敗戦の発表かと思いながら向かった。

〈撮影所の芝生の真ん中には机が置かれ、その上に麗々しく一台のラジオがのっかっていた。撮影所の全従業員、およそ七百人が、そのまわりを取り巻いた。〉（『今井正映画読本』

収録の「監督記」)。

間もなく放送が始まった。天皇の放送なので最敬礼しなければならず、今井も従った。ラジオはひどい雑音で何を言っているのか聞きとれなかったが、それでも戦争に負けたことは分かった。

〈私は中学生のころから始まった長い長い戦争も、これでやっと終わるのだと思うと、本当にうれしかった。真夏の強い光線を浴びてカラカラに乾いた芝生を見つめながら、何よりも、こうして無事に生き延びられたことを心の底から喜んだ。/その時、熱く乾いた砂地の上に、ポタッポタッと滴が落ちて、地面に黒くしみていくのが見える。私は、この暑さでだれかが汗をかいているのだろうと思って、ふと横を見た。〉

隣にいたのは現像場の女子社員で、汗ではなく、大粒の涙だった。

〈「ああ、泣いてやがる」と思った。/でも、もうすぐ彼女たちにも、これでよかったのだということがわかるのだ。私はひとり、そんなことを考えていた。〉

今井正が戦中最後に撮ったのは、東宝と朝鮮映画との合作、日本海軍の「朝鮮人特別志願兵」徴募を目的とした『愛と誓ひ』で、七月二十六日に封切られたばかりだった。特攻隊に入ろうと呼びかける趣旨の映画だ。

横浜市保土ヶ谷・原節子

東宝撮影所で「待機」となっていた『快男児』に出演していた原節子は、横浜市保土ヶ谷の実家で、重大放送を聞いた。

原節子（一九二〇〜二〇一五）はこの年、二十五歳。デビュー作『ためらふ勿れ若人よ』が封切られたのは一九三五年八月十五日だったので、女優になってちょうど十年だった。東京・初台で暮らしていたが五月二十五日の大空襲で全焼したので、以後は保土ヶ谷に移り、そこから世田谷区砧の東宝撮影所に通っていた。

「重大放送があるということは、その二、三日前より聞いておりましたので、うすうす負けることと感じていましたので、びっくりしたり慌てたりすることもありませんでした」と語っている（「近代映画」一九四九年八月号）。

一九四五年に原節子が出演して公開された映画は二本あった。

一月二十五日に『勝利の日まで』という、いまから見ればあまりにも虚しいタイトルの映画が封切られた。海軍省の命令で作られた戦意昂揚映画だ。前年（一九四四）三月に発売された、サトウハチロー作詞、古賀政男作曲の同題の歌があり、それを主題歌とした。

戦時中、俳優や藝人たちは戦地へ慰問に出かけていたが、もはやそれもできなくなったので、映画を撮り、前線へ送って上映しようという企画だった。

映画は現存していないので詳細は不明だが、徳川夢声演じる科学者が、ロケット式慰問爆弾を開発し、藝人を詰め込んで前線に向けて発射する設定だったという。南方に着いた爆弾からは、当時の東宝の名だたるスター、古川ロッパ、原節子、高峰秀子、エンタツ・アチャコたちが出てきて、兵士たちに唄と笑いを提供する。

戦地にいる兵士のために作られた映画だったが、本土でも一般公開されたのだ。今井正が監督する予定だったが応召したので、成瀬巳喜男が代わった。敗戦後は上映禁止となり、フィルムも焼却されてしまい、冒頭の十五分ほどしか現存していない幻の映画で、原節子がどのように出ていたのかは分からない。

八月九日に封切られた佐伯清監督『北の三人』が、戦中最後に公開された映画となる。「三人」とは原節子、高峰秀子、山根寿子が演じる女性通信士のことだ。三人は北方にある航空基地で働いており、その青春模様が描かれる。原節子演じる女性は、高峰秀子演じる同僚の兄と結婚する話があったのだが、兄は結婚せずに出征し、ビルマで戦死するという物語だ。八月封切りなので、六月から七月に撮影されていたはずだ。

その次に原節子が出演したのが、山本嘉次郎監督『快男児』で、明治維新直後の動乱期を舞台にした作品だった。ほぼ撮り終え、山本とスタッフが『海軍いかづち部隊』のロケで館山へ行ったため、八月七日から『快男児』は「待機」の状態になっていた。

千葉県館山・山本嘉次郎

「撮影日誌」にある三作目の山本嘉次郎監督『海軍雷部隊』のスタッフと俳優たちは、千葉県館山でロケ中に敗戦を迎えた。この映画は、シナリオの表紙には『海軍いかづち部隊―アメリカようそろ』とあり、スタッフや俳優の間では『アメリカようそろ』と呼ばれていたようだ。

山本嘉次郎（一九〇二〜七四）はこの年、四十三歳だった。裕福な家に生まれ、慶應義塾大学を中退し、俳優として映画の世界に入った。監督デビューは一九二四年で、三四年に東宝の前身であるPCLに移り、エノケンこと榎本健一主演映画をいくつも撮った。

一九四一年十二月の真珠湾攻撃で太平洋戦争が始まると、その一年後、東宝は開戦一周年を記念して海軍省が企画した『ハワイ・マレー沖海戦』を作り、山本が監督した。円谷英二が特技監督をしたことでも有名な、特撮映画史上に残る作品でもある。

太平洋戦争が始まると、フィルムは貴重品となり軍が管理していたので、商業映画にまわされるのは少なくなった。そこで東宝は軍の意向に沿った映画を作ることで、それ以外の映画にもフィルムを分けてもらっていた。

東宝が軍部と作った最初の映画は一九四〇年の『燃ゆる大空』（阿部豊監督）で、陸軍省後援、熊谷の陸軍航空本部全面協力の航空映画で、それに続いたのが『ハワイ・マレー沖海戦』だった。四四年には陸軍省後援の『加藤隼戦闘隊』と、海軍が協力した開戦三周年映画『雷撃隊出動』の二本を山本嘉次郎が作り、いずれも大ヒットした。

『海軍いかづち部隊』はそれに続く戦意昂揚映画で、十二月の真珠湾攻撃勝利四周年に公開される予定だった。当初は『アメリカようそろ』のタイトルで、七月十四日にロケの先発隊が出発し、八月になって俳優とスタッフが全員、安全だからとロケ地に選ばれた館山へ向かった。しかし、米軍爆撃機B29が毎日のように襲来し、撮影は何度も中断された。

この映画は未完で、撮影済みフィルムは焼却され、シナリオも現存しない幻の映画だ。

八月十二日、館山にいる山本は、東宝の撮影所長兼常務取締役の森岩雄からの密書を受け取っていた。森の手紙には「近日中に緊急事態が生じるかもしれない。そのときは、まず女たちを一刻も早く東京へ帰し、生命を重んじ軽挙妄動せぬこと。さらに、カメラ、資材は犠牲にしてもよいから安全な行動をとること」などと書かれていた。「フィルムを消費せず、空まわしせよ」ともあった。俳優やスタッフには撮影していると思わせ、実際は撮るなという指示だ。どうせ公開できないであろうから、貴重なフィルムを無駄にするなという、ある意味では合理的な指示だった。

千葉県館山・高峰秀子

高峰秀子（一九二四〜二〇一〇）はこの年、二十一歳。山本嘉次郎監督の『海軍いかづち部隊』のロケに参加し、館山で八月十五日を迎えた。

高峰秀子が子役として松竹映画『母』でデビューしたのは一九二九年（昭和四）、五歳の年だった。二十一歳だが女優としてのキャリアは十七年目だ。一九三七年（昭和十二）に東宝へ移籍すると、人気はますます高まり、『秀子の応援団長』『秀子の車掌さん』と、その名をタイトルに冠する映画まで作られ、歌手としてレコードも出した。戦中は、他の俳優とともに慰問公演にも出ていた。

一九四五年に公開された高峰秀子が出演した映画は、『勝利の日まで』（成瀬巳喜男監督）、『北の三人』（佐伯清監督）の二本で、七月から山本嘉次郎の『海軍いかづち部隊』に出演していた。

高峰が十四歳の一九三八年に出て評判になった『綴方教室』の監督が山本で、以後も山本の四〇年の『孫悟空』（前後篇）、四一年の『馬』に出ていた。

高峰は自伝『わたしの渡世日記』で記憶を頼りに『海軍いかづち部隊』をこう記している。

〈航空基地付近に住む海軍未亡人と娘の物語で、未亡人が亡き夫の追善供養として、広い屋敷を航空隊員たちの仮の宿として開放する。やがて娘は一人の若い隊員に好意を寄せ、二人はほのかな恋を語りあうようになる。が、その青年将校は「海軍特別攻撃隊員」であった。〉

　高峰は娘の役で、母は入江たか子だった。青年将校は、高峰の自伝では市川扇升（せんしょう）（一九一八～四八）となっているが、久松保夫（一九一九～八二）としている資料もある。

〈青年将校は、娘への恋情がつのればつのるほど、自分が「特攻隊員」であることを打ち明けることが出来なくなる。というより、特攻隊員だと口外することは軍規に反することであった。そして、いよいよ出撃というその前夜、彼は「じゃ、またあした」というたった一言の言葉を残して、娘と最初で最後の握手を交わし、翌朝未明に、白いマフラーをたなびかせながらたった一人で海に向かって飛び立って征く。〉

　高峰の自伝では八月十五日は、東京から応援に来た踊り子と楽団とともに、俳優たちは館山航空隊と洲ノ埼海軍航空隊（洲ノ空）に慰問に行ったとある。別の資料（『戦争と日本映画』）では高峰と久松の別離のシーンを撮る予定だったが、空襲警報が朝から何度も発令されたので中止になり、重大放送があるというので十一時四十分に旅館に戻ったとあり、食い違っている。

高峰の自伝に戻れば、館山での慰問が終わると彼女たちは軍のトラックで洲ノ崎へ行き、飛行機の格納庫で唄ったり踊ったりした。慰問は正午前に終わり、洲ノ埼海軍航空隊の飛行場に隊員全員が整列してラジオを聞いた。高峰は隊員たちのうしろに並んで聞いていたが、昭和天皇が何を言っているのかは聞き取れなかった。

将校も内容が分からず、「われわれは必勝の精神を固めなければならない」などと演説していた。慰問団は昼食をごちそうになり、記念撮影をするなど、のどかに過ごした。午後二時頃、洲ノ崎を出ようとしたところに将校がやって来て、「負けたんだ、日本は無条件降伏だ」と伝えた。

高峰は戦争が終わった、負けたと聞いても半信半疑だった。館山の宿に帰り、スタッフたちが力なく座り込んでいるのを見て、敗戦を納得した。

〈何をどう考えていいのか、嬉しいのか、悲しいのか、口惜しいのか、さっぱり分からない。ただ「戦争が……終わった。……戦争が……終わったのだ」と、まだ実感の湧かない言葉を心の中でくりかえすばかりだった。〉とかなり詳細に、具体的に書かれているので、記憶違いとも思えない。創作したとしたら、それはそれで才能があったわけだが。

館山のロケ隊で慰問へ行かなかった俳優やスタッフは、正午になると旅館の玄関に集まり、玉音放送を聞いた。

すでに敗戦を知っている山本嘉次郎は二階の自室にいた。放送後、チーフ助監督の杉江敏男が山本の部屋へ行き、指示を仰いだ。

「一刻も早く撤収しよう。その手はずを頼む」。山本はこう指示した。杉江は東京の東宝本社や砧撮影所と連絡を取り、明朝、引き上げることになった。

山本は日記にこう書いた。〈快晴。正午、陛下の御放送を拝す。宿の玄関に電蓄あり。一同板の間に坐りシュッシュッと泣く。自分は玄関から二階の室へ逃げた。どうにもこうにも腹が立って仕方がなかった。窓外は、いたずらに夏の陽がまぶしく、海の方の空は目もくらむような紺青だった。自然と人生との間に、こんなにも大きな隔りを感じたのは、はじめてだった。〉

山本はその夜、町中が賑わい、みなが楽しそうにしているのを見て、〈瞬時にして人々は、平和の姿に立ち戻った〉と知った。

その夜、高峰秀子が宿で眠っていると、飛行機の爆音が聞こえた。何機もの戦闘機が海の方へ飛んでいくのが、音で分かった。自伝にこう書いている。

〈闘うことのみ教育され、闘って死ぬことだけをたたき込まれて突然、闘う相手を失った若い彼らのやり場のない絶望感は「自爆」によってしめくくりをするよりほかになかったのか。〉

〈「戦争は終わったのに……」
屋根の上を通りすぎてゆく爆音を聞きながら、私はただ呆然と、蚊帳の中で膝を揃えて座っていた。〉

世田谷区赤堤・山田五十鈴

山田五十鈴（一九一七〜二〇一二）は世田谷区赤堤に間借りしていた家で、八月十五日を迎えた。二十八歳である。

山田は一九三〇年（昭和五）、十三歳の年に日活太秦撮影所に入り、同年に『剣を越えて』でデビューし、一躍、日活時代劇のトップ女優となった。一九三四年に永田雅一が作った第一映画社に移ると溝口健二と出会い、『浪華悲歌』『祇園の姉妹』に主演した。東宝に入ってからは長谷川一夫と名コンビになる。四二年に長谷川が新演伎座を結成すると参加し、舞台女優としての活動も始めていた。

一九四五年二月八日封切りの『名刀美女丸』（松竹京都、溝口健二監督）が戦中最後の映画で、以後は慰問公演に出ていた。

敗戦を知り、〈辛かった戦争がやっと終ったという安堵と、上陸してくるアメリカの兵隊に何をされるかわからないという恐怖が、かわるがわる私の心をしめつけたものでした。〉と振り返っている（「キネマ旬報」一九六〇年八月下旬号）。

富山県高岡市・長谷川一夫

長谷川一夫（一九〇八〜八四）は慰問先の富山県高岡の軍需工場で八月十五日を迎えた。この年、三十七歳。その日も公演が予定されており、工員たちからは上演を求められたが、長谷川にはできなかった。舞台に出ると、「敗戦を知った現在、とても芝居をしたり踊りを踊る気持ちにはなれません。どうぞごかんべんくださるようお願い申し上げます」と言うのがやっとだった。

長谷川一夫は若手の歌舞伎役者だった一九二七年、松竹に懇願されて映画に転じ、「林長二郎」として大スターになった。松竹から東宝へ移籍したのは一九三七年で、三八年の菊池寛原作『藤十郎の恋』が東宝での最初の映画だった。山本嘉次郎が監督し、黒澤明が製作主任（助監督）をつとめた。一九四二年には東宝の傘下で、山田五十鈴らと新演伎座を結成して、舞台俳優としても活躍した。

戦況が悪化すると、長谷川も慰問公演に出るようになり、その合間に映画にも出ていた。戦中最後の出演映画が一九四五年六月二十八日封切りの『三十三間堂通し矢物語』で、長谷川の指名で松竹の田中絹代と共演した。自伝『舞台・銀幕六十年』によると、二大スターの夢の共演だったのに、〈家を焼かれ、防空壕におびえる東京では、全く反響もなにもあつたものではありません。〉という結果だった。

撮影を終えると、長谷川は北海道の軍需工場へ慰問公演に向かった。芳村伊四郎、岡安喜三郎、笠置シズ子と楽団南十字星というメンバーだった。青森から青函連絡船に乗る予定だったが、米軍による爆撃がひどくなったので、予定していた船に乗らなかった。するとその船が爆撃された。もし乗っていたらこの大スターの戦後はない。

岩手県水沢・菊田一夫

劇作家・演出家の菊田一夫（一九〇八～七三）は、十四日十四時に内閣情報局の菅原太郎からすぐに来てくれとの電話があり、十五時に会うと、終戦が決まったと伝えられた。そして「今夜七時のニュースに詔勅が出る筈です。出れば直ちに帝都には戒厳令が布かれるでしょう。それ以前にあなたは東京から外へ出たほうがいい」と助言された。

菅原は、菊田が戦犯と指定される可能性を示唆し、家族のもとにいたほうがいいとも言い、岩手県水沢までの二等乗車券と特急券を渡した。菊田の家族は水沢に疎開していたのだ。

菊田は空襲で家が焼けた後に世話になっていた家へ寄り、終戦のことと捕まるかもしれないので東京を離れることを伝え、上野駅へ向かった。着いたのは午後四時十五分で、水沢へ行くには急行青森行きに乗るべきだが、次は午後八時発だった。七時までに東京を出ろと言われていたので、菊田は五時発の宇都宮行き普通列車に乗った。上野を八時に出る青森行き急行は宇都宮に十時に着くので、それに乗り換えるつもりだった。

宇都宮駅に着いたが、七時に終戦の発表があった様子はない。それどころか、青森行きが着いたとたんに、空襲警報が発令された。我先にと人びとは乗り込み、混乱のなか、列車は発車した。

十五日正午になっても、列車は走り続けていた。乗客も何も知らないようで、「アメリカ本土上陸まで戦い、アメリカの女を抱く」と言って、周囲を笑わせている者もいた。駅で停車しても、駅員は何も終戦のことを言わない。

水沢に着いたのは、十四時過ぎだった。菊田が駅前に出ると、駅舎の外壁に「本日正午終戦の御詔勅放送がありました」と書かれた紙があり、菊田は放送されたと知った。

ふと気づくと、同じ列車に乗っていた女学生たちが、これからどうなるんだろうと騒いでいた。見知らぬ娘たちに菊田は言った。

「日本は降伏したんだ。だが、またいつか、きっと立派な国になるさ。しっかりやろうよ」

こう言いながら、菊田はおろおろと泣き出した。菊田一夫、この年、三十七歳であった。

家族は水沢駅からバスで二十分ほどのところにある旅館に滞在していた。菊田が来たので驚いた。旅館の主人たちが、「玉音放送を聞いたが、何を言っていたのか分からない」と言うので、日本は降伏したと説明した。菊田は「敗戦日記」にこう書いている。

〈みんなの顔、安堵したようでもあり、不満気でもあり、うっかり喜んだ顔をしてみせたら、また誰かに何か言われやせんかという顔でもある。戦争が終って嬉しいという声も格別には無く、敗けて悲しいという啜(すす)り泣きもない。みんな黙ってしまう。

広い庭の木立の中で油蟬が鳴いている。〉

神奈川県稲村ヶ崎・木下惠介

木下惠介（一九一二〜九八）はこの年、三十三歳だった。黒澤明の二歳下になる。

木下の監督第四作で戦中最後の作品となるのが一九四四年十二月七日封切りの『陸軍』だ。「陸軍省後援・情報局国民映画」として企画・製作されたもので、火野葦平の新聞小説の映画化だった。九州・小倉の三代にわたる陸軍軍人の一族の物語だ。こう書くと、いかにも戦意昂揚映画みたいだが、そう単純なものではなかった。

ラストシーンは田中絹代演じる母が、出征する息子を見送る場面なのだが、シナリオには二ページしかないシーンを、木下は九分ほどかけて情感たっぷりに描いた。母と息子の別れのシーンだが、二人は抱き合うわけでも語るわけでもない。遠く離れて、視線を交わすだけだ。完成試写を見た陸軍の関係者は、そのラストシーンに反戦・厭戦の思いがあると察し、削除を求めた。しかしラストシーンをカットしたら、なんとも不自然な終わり方になってしまう。結局そのまま公開され、大ヒットした。

当然、「軍国の母が女々しい。感傷的過ぎる」と批判の声も出たが、大衆は、田中絹代が演じる母の姿に感銘した。

木下惠介の次回作として『神風特別攻撃隊』が決まっていたが、情報局は反戦映画にされると困るので、「木下では特攻精神を描けない」と製作を認めず、中止になった。木下は松竹に辞表を出したが、同僚である中村登監督が、「映画は撮らなくていいから、撮影所に籍だけは置いておけ」と慰留した。

中村登（一九一三〜八一）は東京帝国大学文学部英文科卒業というエリートで、一九三六年に松竹の大船撮影所に助監督一期生として入り、島津保次郎に師事した。木下の一歳下で撮影所に入ったのも遅い。島津門下生ということで、二人は親しくしていた。

二人が言い争っていると空襲警報が鳴り響いたので、木下が退職する話はそのままになったようだ。

六月に木下は浜松の実家に帰り、疎開するように家族を説得していた。その夜に浜松も大空襲に見舞われ、家族は無事に逃げ出せたが、木下家はすべてを喪った。

家族が身を寄せる場所が決まると、木下は大船撮影所へ戻った。中村登が住む由比ヶ浜も強制疎開の対象となったので、稲村ヶ崎の高台にある知人宅に身を寄せた。

そして八月十五日を迎えた。その翌朝、木下が稲村ヶ崎の高台から相模湾を見下ろすと、米軍の艦隊が浮かんでいた。木下は敗戦を実感した。

鎌倉山・田中絹代

田中絹代（一九〇九～七七）は、鎌倉山の自宅で玉音放送を聞いたと、一九六〇年に「キネマ旬報」に書いている（八月下旬号）。〈そのとたん、ドッと力がぬけて、三日間くらい寝込んでしまったのを覚えております。〉この年、三十六歳である。

田中絹代は一九二四年（大正十三）に松竹に入り、順調に役がついて人気も出て、一九三八年（昭和十三）の『愛染かつら』は空前のヒット作となった。

一九四四年の木下惠介の『陸軍』での田中の演技は高く評価されたが、次の仕事がなかなかこなかった。四五年二月公開のオムニバス映画『必勝歌』（総指揮・田坂具隆、演出・溝口健二、田坂具隆、清水宏、マキノ正博）は、松竹のスター全員が出演した十三の短編からなるもので、田中も出ているが、たいした役ではない。

松竹が一九四五年前半に製作・公開したものを挙げると——三月封切りの『撃滅の歌』（佐々木康監督）は音楽学校出身の三人の女性が主人公の音楽映画で、高峰三枝子、轟夕起子、月丘夢路が出て、四月封切りの特攻隊基地の女性整備員を描く『乙女のゐる基地』（佐々木康監督）は水戸光子が主演で、どちらにも田中絹代の出番はなかった。

ようやく田中に出演機会がきたのは、六月公開の長谷川一夫主演・成瀬巳喜男監督の時代劇『三十三間堂通し矢物語』だった。東宝の映画だが、京都の松竹撮影所が丸受けしたものだったので、長谷川と田中の共演が実現した。この映画の撮影は空襲で何度も中断したため、一月から五月まで長期に及んだ。これが田中絹代の戦中最後の映画となった。

撮影後、田中が東京に戻ると、焼け野原になっていた。

以後は田中も慰問で各地をまわり、八月十三日には草津の陸軍病院への慰問に行き、その帰路、軽井沢で療養していた島津保次郎監督を見舞った。

目黒・高峰三枝子

松竹の大スター高峰三枝子（一九一八〜九〇）は目黒の自宅で玉音放送を聞いた。

高峰三枝子は高峰流筑前琵琶宗家の子として生まれた。東洋英和女学院を卒業した一九三六年（昭和十一）に父が急死し、家族を養うために松竹大船撮影所に入り、同年に『母を尋ねて』でデビューした。女優としてだけでなく、コロムビア・レコードから歌手としてもデビューし、映画の主題歌をレコードにして大ヒットさせていた「歌う映画女優」でもあった。

一九四五年の高峰は、二月二十二日封切りの松竹オールスター映画『必勝歌』、三月二十九日封切りの『撃滅の歌』と六月二十八日封切りの『ことぶき座』に出て、敗戦を迎えた。

『撃滅の歌』（佐々木康監督）は、高峰と東宝の轟夕起子、大映の月丘夢路ら歌える女優たちが音楽学校の生徒たちを演じ、オペラ歌手の藤原義江が教授の役で出た音楽映画だ。生徒たちは卒業後、それぞれの道を歩む。高峰は上海にまで流れていくナイトクラブの歌手になる役で、『青い花』を劇中で歌った。

『青い花』（岸東介・野村俊夫作詞、万城目正作曲）は高峰が言うには、〈戦局悪化の戦時下の歌とは思えないほど、情感があふれたいい歌〉で、これを聴いてボートで心中した若いカップルがいたという。〈なんの希望もない暗い時代の影響が多分にあったのでしょう。この映画が封切になった頃はもう敗色が濃厚でした。「青い花」に絶望的なロマンチシズムを感じたのでしょうか。〉と自伝『人生は花いろ女いろ』に書いている。『撃滅の歌』の封切りは東京大空襲直後の三月二十九日だった。

『青い花』も劇中で歌われるが、この映画の主題歌は『米英撃滅の歌』という軍歌で、この歌の宣伝のために作られた映画だった。

六月封切りの『ことぶき座』（原研吉監督）は、高田浩吉が浪曲師を演じる藝道もので、高峰は、高田が思いを寄せている、北海道釧路の劇場「ことぶき座」座主の娘を演じた。浪曲師広沢虎造が本人の役で出ている。

これを最後に高峰の仕事はなく、目黒の自宅で八月十五日を迎えたのだ。二十七歳である。

〈これでB29の爆撃にさらされなくてすむと思うと、日本が負けた口惜しさより、若い娘としては正直なところホッとしたのを覚えています。戦争が終わったことがありがたくて、むしろよかったと思ったものです。

でもこれで時代が変わっていくのだと思うと、新たな心配も湧いてきました。私は戦争中軍に協力して慰問に行っていますから、戦争協力者として米兵に襲われるかもしれないとおどかされ、大変だ、大変だと心配して、まだ少女だった妹の頭を丸坊主にしようかと真剣に考えたり、あれこれ本当に悩みました。〉

松竹大船撮影所・五所平之助

この年の八月、五所平之助（一九〇二～八一）は、大船で『伊豆の娘たち』の撮影中だった。四十三歳である。

五所は一九二三年に慶應義塾商工学校卒業後、父の友人の息子である松竹の名監督・島津保次郎の口添えで松竹蒲田撮影所へ入社した。吉村公三郎、豊田四郎、木下恵介ら島津の門下生のひとりだ。監督デビューは一九二五年の『南島の春』で、日本初のオールトーキー映画『マダムと女房』(一九三一)の監督としても知られる。三三年には川端康成原作『恋の花咲く　伊豆の踊子』で田中絹代を起用した。城戸四郎と確執が生じ、一九四一年に退社し、翌年から大映の専属になっていた。

大映では一九四二年に『新雪』、四四年に『五重塔』を撮っただけで、その次の作品が松竹に呼ばれての『伊豆の娘たち』だった。伊豆の料理屋に下宿している工員とその料理屋の姉妹をめぐるホームドラマで、工員に佐分利信、料理屋の店主に河村黎吉、その娘に三浦光子と四元百々生という配役だ。戦意昂揚からはほど遠いので製作中止になりかけたが、撮影されていたのだ。

そして、「戦意昂揚ではない」ことが幸いして、戦後公開された最初の映画となる。

八月十二日の朝日新聞にまだ完成していない『伊豆の娘たち』の広告が出ている。

松竹大船撮影所・佐々木康

佐々木康（一九〇八〜九三）は、一九四五年に最も活躍した監督と言っていい。戦争末期の大船撮影所で、監督をしながら制作部長も兼務していた。この年は、三月二十九日封切りの『撃滅の歌』、四月二十六日封切りの『乙女のゐる基地』の二作を撮り、さらに十月十一日に、主題曲『リンゴの唄』が有名な『そよかぜ』、十二月十三日には『新風』と、合計四作を撮る。

佐々木は生涯に劇映画一六八、テレビ映画五〇〇弱を撮った多作でも知られる。多作ということは撮影期間が短いわけで、戦中の「灯火管制」にひっかけて、「十日で完成させる」、「トーカカンセイ」の異名をとった。敗戦の年、三十七歳である。

松竹の他の監督が苦手とする戦意昂揚映画も撮っており、戦中最後の四月二十六日封切りの『乙女のゐる基地』は、銚子飛行場で男性整備員の数が足りなくなったので、女子挺身隊員が整備の仕事をする話で、実際に銚子でロケをし、多くの特攻隊員を見送った。

撮影中、何度も空襲に見舞われ、そのたびに中断した。まだ撮影するシーンがあったが、虫の知らせでロケを切り上げると、その翌日、銚子に作っていた松竹の防空壕は爆撃された。一日早く終えたので、一命をとりとめた。

その後、大船に戻り、セット撮影をしているなか、佐々木は製作部長を兼務するように命じられた。だが八月一日になって、大船撮影所長が苅谷太郎から大谷博（社長・大谷竹次郎の長女の娘婿）専務に交代すると、満映（満州映画協会）から帰ってきたばかりのマキノ光雄（満男）が製作部長となった。

佐々木は十五日の時点では何も撮っていなかったので、すぐに秋田県横手市に疎開している家族のもとへ向かった。

日比谷、邦楽座・並木路子

佐々木が監督する『そよかぜ』に出演し、劇中で歌った主題歌『リンゴの唄』が戦後最初の流行歌となる並木路子（一九二一～二〇〇一）は、日比谷にあった邦楽座の地下室で玉音放送を聞いた。この年、二十四歳である。

並木は松竹少女歌劇団の一員だったが、一九四四年三月に決戦非常措置要綱で歌劇団が解散してからは、「松竹藝能本部女子挺身隊」として各地へ慰問していた。四五年三月の東京大空襲で母を亡くした後も、中国へ慰問に出た。帰国後の八月は、邦楽座の「大船新生劇団、大船舞踊隊合同公演」で、『美しき円舞曲』『手鞠日記』に出ていたのだ。

八月十五日も公演があると思っていたので邦楽座へ行き、楽屋で準備をしていると、

「重大放送があるので集まるように」と言われた。

並木たちは地下室で放送を聞いた。しかし地下だったせいか、電波状態が悪く、何も聞き取れなかった。

放送後、憲兵がやって来て、次のような趣旨のことを言った。

「戦勝国の人間が上陸してくる。あなたたちは決して人目を引くような派手な格好をしてはならない。歌劇の人はとかく派手だから、とくに気をつけるように。パーマネントをかけない、化粧もしないように。パーマネントをかけている人は帽子をかぶり、その中に髪を入れて見えないようにする。髪の長い人は切るかひっつめること。外国人とはいっさい目を合わせるな。（邦楽座のある）有楽町は占領の中心になり、アメリカ兵がたくさんやって来るので、できるだけ親元にいるように。中野の寮からここまで来るのも危険だ」

「若い女性は進駐軍に襲われる」という噂を誰もが信じていた。

調布飛行場・佐野周二

松竹三羽烏のひとり、佐野周二（一九一二〜七八）は、三月の大空襲で混乱しているなか、三度目の召集を受けた。航空通信隊第一三五部隊に入隊し、調布飛行場に勤務し、敗戦を迎えた。この年、三十三歳である。

佐野は一九三六年（昭和十一）に松竹の俳優公募で、一千人の応募者のなかから選ばれて入社し、同年に佐々木康監督の『Zメン青春突撃隊』でデビューした。たちまち人気スターとなり、上原謙、佐分利信とともに「松竹三羽烏」と呼ばれるようになった。

一九三八年七月、佐野に最初の召集令状が来た。『彼女は何を覚えたか』が七月十四日に封切られると、その舞台挨拶のため浅草・帝国館の舞台で出征の挨拶をして、万雷の拍手を受けて旅立った。第十五航空通信隊に入隊し、四一年二月まで二年半も中国大陸を転々とした。帰還第一作は五月封切りの野村浩将（ひろまさ）監督『元気で行かうよ』で、上原と佐分利が共演し、三羽烏が揃ったのでヒットした。同年末には野村監督の『蘇州の夜』で李香蘭（山口淑子）と共演し、空前の大ヒットとなり、出征でのブランクを感じさせなかった。

しかし一九四二年七月、佐野はまたも召集された。今度は内地勤務で、歩兵軍曹として東部第六部隊に入隊し、六本木にあった聯隊本部に詰めた。その年は許可を得て大船撮影所へ行き、映画にも出ていたが、四三年になると許されなくなった。曹長に進級し四四年六月に除隊となった。二度目の帰還第一作は川島雄三の監督昇進第一作、帰還軍人の生活を明るく描いた『還って来た男』で七月に封切られた。

続いて佐野は、十月封切りの松竹京都のマキノ正博監督『野戦軍楽隊』と、十二月封切りの木下惠介監督『陸軍』、四五年二月二十二日封切りのオムニバス映画『必勝歌』（総指揮・田坂具隆)、四月二十六日封切りの佐々木康監督『乙女のゐる基地』に出た後、三度目の召集となった。

三度目も内地での勤務だったので、世田谷代田の自宅へ帰ることはできた。八月になって、妻が過労から一週間病床に伏したまま亡くなり、さらにその一週間後に次女が後を追うようにして亡くなった。

葬儀が終わり、落ち着いた頃に終戦となり、「やっとこれで自分になれる」と思った。九月になって佐野は除隊となり、ゆっくりする暇もなく、『そよかぜ』の撮影が始まる。

シンガポール・小津安二郎

小津安二郎(一九〇三〜六三)はシンガポールで敗戦を迎えた。この年、四十二歳。

映画界へ入ったのは一九二三年(大正十二)で、松竹蒲田撮影所に撮影助手として入社、二四年に応召したが一年で除隊して松竹に戻り、一九二七年十月公開の『懺悔の刃』で監督デビューした。

一九三七年九月にも応召し、小津は中国戦線に向かい、各地を転戦した後、三九年七月に除隊した。復帰第一作として書いたシナリオ『彼氏南京に行く』は検閲で却下されたが、四一年の『戸田家の兄妹』がヒットした。四二年四月に公開された『父ありき』製作中に太平洋戦争が始まると、陸軍は松竹・東宝・大映の三社に戦記映画を作るよう要請した。松竹は小津にビルマ作戦を描く映画を指示した。戦場での体験があるから作れるだろうと見込んだのだ。しかし小津が書いたシナリオ『遥かなり父母の国』は、戦闘での兵士たちの現実を描いたため反戦的になり、陸軍報道部は許可しなかった。

これで小津は戦記映画からは解放されたが、次に来たのが、軍の対インド施策機関・光機関が宣撫工作として企画した、インド独立運動の英雄、チャンドラ・ボースの映画だった。一九四三年六月、小津は南方軍総司令部付報道部の一員としてシンガポールへ向かった。ボースとも会って取材し、『オン・ツゥ・デリー（デリーへ、デリーへ）』というタイトルでシナリオを書き始めたが、インパール作戦の敗退でビルマ作戦が失敗したことで映画は中止になった。しかし、帰りたくても帰る手立てがなくなり、小津はシンガポールに留まり、アメリカ映画一〇〇本ほどを見て暮らしながら、八月十五日を迎えたのだ。

小津は軍人たちが、戦争に負けたら切腹するといきまいていたので、切腹はしたくないが自分だけ生き残るわけにもいかないと、そのときになったら睡眠薬を酒にまぜて飲んで死のうと考えていた。しかし、軍人たちは切腹せず、あっさりと負けた。

〈これを見てぼくは、日本人にも必ず敗戦の伝統がある。歴史上一度も負けたことがないというけれど、ぼくたちの血の中には、きっと負け戦の経験が流れているんじゃないか

――と思った。〉と一九六〇年に書いている。

大映太秦撮影所・嵐寛寿郎、阪東妻三郎、稲垣浩、丸根賛太郎

大映の京都撮影所では、嵐寛寿郎主演の『花婿太閤記』があと二、三日で完成するところで、八月十五日を迎えた。監督の丸根賛太郎はこう振り返っている。

〈従業員が呼び集められましてね、玉音放送をききました。よく聞きとれなかったですが、負けたことは何となくわかりみんなシュンとなってしまいました。僕のスタッフも仕事するのがイヤだと言い出したんですけど、会社がどうしてもつくってくれというので、午後には音入れの作業をしたのを覚えています。〉（京都新聞社編『京都の映画80年の歩み』）

アラカンこと嵐寛寿郎（一九〇三～八〇）はこの年、四十二歳。前年十一月封切りの『かくて神風は吹く』が戦中最後に公開された嵐寛（あらかん）の出た映画だった。この映画について、嵐寛は『鞍馬天狗のおじさんは』で、〈もう撮ったところで小屋が焼けたり閉鎖やらで、上映でけしまへんのや。かくて神風は吹かず（笑）、撮影所はカボチャの花ざかりで、日本帝国無条件降伏ダ。〉と語っている。

八月は『花婿太閤記』を撮影しており、同書では十五日をこう振り返っている。

〈八月十五日、忘れられしまへんなあ。カンカン照りの真っ昼間、太秦撮影所の庭に、全

員集まって終戦のご詔勅を聞きました。口惜しかった。せやけど負けて当然やとも思うた。もっと早くなんで手を挙げなんだのか、日本サランパンや。大陸や南方の兵隊、無事に引揚げてこられるのやろうか？／戦争負けて、カツドウシャシンどうなっていくのか？お先まっくらダ、ホンマに途方に暮れた。〉

そして敗戦直前から、〈デマが飛びよる、相手は〝鬼畜米英〟や。上陸してきたら最後、女は片端から強姦され、男はキンタマ抜かれる。天皇はん以下帝国軍人はみな死刑ダ、当時は冗談と誰ひとり思わなかった。〉

阪妻こと阪東妻三郎（一九〇一～五三）は、太秦撮影所の技術部の一室で玉音放送を聞いた。監督の伊藤大輔もその部屋にいた。

一九四五年に公開された阪妻が出た映画は、日中合作の『狼煙は上海に揚る』『生ける椅子』『東海水滸傳』の三作があった。

八月十五日の阪妻について、伊藤大輔は「キネマ旬報」一九六〇年八月下旬号にこう書いている。

〈二三日剃刀を当てない無精髭の伸びた顔で、口を「へ」の字に結び、大きく見張った眼を光らせて放送に聞入って居た。雑音がひどくて意味の判じにくい放送ではあったが、敗戦、降伏ということだけは紛れもなかった。そうして、それが終った時、彼の眼は正面か

らハタと私の眼と見合った。〉
この日、稲垣浩が撮影所に着いたのは、放送の後だった。事前に知らされていなかったようで、太秦の撮影所へ行く途中、街の様子がいつもと違うのを妙に思いながら歩いていた。稲垣浩（一九〇五～八〇）は、阪妻の代表作『無法松の一生』を撮り、四四年に撮影された『狼煙は上海に揚る』では一緒に上海へ行き、戦中最後の『東海水滸傳』も伊藤大輔と共同で監督した、阪妻の盟友である。
撮影所に着くと稲垣は敗戦を知った。そして阪妻と出会った。二人は無言で手を握り合った。稲垣は〈ふたりとも何かホッとした気持だったが、しかしまだ声を大にしてそれを語り合う時ではなかったからである。〉と無言の握手を説明している（「キネマ旬報」一九六〇年八月下旬号）。

京都・片岡千恵蔵、市川右太衛門

片岡千恵蔵（一九〇三～八三）はこの年、四十二歳になる。千恵蔵は『かくて神風は吹く』に出た後は、『龍の岬』に主演し、『東海水滸傳』に阪妻、右太衛門と出て、それが戦中最後の映画だった。出演中の映画がなかったので、八月十五日は自宅でラジオを聞いた。

日本は負けないという教育を受けてきたので、放送を聞いてがっくりした。映画がどうなるかなどはまったく考える余裕もなかった。〈ただ呆然としていたのです。世の中が、これでひっくり返ってしまったという気持でした。〉（「キネマ旬報」六〇年八月下旬号）

市川右太衛門（一九〇七〜九九）はこの年、三十八歳。右太衛門も『かくて神風は吹く』に出た後、一九四五年は『紅顔鼓笛隊』で主演し、『東海水滸傳』に阪妻、千恵蔵と出て、八月は『乞食大将』が撮影中だったが、十五日は京都・北大路の自宅で玉音放送を聞いた。『乞食大将』の撮影は六割ほどが終わっていた。

右太衛門は九日のソ連参戦のニュースで、もうだめだと思っていた。そして〈十五日に天皇陛下の放送を聞いた時も、万事休す、という感じがした一方では、何となく心のうちが静かになったという気持がしたのも、記憶しています。〉（「キネマ旬報」六〇年八月下旬号）

映画はこれからどうなるのだろう、今までのように作っていけるのだろうかと、考えた。時代劇は撮れたとしても、殺陣のシーンはだめだろうと、すでに予感していたようだ。

京橋大映本社・永田雅一

大映の本社機構は空襲で焼けたため、京橋の日活ビル内にあった。専務の永田雅一（一九〇六〜八五）は日活ビル三階の大映の重役室でラジオを聞いた。

〈この瞬間、さすがに茫然とした。〉と永田は「キネマ旬報」一九六〇年九月号に書いている。永田は、戦争継続不可能という情報を得ていたので、この日に重大放送があると知った時点で、予感していた。

〈今後日本が、日本人がどうして再建していくであろうかと胸はしめつけられ心は暗く閉ざされて、いつまでもいつまでも深い感慨におちいっていた。〉

京都・溝口健二

溝口健二（一八九八～一九五六）は、一九四一年から四二年にかけて作った『元禄忠臣蔵』が失敗に終わり、「スランプに陥った」とされていた。それでも松竹の京都・下加茂撮影所で作り続けていた。

一九四四年六月二十二日封切りの『團十郎三代』は七代目から九代目までの市川團十郎に仕えた雇女の生涯を描いたもので、田中絹代主演。十二月二十八日封切りの『宮本武蔵』は吉川英治ではなく菊池寛の原作だ。四代目河原崎長十郎が武蔵、三代目中村翫右衛門が佐々木小次郎で、田中絹代も出た。そして二月八日封切りの『名刀美女丸』が続く。川口松太郎原作で、新派の花柳章太郎が主演し、山田五十鈴も出た。

この後、松竹スター総出演の『必勝歌』を田坂具隆・清水宏・マキノ正博と分担して撮り、これが溝口の戦中最後の映画だった。

八月十五日は京都・右京区御室の自宅で迎えている。

辻堂・尾上菊五郎

六代目尾上菊五郎（一八八五〜一九四九）は敗戦の年、六十歳である。戦中最後の舞台は新橋演舞場の歌舞伎公演で五月二十五日が千穐楽だった。その夜、東京は大規模な空襲に遭い、菊五郎の芝の「本宅」も焼けた。菊五郎は病身の妻・家壽子をリヤカーに乗せて避難した。避難先は城山町にあった「別宅」である。ここには千代という女性と彼女が産んだ子供たちが暮らしていた。避難して数日は城山町にいたが、家壽子は箱根の大成館という旅館に移り、その地で、養子・菊之助（七代目梅幸）とその妻、子たちと敗戦を迎えた。

城山町もいつまでも安全とは限らないので、菊五郎は信州へ疎開する手はずをとっていたが、いざとなると、「焼け野原になったからって、江戸っ子が都落ちできるか」「天皇陛下が宮城（きゅうじょう）においでになるのに、東京をあとにするわけにはいかない」と言って、疎開しようとしない。

そこで娘の久枝が前年結婚したばかりの夫・中村もしほ（十七代目中村勘三郎）と鎌倉に移っていたので、千代たちは鎌倉に移った。いつまでも娘夫婦の世話にもなれないので、鎌倉で家を探し、七月に辻堂に家を借りた。この辻堂の家で、菊五郎は敗戦を迎えた。後に本妻になる千代は『亡き人のこと』にこう書いている。

〈主人は、大変な天皇第一主義の人でしたから、終戦の御言葉を、しかも陛下御自身の御声を、ラジオを通じて拝聴して、男泣きに泣いてしまいました。〉

日光・中村吉右衛門

初代中村吉右衛門（一八八六～一九五四）は五十九歳で敗戦を迎えた。三月の東京大空襲の後は日光に疎開していたが、七月三十日に日比谷公園の小音楽堂で『一谷嫩軍記（いちのたにふたばぐんき）／組討』を一日だけ上演し、これが戦中最後の舞台だった。吉右衛門が熊谷、弟の中村もしほ（十七代目中村勘三郎）が敦盛をつとめた。武蔵野文化会と文化義勇隊が主催する入場無料の公演だった。

この一日だけの公演の後、吉右衛門は日光へ戻り、妻と娘・正子、その夫の染五郎（八代目松本幸四郎、初代白鸚（はくおう））と、幼い二人の孫とともに、八月十五日を迎える。弟・三代目時蔵の一家は赤坂氷川町で、異母弟・もしほは鎌倉で、それぞれ敗戦を迎えた。

吉右衛門の日記には〈餘りのことに言葉なし、敵機の空襲も止み、ほつと一息つきしが、三千年餘初めての負け戦に、國民の力落しは言い様なし。〉とある。孫の昭暁（てるあき）（一九四二

〜、九代目幸四郎を経て二代目白鸚）は二、三日前から大腸カタルで、久信（一九四四〜、二代目吉右衛門）は百日咳、娘・正子は戦時下の疲れが出て寝込んでいた。

吉右衛門は俳句をたしなみ、この日は四句、詠んだ。

空襲は絶えてゐるなる蟬時雨
焼残るセル着て歩く日なたかな
刈り立ての頭に止まる赤とんぼ
男の子が取つてくれたるほたる草

東京・市川猿之助

東京の歌舞伎役者の大半は、東京から離れたところで八月十五日を迎えていた。前日まで舞台に立っていたのは、市川猿之助の一座だけだった。

空襲を免れた東京劇場（現在は映画館）で、八月八日初日で市川猿之助一座が『橋弁慶』と『東海道中膝栗毛』を上演していたのだ。さらに十六日からは『橋弁慶』を『黒塚』に替えて『東海道中膝栗毛』とともに上映すると、八月十日と十四日の朝日新聞に広告が出ている。

一九四五年当時の「市川猿之助」は二代目で、後の「初代市川猿翁（一八八八〜一九六三）」である。猿之助の自伝（仁村美津夫による「猿翁聞書」）にはこうある。

〈挺身慰問団というものが結成されたのは、広島が原爆に見舞われる三日前だったと記憶している。決死の覚悟で慰問団を組織し各地を回ることになっていた。八月、私はまず東劇での慰問芝居を受け持たされ一週間市民の慰問をやり、そのあと一日休んで、十六日から本興行に入る予定になっていた。しかし、十一、十二日ごろになると、すでに俳優達も家を焼失した者が多く、遠い郊外などから通っていたが、空襲で乗物がとまり、劇場へこられなくなったりして、ただでさえ少い人数がますます減っていた。幕をあける前にあたま数をかぞえて「今日はこれだけでなんとかしよう」と、お互いに急に幾役も余分に受け持ったりして無理な芝居をあけていた。〉

この公演は東京都主催の罹災者慰問公演で、上演されたのは二演目で、『橋弁慶』は猿之助が武蔵坊弁慶、段四郎が牛若、『東海道中膝栗毛』では猿之助が弥次郎兵衛、八百蔵が喜多八だった。一日二回の公演だったが、空襲で一回しかできない日もあり、『東海道中膝栗毛』には多くの役者が出るが、その日に劇場に来られた役者の数に応じて、演出を変えていたという。

そして――八月十五日を迎えた。猿之助は〈その終戦の報に、ただ呆然自失するだけだった。〉しかし、東劇が焼けずに残っている。

〈ここを本拠に一日も早く芝居をあけたいと思った。〉

熱海・水谷八重子

水谷八重子（一九〇五〜七九）は紀尾井町に住んでいたが、三月の大空襲の後は熱海へ、夫の十四代目守田勘彌と娘の良重（二代目水谷八重子）と疎開した。

前年二月の決戦非常措置要綱による大劇場閉鎖により、水谷の藝術座はそれまでは東劇で公演していたが、邦楽座、浅草松竹座、江東劇場などに出るほか、関東地方、京浜地帯の軍需工場を慰問して回る移動演劇もしていた。

藝術座の戦中最後の公演は、一九四五年二月の浅草松竹座で『花も戦う』『小太刀を使う女』を上演した。この公演の後、水谷はこれ以上続けるのは困難と判断し、二十名ほどいた座員と協議して、積立金を等分に分配して一時解散に踏み切った。

その後の五月の大空襲で水谷の紀尾井町の家は焼けた。疎開してからも日本放送協会（NHK）の嘱託となり、週に一度は東京へ出てラジオに出演していた。

そして熱海で八月十五日を迎えた。『私の履歴書』に水谷はこう書いている。

〈台所でお昼の用意をしていた時、守田に呼ばれ、しのびがたきをしのぶ玉音に涙したの

であった。〉

水谷は年内はその生涯で唯一、「専業主婦」となり、夫と娘との家庭的な雰囲気の暮らしを送る。

世田谷区経堂・杉村春子

文学座の杉村春子（一九〇六〜九七）は、五月の空襲で住んでいた東中野の家が焼けた後は、世田谷区経堂の贔屓客（ひいき）の家に世話になっていた。

八月になって、伊豆に疎開していた母を、親戚のいる広島へ連れて行こうとしていたが、準備に手間取っているうちに原爆が落とされた。もし母を広島へ連れて行っていたら、杉村も亡くなっていた可能性は高い。

文学座は、移動演劇連盟から北陸へ派遣される形で石川県小松へ疎開していたが、杉村はそれにには参加せず、東京に残っていた。

演劇の仕事がなくなった杉村は、日本放送協会（ＮＨＫ）の海外向け放送で朗読する仕事をしていた。十五日もそのつもりで、経堂で玉音放送を聞いた後、内幸町の放送会館へ向かった。

会館の前には憲兵が立っており、ものものしい。受付に行って「どうなってますか」と聞くと「今日はもう何もできないから、お引き取りください」と言われた。

石川県小松市・中村伸郎

文学座の俳優・中村伸郎（一九〇八～九一）は、劇団の仲間と石川県小松で敗戦を迎えた。

文学座は新劇のなかで戦中も活動していた唯一といっていい劇団だ。極端に社会主義運動に関わらなかったため存続していた。しかし、空襲で劇場が焼失してしまうと、活動の場は移動演劇しかなく、四月に渋谷の東横劇場で『女の一生』の初演をすると、五月から石川県の小松に疎開した。

小松には中村伸郎の養父が経営する小松製作所があった。中村は北海道小樽で銀行員の七男として生まれ、結婚したが子が生まれなかった長姉の養子となった。その養父が小松製作所を興したのである。戦時中の小松製作所は軍需工場で、爆弾の信管やトラクターのキャタピラなどを製造していた。

文学座は小松製作所の工員寮に寝泊まりしながら、北陸での移動演劇を続け、八月十五日を迎えた。中村の随筆『おれのことなら放つといて』にはこうある。

〈終戦の日には釜清水での芝居の直前に終戦の詔勅のラジオ放送があり、芝居をするつもりで待機していた文学座のみんなも私と一緒に聞いた。菅（文代）さんが声を挙げて泣いたあと、でも戦争が終わって本当によかった、とケロリとして言ったのを覚えている。〉

文学座の一行は汽車で一時間ほどの小松市へ帰った。中村が社長室へ行くと、憲兵が「なぜ操業を中止させた。われわれの命令があるまで続けろ」と長い日本刀で床を叩いて、社長（中村の養父）を威嚇している大きな声が聞こえた。しかし社長は「終戦の詔勅が出た以上は無駄な操業は中止する」と穏やかに言った。その淡々とした口調に、中村は安心した。

世田谷成城・滝沢修

新劇俳優・演出家の滝沢修（一九〇六〜二〇〇〇）は敗戦直前、移動演劇の仕事で北海道を巡回していた。それが終わり、函館から青函連絡船で青森へ着くと、青森市はその前日に空襲に遭い、埠頭も駅もなかった。滝沢たちが乗った船が、最後の連絡船だった。

一行は日本海回りの列車で東京へ向かい、八月十四日に辿り着いた。

翌十五日、世田谷・成城の自宅で、疲労困憊の滝沢が目を覚ましたのは、正午になる直前で、ラジオは「重大放送」があると繰り返していた。

滝沢は一九四一年十二月八日の日米開戦の報は、東京拘置所で知った。同年五月の新劇への弾圧、一斉検挙で逮捕されていたのだ。

十二月二十六日に保釈されたが、その後は仕事がなかったので農作業をして暮らしていた。名を伏せて東宝の長谷川一夫の舞台の演出もしていたが、表舞台に出るようになったのが、移動演劇の仕事だった。

滝沢は重大放送を、妻と三人の子供と聞いた。その眼から涙がこぼれていた。息子の滝沢荘一は『名優・滝沢修と激動昭和』に〈修は泣き続けた。［よかった、よかっ……］と心の中で叫んでいた。〉と書いている。

仙台刑務所・土方与志

築地小劇場と新築地座の創立者、「赤い伯爵」こと土方与志（よし）（一八九八〜一九五九）は、仙台刑務所で終戦を迎えた。

土方与志は伯爵家の生まれで、祖父、父が亡くなった後は彼自身が伯爵位を継いでいた。中学時代から演劇を始め、小山内薫に師事した。ドイツ留学中に関東大震災が起きたのを知ると帰国し、こういうときこそ演劇が必要だと、私財を投じて、一九二四年に小山内と築地小劇場を開設した。

劇団としての築地小劇場は小山内の死後、一九二九年に分裂し、土方は「新築地劇団」

いた。

土方は爵位を相続していたので不逮捕特権があったが、警察はそれを剝奪し、土方を検挙しようと画策していた。一九三三年に小林多喜二が逮捕され特高警察の拷問で虐殺されると、土方はソ連へ行き、日本プロレタリア演劇同盟の代表として、ソビエト連邦作家同盟第一回大会で小林多喜二が虐殺されたことや日本の革命運動について報告し、そのまま亡命した。しかしソ連でスターリンの大粛清が始まると、土方はスパイ容疑で国外追放処分を受け、パリに移っていた。

日本では、土方がいない間の一九四〇年、新築地劇団のメンバーは大半が検挙されていた。日本の仲間が苦境に立たされているのを知った土方は、一九四一年七月に、逮捕されるのを覚悟で帰国した。横浜港に船が着くと待ち構えていた特高警官に捕らえられ、三田警察署へ連行された。ソ連での演説と日本共産党への資金提供を理由に、十二月に治安維持法違反で懲役五年の実刑判決が下った。上告し三カ月だけの保釈となったが、翌四二年三月に上告は棄却され、豊多摩刑務所での獄中生活が始まった。

一九四〇年の新劇大弾圧では百名余りが検挙されたが、多くが転向したので、実刑判決を受けたのは土方だけだった。

一九四四年の秋、土方は極寒の仙台刑務所へ移された。そして、この地で敗戦を迎えたのだ。四十七歳になっていた。

内幸町、日本放送会館・古関裕而

作曲家の古関裕而（一九〇九〜八九）はこの年、三十六歳。福島県で呉服店の長男として生まれたが、音楽家を志望した。母方の伯父が頭取をしていた銀行に勤めたが、作曲の勉強を続け、一九三〇年に山田耕筰の推薦でコロムビアの専属作曲家となった。戦時中は「軍歌」や、それに近い、「愛国流行歌」「軍国歌謡」などと呼ばれる歌謡曲・流行歌を数多く作曲し、戦意昂揚を音楽面から支えた。

古関は世田谷代田に住んでいたが、空襲が激しくなったので妻と子供たちを福島へ疎開させ、さらに福島市も危なくなると飯坂温泉の知人の家の離れを借りた。七月半ばに妻が腸チフスで重体になり入院すると、古関は付き添った。退院後、飯坂に落ち着いたが、古関はＮＨＫの仕事をしていたので呼び出され、東京へ向かったのが八月十四日だった。

夜行列車が新橋に着いたのが十五日昼近くで、駅長室に人だかりができていた。「重大放送」があるというので、そこで聞くことになった。「敗戦か」「本土決戦か」と人びとは予想していた。ラジオは何を言っているのかよく分からなかったが、降伏らしいと分かり、ともかくNHKのある内幸町の放送会館へ向かった。

しかし憲兵が入れてくれないし、降伏なら今日の仕事はないだろうと判断し、古関は世田谷の自宅へ行き、留守宅の番をしてもらっていた弟子の母親に留守を頼み、妻子の待つ飯坂温泉へ向かった。

両国・出羽海一門

大相撲の力士たちは地方へ勤労奉仕に出ていたので、八月十五日に東京に残っていたのは出羽海一門だけだった。

東京に残っていた出羽海一門も、七月十六日から北海道の部隊へ慰問に行く計画があったが、当日夕方に上野駅に集合したところで中止を伝えられた。青函連絡船が空襲を受けて運航できなくなったのだ。

八月になり、仕事のなくなった出羽海一門に、タニマチのひとり、土木業の大安組の安藤社長から、静岡の用宗(もちむね)海岸で製塩をやらないかと声がかかった。力仕事なので力士にふさわしいと思われたのだ。一門は春日野(第二十七代横綱・栃木山守也、一八九二〜一九五九)を隊長とする「大日本相撲協会出羽海一門義勇隊」を結成した。副隊長には武蔵川と横綱・安藝ノ海が就いた。

一行は八月十日に出発する予定だった。しかし当日になっても、迎えのトラックが来ない。そして十五日を迎えた。

いつでも出発できるように準備しながら、一門は玉音放送を聞いた。トラックはついに来なかった。しかし製塩事業は中止になったとも連絡がなく、待機が続く。

製塩事業もさることながら、大日本帝国の「国技」である大相撲がどうなるのか、誰にも分からなかった。

福岡県太宰府・双葉山

横綱・双葉山定次（一九一二〜六八）は福岡県太宰府で敗戦を迎えた。三十三歳である。一般には、まだまだこれからという年齢だが、力士としては引退を考える歳だ。実際、この大横綱はすでに引退を決意していた。

六月場所が終わると、双葉山は太宰府に一門の力士を連れて疎開し、「双葉山勤労報国隊」として勤労奉仕をしていた。久留米のタイヤ工場で、重いタイヤをトラックに積み、軍の施設まで運ぶのが仕事だった。米軍機による機銃掃射に晒（さら）されながらの、命がけの勤労奉仕だった。その仕事も八月十二日に久留米市が空襲で壊滅状態になると、終わった。双葉山は機銃掃射のなか、どうにか太宰府に逃げ帰った。そして三日後に、敗戦の放送を道場で聞いた。この日、同隊を解散すると、指示があるまでそれぞれの故郷へ帰れと、一門を帰郷させた。

箱根仙石原・鈴木龍二

プロ野球を統括する日本野球機構（NPB）の前身、日本野球連盟は戦争末期の一九四四年に「日本野球報国会」と名称を変えていた。専務理事だった鈴木龍二（一八九六～一九八六）は疎開先の箱根・仙石原で敗戦を知った。この年、四十九歳。

一九四四年秋のプロ野球の一時休止決定後も、報国会の事務所は文京区弓町（現・本郷二丁目）にあったが、五月二十五日の空襲で焼けた。洗足池にあった鈴木の家はその前の四月の空襲で焼け、鈴木はすでに箱根の農家を借りて居を移していた。しかし東京での足場がないのも不便なので、自由が丘駅近くの奥沢に家を借りていた。

國民新聞政治部の記者だった鈴木は、野球の仕事以外にも政治関係のなにかをやっていたらしく、平日は東京へ出てきていた。敗戦の情報も入手し、十五日に重大放送のあることは数日前に知っていた。その日は朝から落ち着かなかった。正午からの放送は家族とともに箱根で聞いた。

この玉音放送について多くの人が何を言っているのか聞き取れず、分からなかったと回想しているが、鈴木は冒頭の「非常の措置を以て時局を収拾せむと欲し」で、戦争が終わったとはっきり感じられたと、回顧録に記している。

〈暑い日であった。／何度か登り、その上をかすめて、東京の空襲に向かうB29を見た金時山が、蒼い空に黒ずんだ稜線を見せ、白い夏雲がゆったり流れている。いつもと変わらぬそのたたずまいが、まるで不思議なものでも見るように感じられた。杜甫が、長安の破壊されたのを嘆じた春望の詩「国破れて山河あり城春にして草木深し」という一節が実感として胸に迫った。〉

鈴木は、負けた日本はどうなるのか、生きてはいられない、といった虚脱感にとらわれて、二、三日は呆然として過ごした。

埼玉県、豊岡陸軍航空士官学校・大下弘

戦後最初のプロ野球スター、「青バット」の大下弘（一九二二～七九）は陸軍航空隊の戦闘機要員として、埼玉県の豊岡陸軍航空士官学校で八月十五日を迎えた。十二月生まれなので、二十二歳での敗戦だった。

大下は兵庫県神戸市で生まれたが、中学に入る年に、料理屋の女将だった母と日本統治下の台湾へ行った。儲かると聞いたからだった。台湾の高雄商業学校へ入学し野球部で活躍していると、明治大学野球部の関係者の眼に留まり、入学を勧められた。明治大学予科に入学し野球部にも入ったが、球拾いばかりやらされるのでいやになりかけていた。

戦局の悪化で東京六大学野球は一九四二年の秋季リーグが最後となるが、大下の出番はなかった。翌四三年五月二十三日、大学野球連盟の公式試合ではなく、立教大学との対外試合があり、これに大下は出場した。しかし目立った活躍はなく、当人も何も憶えていないという。このとき立教大学で選手兼監督のような立場だったのが、後に名監督となる西本幸雄だった。

一九四三年十月二十一日の神宮外苑競技場で出陣学徒壮行会に参加した学徒のなかに、大下もいた。徴兵検査で合格となり、陸軍の姫路三十四部隊に配属された。訓練が終わると、航空隊を志願し、その訓練が終わると戦闘機要員として北海道の八雲戦隊へ配属された。これが一九四五年四月のことだった。

八雲戦隊は出撃の出番のないまま八月を迎えた。ソ連の宣戦布告が予測されると、移動命令が出た。ソ連軍に向かっての出撃ではなく、首都防衛のための移動で、埼玉県の豊岡陸軍航空士官学校へ転属された。そして、ついに出撃命令の出ないまま、八月十五日になった。

出征したことは手紙で母に伝えたが返事はなく、消息は不明だった。大学へ戻れるのか、野球部はどうなっているのか、何も分からなかった。

千葉県、岩井駅・小川菊松

出版社、誠文堂新光社社長の小川菊松（一八八八～一九六二）は、房州岩井駅（現ＪＲ東日本、内房線）で「重大発表」を聞いた。

小川は明治二十一年に茨城県川根村に生まれ、十四歳の年に上京して、大洋堂書店の店員として働き、次に書籍取次の至誠堂書店に勤務した後、一九一二年（明治四十五）に独立して書籍取次業「誠文堂」を創業した。その翌年から出版業にも事業を広げ、三五年（昭和十）に新光社を合併して、誠文堂新光社とした。この年、五十七歳である。

誠文堂新光社は出版統制の時代も生き抜いて、一九四〇年にはノモンハン戦を描いた山中峯太郎の『鐵か肉か』がベストセラーになった。さらに、模型工作展覧会、科学者ベル展覧会、空の決戦大会（模型航空機の滞空競技会）などのイベントも開催していた。

仕事柄、小川にはさまざまなところから情報は入っていた。印刷、用紙、金融といった取引先や著者からの情報もあり、前年の暮れには日本の敗戦を感じていたが、八月十五日に発表ということは知らなかった。

放送を聞いた小川は〈本当に腹の底からくやしく、涙が溢れ出るのを禁じ得なかった。〉と回想録『日本出版界のあゆみ』に書いている。

しかし日本人の大半が茫然自失しているなか、小川は東京へ向かう汽車のなかで、戦争に負けた今、読者が求めているのはどんな本なのかを考えていた。

小川はいまと似た状況があったことを思い出した。一九二三年（大正十二）九月一日の関東大震災である。あのとき小川はいち早く動いて、震災から一カ月も経っていない九月二十四日に被害にあった東京の様子を報じる『実地調査　大震大火の東京』を発行し、二万八千部を売るベストセラーにした経験があった。あのときは、全国の人びとが大震災で東京がどうなったかを知りたがっているだろうと考えて大急ぎで出した。では、この敗戦を受けて、人びとが求めているものは何か。人びとが知りたがっているのは何か。

〈私の頭にひらめいたのは「日米会話」に関する出版の企画だった。〉

もうひとつ、宗教書も考えた。〈戦勝国である米英から相当の圧迫を受け、神や仏にでもすがって、我慢しなければ、到底堪えられない様な世相が出現する〉と思ったからだ。

だが東京に着いて、会社に帰ったときには日米会話の本だと決めていた。すぐにできるのは日米会話のほうだ。戦中は敵性語ということで公の場では英語を使えなかった。つまり、英会話の本は、この四年間は一冊も出ていないはずだ。

だがアメリカ人が占領軍としてやってくる。一般人でも、アメリカ人と接する機会があるはずだ。需要はある。そして、いまの出版市場には英会話の本は一冊もない——小川はさまざまな計算をした。

小川が会社に戻ると、息子の誠一郎と社員たち二人が浮かぬ顔をしながら酒を飲んでいた。小川はいきなり「日米会話」の企画を話し、すぐに取り掛かろうと提案した。誠一郎は反対したが、小川はそれにかまわず、原稿を作るよう社員に指示した。

かくして戦後最初のベストセラー『日米会話手帳』(当時の表記は『日米會話手帳』)は敗戦当日に企画が動き出す。

横浜市磯子区・少女

後に「美空ひばり」として日本中、知らぬ者のない存在となる少女・加藤和枝は、この年、八歳だった。横浜市磯子区の「屋根なし市場」の鮮魚店「魚増」が生家である。父は加藤増吉、母は貴美枝という。妹がひとり、弟がふたり、いた。

モーツァルトの神童伝説のように、ひばりも幼少期から歌の才能が見いだされていた。二歳の年にレコードで童謡を聴くと覚えて歌いだし、三歳で「小倉百人一首」を暗記し、四歳でレコードで聴いた歌謡曲を歌えるようになり、太平洋戦争が始まると軍歌も歌うようになる。この少女は「歌」をすべて聴いて覚え、そのとおりに歌えた。

加藤和枝がその歌で人びとを泣かせた最初が一九四三年六月、六歳になってすぐのことだった。父・増吉が横須賀海兵団に入隊することになり、その壮行会で『九段の母』『出征兵士を送る歌』『兵隊さんよ　ありがとう』などを歌ったのだ。『九段の母』を歌うと、そこにいた人びとの間からすすり泣きが聞こえた。

これが評判になり、加藤和枝は町内で出征する者が出るたびに壮行会で歌い、海兵団や軍需工場への慰問も頼まれるようになった。

一九四五年三月十日に東京が空襲で甚大な被害を受けると、母・貴美枝は自分たち専用の防空壕を作ろうと決めた。防空壕は町内共同のものしかなく、早い者勝ちなので遅れてしまうと入り口近くの危険な場所しか空いていない。貴美枝はなけなしの金で近くの山の土地を買って、土木関係の知人に頼み、専用の防空壕を作った。

防空壕が完成した二日後の十五日、米軍は横浜を空襲した。死者九七二人、罹災戸数は約五万とされる。貴美枝と子どもたちは防空壕のおかげで助かった。魚増のある「屋根なし市場」も被害はなかった。

五月二十九日の、さらに大規模な横浜大空襲でも、屋根なし市場と加藤母子は無事で、八月十五日まで生き抜いた。

八月十五日について、『ひばり自伝』にはこう記されている。

〈わたしは玉音放送のことはおぼえていませんが、母に聞いたそうです。母は、「これでもう父や近所の方々をはじめ、日本人が死なないですむ」と思い、ほっとするとともに、よろこびを感じたそうです。〉

貴美枝は、「戦争が終わったら、この子のために楽団を作ろう」と考えていた。

この母娘が戦後日本のある部分を作るのである。

広島・丸山定夫と櫻隊

移動演劇・櫻隊のリーダーである俳優・演出家の丸山定夫（一九〇一〜四五）は広島で敗戦を迎えた。

櫻隊は広島を拠点に山陰地方を巡業していた。七月十九日に広島に戻り、宿舎として提供されていた地元の名士の邸宅に落ち着いていた。

八月六日から、中国地方巡回公演のための稽古をするつもりでいた。この日、広島にいた隊員は丸山と、宝塚出身の人気女優・園井恵子を含めて九人だった。

原爆が落ちた時、丸山たちは宿舎の邸宅にいた。そこは爆心地から七百メートルほどしか離れていなかった。爆風で屋敷は倒壊し、瓦礫の山から丸山はどうにか抜け出した。だが避難する途中で意識を失った。他の隊員がどうなったか、何も分からなかった。

後に分かるが、櫻隊九人のうち五人は即死だった。丸山は鯛尾の救護所に収容されたが、外傷が軽いと見なされ、小屋浦国民小学校に移送された。

十日に、東京から来た同志の八田元夫と槙村浩吉が丸山を探し当てた。丸山は満身創痍だったが、彼らの助けを借りて電車を乗り継いで厳島の存光寺に移った。そして仲間の五人の死を知ると号泣した。だが、まだ三人の安否が分からない。

丸山は元気そうだった。しかしだんだんに食欲がなくなり、高熱、しゃっくり、下痢に悩まされるようになった。十四日になると、熱いと言って井戸の水を頭から浴びていた。

看病をしていた槙村によると、十五日の玉音放送の後、「戦争は終わったよ」と伝えたが、反応がなかったという。八田は〈考え深そうな面持ちだった〉と丸山の最期についての回想録『ガンマ線の臨終』に記している。

そしてその夜、丸山定夫は亡くなった。この時点では「原爆症」というものが存在することすら、知られていない。

丸山の死亡日については、十五日から十六日にかけての深夜とする説と、十六日から十七日にかけての夜という説とがある。死亡届は「十六日午後十時半」なのだが、十五日だという証言もあるのだ。

十五日の時点では、櫻隊の園井恵子、高山象三、仲みどりの三名はまだ生きていた。

第一章

八月　動き出す人びと

専用機「バターン」から降りるマッカーサー米陸軍元帥＝８月30日。
神奈川県厚木の日本海軍飛行場（朝日新聞社提供／同盟通信撮影）

戦時下の映画

映画における戦時体制は、一九三四年（昭和九）に内閣総理大臣監督下に映画統制委員会が設立され、翌三五年に官民合同の国家協力機関「大日本映画協会」（映協）が設立されたことで始まる。

一九三九年（昭和十四）十月一日に「映画法」が施行されると、映画への管理・監督は厳しくなった。この法律により、映画の製作と配給をするには政府の許可が必要となったのだ。さらに監督、俳優、撮影者は試験を受けて合格し、政府に登録した者しか従事できない。これだけでも映画を作る側には圧力となるが、事前検閲も始まった。それまでは完成した映画を内務省警保局が試写して上映許可を与えるという検閲システムだったが、シナリオ段階での審査も導入され、これを通過しないと撮影に入れなくなった。完成した映画の検閲も従来どおりなので、二重検閲制だ。

一九四〇年十二月、内閣情報部が内閣情報局へと昇格すると、それまで内務省警保局が担当していた検閲は、内閣情報局第五部第二課へ移管された。

四一年八月、情報局が「映画用のフィルムは軍需品なので、民間にはまわせない」と通告すると、映画会社各社は動揺した。各社がフィルムを求めると、政府は「劇映画の製作は二社に限り、合わせて月に二本まで」なら許可すると言ってきた。この時点で、劇映画を製作していた大手は、日活・松竹・東宝・新興・大都の五社で、そのほかに中小のプロダクションがあった。各社間で協議し、五社のなかで大きい松竹と東宝の二社に整理統合することで話はまとまりかけた。

だが新興キネマの永田雅一はこの動きに抵抗して、政府高官と掛け合った。一九四二年一月、永田は新興キネマと日活の製作部門と大都映画を合併した大日本映画（大映）を設立して、政府に「第三の映画会社」として認めさせた。永田はあえて大映の社長にはならず、作家で文藝春秋の社長でもあった菊池寛を社長に招聘し、その下で実権を握った。

劇映画以外の二百社あまりあった文化映画・記録映画の製作会社も、理研科学映画・朝日映画・電通映画の三社に統合された。

フィルム不足から映画の長さも制限され、劇映画は七十三分、文化映画は十七分、ニュースは十分とそれぞれ上限が設定された。映画館では平日は三回、休日は四回の上演で、劇映画・文化映画・ニュース映画合わせて一回一時間四十分以内と決められた。

三社が製作した映画はそれぞれの配給部門によって、系列の映画館で上映されていたが、一九四二年二月に三社の配給部門が統合されて社団法人映画配給社が設立されると、配給は一元化された。全国に約二千四百あった映画館は「紅系」「白系」と二つに分類され、それぞれが二週間に一本ずつ新作を上映、新作は三社合わせて月に四本となる。

内容面では内閣情報局の検閲によって管理され、興行面でも一元化されるという、自由を喪ったなかで、映画人たちは、あるときは妥協し、あるときは屈服し、あるときは誤魔化しながら、映画を作っていた。

一九四三年十一月に大日本映画協会（映協）は財団法人から社団法人に改組された。これにともない、映画製作の管理部門として強化され、内閣情報局が担当していたシナリオの事前検閲は、映協へ委嘱された。

一九四五年六月、映画配給社と大日本映画協会が合同統合され、製作・配給・興行を一貫して統制する「映画公社」が設立され、松竹の大谷竹次郎社長が社長に、専務理事には松竹の撮影所長だった城戸四郎が就任した。東宝・松竹・大映の主導で民間自治による非常時対策機関として設立されたものだった。

八月の映画

映画館はピーク時には約二千四百あったが、経営不振による閉館や空襲での焼失で、八百数十館と、約三分の一になっていた。空襲で焼けたのは五百十三館で、大半は一九四五年になってから焼け落ちた。敗戦が八カ月早ければ、これらの映画館は焼けずにすんだのだ。

東宝と松竹は劇場・映画館で明暗を分けた。八月十五日の時点で、松竹は百十あった直営館のうち三十五館、東宝は四十五館しか残っていなかった。東宝の日劇、日比谷映画劇場、帝劇、東京宝塚劇場といった日比谷地区は無事だったが、松竹は少し離れただけの東銀座の歌舞伎座、新橋演舞場は焼け、築地の東京劇場だけが残っていた。

全ての映画館は十五日から一週間の休館を決めたが、逆に言えば、一週間後には再開する。しかし何を上映したらいいのか誰にも分からない。映画公社は組織として存在していたものの、政府も軍も混乱の中にあったので、何の指示もなく、判断できない。

十五日から一週間、映画館や劇場は休業したと言われているが、京都は空襲の被害がなかったこともあり、休まずに開いていたという。撮影所も、東宝砧撮影所や松竹の大船撮影所とは異なり、休みにならなかったようだ。

アメリカを中心とした連合国軍も、まだ占領を始めていないので、「戦後」がどうなるのか、誰も分からなかった。

確かなことは、戦争中に作られた映画の大半は戦意昂揚映画なので、いまさら上映はできないということだ。たとえ上映したとしても、そんなものを見に来る客はいないだろう。映画会社各社は一日も早く新作を作り、映画館へ届ける必要があった。

この時期については各種史料によって、どの映画が上映されていたのかはっきりしない。朝日新聞の東京本社版の縮刷版を見ていくと、映画の広告が毎日のように出ているが、上映中なのか、予告なのか記載のないものも多い。

八月に広告が出されたのは、東宝の八月九日封切『北の三人』(七日、十日、十一日、十四日、十五日、十八日)、松竹の八月九日上映の『激流』(十日、十八日)、大映の八月三十日封切『花婿太閤記』(七日、十七日、二十日、二十一日、二十七日、三十一日)、松竹の八月三十日封切『伊豆の娘たち』(十二日、二十日、二十一日、二十六日、三十一日)の四作だ。『激流』は前年八月に公開された作品の再映だ。文学座の森本薫の戯曲が原作で、森本が自ら脚色し、家城巳代治が監督、松竹の高峰三枝子に加え、文学座の杉村春子、俳優座の小沢栄太郎、東山千栄子、櫻隊の丸山定夫ら新劇俳優が出演した。『花婿太閤記』と『伊豆の娘たち』は封切前の予告となる。

奇妙なことに、十五日から二十一日まで映画館は休業のはずだが、十七日の広告には『北の三人』が浅草松竹・富士館・本所映画館で「上映中」とある。十五日以前に入稿した原稿がそのまま掲載されたのかもしれない。また十八日には〈十六日より上映〉として、『北の三人』(本所映画館・浅草松竹・富士館)と『激流』(銀座松竹・日比谷映画・帝都座)が載っている。

こう見ていくと、十五日をはさんで二十九日まで、『北の三人』と『激流』（再映）が上映されていたようだ。そのうち十六日から二十二日は休業していたと思われるが、広告は載っていた。

二十二日に映画館が営業を再開する前に、映画公社は「排外的愛国主義を描いた映画、戦闘場面を含む作品、すべての文化映画と時事映画」の上映を禁じる一方、上映時間の制限の撤廃と、閉鎖されている劇場の再開を指令した。まだ映画公社に禁止したり指令を出す権限があった。

こうして、戦時中とはまったく逆に、戦意昂揚映画の上映はできなくなった。『北の三人』『激流』とも戦意昂揚映画ではなかったので続映されていたのだろう。

原節子・高峰秀子が出た『北の三人』は戦中最後の映画であり、戦後最初に上映された映画でもあるのだ。この二人が戦前・戦中と戦後というまったく異なる二つの時代で、ともに大スターだったことを象徴している。それは彼女たちだけではない。大半の映画人が、一切のブランクなしに八月十五日をまたいで、仕事をした。

そして三十日――新作映画として松竹『伊豆の娘たち』と大映京都『花婿太閤記』が封切られた。この二作は「戦後最初に公開された新作映画」だが、戦中に製作されたので「戦後に作られた初の映画」とはならない。

製作中止になった二作

館山でロケをしていた山本嘉次郎監督『海軍いかづち部隊―アメリカようそろ』のロケ隊は、八月十六日の夕刻、砧撮影所に無事に戻った。

まずやらなければならないのは、この映画のネガ、ポジ、ラッシュプリントにいたる全てのフィルムの焼却だった。シナリオも関係者がたまたま保存していた数冊しか現存せず、この映画は関係者の記憶の中にしかない。シナリオの表紙にはタイトルとして「海軍いかづち部隊」と大きく書かれ、「アメリカようそろ」は小さい。「撮影日誌」では最初は「アメリカようそろう」で、館山へロケへ行く頃から『海軍雷部隊』となっている。

十六日の「撮影日誌」では他の二本、『快男児』『どっこいこの槍』は「準備」となっている。

「撮影日誌」によれば、『快男児』は八月四日のセット撮影を最後に、山本嘉次郎以下、主要スタッフが『海軍雷部隊』のロケで館山へ行ったため、七日から十六日まで「代休」となり、十二日からは「待機」となっていた。それが十六日に「準備」となり、十七日から撮影が再開するが、この日は「原節子が出社セザル為中止」となってしまう。

原節子は、「映画ファン」一九五三年二月号に敗戦時のことをこう書いている。

〈「英米をやっつけるところをあべこべに、英米を崇拝する様にそこだけ撮り直そう」というわけで、そのまま撮影を続けるというのにはびっくり。八月十五日を境にして、こうも器用に変えられるとするならば、そんな程度のものなら、「映画ッてなんだろう」と考えました。〉

具体的なタイトルは書かれていないが、『快男児』のことを指しているのは明らかだ。このエッセイを書いたのは締め切りを逆算すれば一九五二年十一月か十二月だろう。いったん公開中止となった『快男児』が『恋の風雲児』として公開されるのは五三年四月である。原は公開されると知って、何か言っておきたかったのかもしれない。『快男児』撮影時二十五歳だった原節子だが、五三年にはすでに小津安二郎作品で名声を得ていて、東宝や山本嘉次郎に遠慮する必要はない。

山田五十鈴の回想では、玉音放送の数日後、東宝の砧撮影所へ行くと、原節子と会ったという。山田五十鈴は出演予定の映画はなかったが撮影所へ通い、陸軍報道部の将校や重役の訓示を聞いては帰るという生活を送っていた。原は「とうてい女優などしていられないから、田舎へ行って畑仕事をするつもりだけど、あなたはどうするの」と悲壮な面持ちで言った。

山田は「どこへ行っても同じだろうから、私は東京に残るわ」と答えた。

これが十六日のことならば、原節子は意図的に十七日はこなかったことになる。それは抗議のサボタージュだったのだろうか。

『快男児』の撮影は十八日から再開した。セット、オープンセットなどで二十一日まで撮られ、二十二日は「編集整理」「タイトル撮影」、二十四日と二十五日は「音楽打合せ」と「オールラッシュ」、二十六日は「小物撮影、二十七日は「ネガ合せ」、二十八日は「小物タイトル撮影」二十九日は「ダブポジ試写」、三十日と三十一日は「ダビング　音楽・擬音」とポストプロダクションが進んでいた。

「戦犯」とからかわれる山本嘉次郎

今井正はインタビュー『戦争占領時代の回想』(『戦争と日本映画』収録)のなかで、八月十五日に重大放送を聞いた後の話として、〈監督の部屋へ引き上げてきて、みんな喜んでいるわけよ。そうしたら山本嘉次郎がいたんだね。山本嘉次さん『雷電撃出動』なんか撮っているわけだ。渋い顔で……。戦記物ばっかり撮っているわけでしょう、あの人。東宝の代表的な監督で。/渡辺邦さんなんか、「なんだな、これは戦争中、軍に協力する映画を撮ったのは嘉次さんだから、嘉次さんは戦犯かなあ、どうなのかなあ」なんておもしろがっていうんだよ。渋い顔していたよ。それからみんなはしゃいでね。〉と語っているが、山本は十五日はロケで館山にいた。別の日の出来事を十五日だと記憶違いしているのだろう。

山本を「戦犯かなあ」とからかっている渡辺邦男も、『決戦の大空へ』『後に続くを信ず』などの戦意昂揚映画を撮っているし、それを見ていた今井正も『望楼の決死隊』『怒りの海』『愛と誓ひ』などを撮っていた。

今井正は敗戦直前に、戦時下の若い男女の共稼ぎを描く『東京の仲間』を準備していた。砧撮影所の「撮影日誌」七月二十三日に「打合せ」として登場している。三十日まで「準備」で、三十一日と八月一日に衣装合わせがあったが、その後は三日までしか記載がなく、四日からは消えてしまう。『東京の仲間』のプロデューサーは東宝に入ったばかりの筈見恒夫（一九〇八〜五八）だった。

筈見恒夫は小学生時代から映画好きで、一九二四年（大正十三）に十六歳で友人たちと映画評論雑誌を発行し、翌年には「キネマ旬報」に投稿するようになった。その後も映画雑誌に関わり、編集者、評論家として活躍し、シナリオを書くこともあった。一九三三年（昭和八）一月、ユナイテッドアーチスツ日本支社の宣伝部長になるが、八月に辞めて、東和商事映画部宣伝部長になった。一九三六年には、ドイツとの合作映画『新しき土』（アーノルド・ファンク、伊丹万作監督、原節子の出世作）の連絡・企画・宣伝を担った（同作の公開は三七年)。

一九四二年に東和商事が発展的解消となると、筈見は中国の中華電影公司の企画部副次長となり、四四年の日華合作『狼煙は上海に揚る』(稲垣浩・岳楓監督)を製作したが、これを最後に日本へ帰り、東宝の企画部に入っていた。

筈見の「日記」では、『東京の仲間』は、四日に改稿されたシナリオができ、六日まで三日にわたり今井と東宝文藝部の佐々木能理男との協議が続いた。八日の企画会議では『東京の仲間』が九月十日から撮影と決まる。しかし十日になると、この企画を映画公社に提出するのは延期することになり、十四日にはさらにシナリオの改稿が必要だとなる。

そして十五日、重大放送の後の企画会議で、『東京の仲間』は中止と決まった。だが今井に伝えられるのは二十日だった。

『虎の尾を踏む男達』の謎

八月十五日に東宝で映画を製作中だったのは、山本嘉次郎と黒澤明の師弟だけだった。

黒澤明は一九三六年(昭和十一)に東宝の前身であるPCL映画製作所に入り、山本嘉次郎の助監督(製作主任)をつとめた後、一九四三年三月公開の『姿三四郎』で監督デビューを果たした。四四年四月に軍需工場で働く女子挺身隊員たちを描いた第二作『一番美しく』が公開され、第三作は本人は気乗りがしなかったが、会社の命令で『續姿三四郎』を撮り、四五年五月三日に公開されていた。

一九四五年八月に、第四作として黒澤が準備していたのは、織田信長が今川義元に勝った桶狭間の戦いの、その朝がラストシーンになる『どっこい!この槍』だった(「撮影日誌」では「どっこいこの槍」)だが、以後こう表記する)。チラシまで印刷されており、そこには主役の二人のイラストが描かれ、〈大河内傳次郎と榎本健一のまかりいでたる主従二人 とても愉しい時代劇!! 脚本演出・黒澤明〉と書かれている。

喜劇役者「エノケン」こと榎本健一(一九〇四〜七〇)はこの年、四十一歳だった。一九一九年(大正八)に浅草オペラでデビューし、関東大震災で浅草が壊滅した後は京都で映画に出ていたが、一九二九年に復興された浅草に戻り、一座を旗揚げした。三二年、その人気に目をつけた松竹が破格の待遇で専属として招聘し、全盛期を迎えた。三四年からは東宝の前身のPCLと提携し、映画にも進出した。エノケン映画を多く撮ったのが山本嘉次郎で、その助監督だったのが黒澤だ。そして三八年に榎本は舞台でも、松竹から東宝へ移籍した。

榎本健一は戦中も東宝の劇場と映画で活躍していたが、戦中最後の舞台は三月の新宿第一劇場での『江戸っ子長兵衛』だった。劇場が空襲で焼けたので、その後は映画に出ており、山本嘉次郎監督の『快男児』と、黒澤明の新作に出ることが決まっていたのだ。

ところが『どっこい!この槍』は馬の調達が困難だという理由で中止になってしまう。だが、大河内と榎本のスケジュールを確保してあるので、二人の主演で代わりのものを作ることになった。遠方へのロケや大規模なセットが不要なものでなければ実現しそうもない。そこで思いついたのが、源義経・武蔵坊弁慶主従が安宅の関を通る話、歌舞伎の『勧進帳』の映画化だった。これならばセットは安宅の関だけでいいし、登場人物も限られ、一時間前後にまとめられる。黒澤は「シナリオは二日で書ける」と豪語し、実際、一日で書いたという伝説になっている。

『勧進帳』の映画化は企画が通り、弁慶に大河内傳次郎、富樫に藤田進、源義経には仁科周芳(十代目岩井半四郎)と決まった。これが『虎の尾を踏む男達』である。榎本健一のために黒澤が新たに作ったキャラクターが、『勧進帳』にない、強力の役だった。喜劇役者である榎本を出すにはこうするしかなく、いいアイデアだったのだが、これが後に禍を招く。

黒澤は自伝『蝦蟇の油』に、『虎の尾を踏む男達』の〈撮影が順調に進んでいるうちに、日本は戦争に負けて、アメリカ軍が進駐し〉と書いている。

しかし、常務の森岩雄は自伝『私の藝界遍歴』に、戦争に負けた後、映画はどんなことがあってもなくならないとの思いから、〈幸い生フィルムのストックも少々あったから、いろいろの企画の中から黒澤明が提出していた『虎の尾を踏む男達』その他を採り上げて製作することにきめた。〉と、敗戦決定後に製作を始めたように書いている。

東宝の助監督だった廣澤榮（一九二四～九六）は、徴兵されていたが八月十四日に現役解除となって、八月二十日に東宝に出社した。廣澤の回想録『日本映画の時代』には、二十日に『虎の尾を踏む男達』の撮影をしていたとある。敗戦から五日でもう撮影しているのかと驚いて、スタッフに訊くと、「七月下旬から撮影していたが、一時中断していたのを再開した」と説明されたとあり、サード助監督は「敗戦の日から一日か二日休んだだけ」と語ったという。黒澤の『羅生門』のように、言うことがみな違うのだ。

そこで東宝の「撮影日誌」を見ると、黒澤の『どっこい！この槍』は八月十六日まで「準備」で、十七日に「解散式」と記されている。つまり、八月十五日以前ではなく、十七日に製作中止が決まったのだ。

そして「撮影日誌」の二十日に突然、『勧進帳』の「本読み」が出てくる。

これを見ると、黒澤がシナリオを一日で書いたのは、本当だとしても、『どっこい！この槍』の中止と、『虎の尾を踏む男達』のシナリオ執筆は、どちらも「戦後」のことと分かる。

黒澤の自伝『蝦蟇の油』が書かれたのは一九七八年のことで、敗戦の年から三十年以上が過ぎているので、記憶が曖昧(あいまい)な点があっても不思議ではない。しかし、「敗戦」と「一日でシナリオを書く」という、おそらくは人生において最も印象に残っている二つの出来事の順番を間違えるだろうか。

『どっこい！この槍』が中止になったのは「馬の調達が困難」だからだと黒澤は説明しているが、馬が必要なことは企画段階、シナリオの段階で分かっていたはずだ。敗戦と同時に中止になったのは、馬の調達を陸軍に頼む予定だったからではないか。

『どっこい！この槍』のシナリオは公刊されていないので分からないが、製作意図が『大系　黒澤明』第一巻に収録されている。〈己を認める具眼の主を求める戦国武士の高い誇りと洒脱と人情に生きる人物と、その茫漠たる人格を捕えんと焦る人間との珍奇なる葛藤に喜劇的モメントを見出し、それを太陽の如く明るく、五月の大気の如くさわやかに描き出し、明朗活達なる一篇を製作せんことを念願するものである。〉

その戦国武士を大河内傳次郎、従者に榎本健一、織田信長に森雅之という配役だった。戦争末期に作られていた娯楽時代劇のひとつのようで、戦意昂揚映画ではなさそうだ。

深夜の大作戦

森岩雄常務は敗戦決定と知った時点で、『海軍いかづち部隊』の製作中止を決めていたが、正式に社員たちに伝えられたのは、二十五日だった。当初は二十日に「所長訓示」で伝えられるはずが延期となっていた。「撮影日誌」の二十五日に、「関係者集合　所長訓示」とあり、その場で製作中止が伝えられた。

『海軍いかづち部隊』は抹殺されたが、東宝はこれまでに作った映画は守ることにした。占領軍が乗り込んできたら、戦時中に作った国策映画、とくに対米戦争を美化し、戦意昂揚に結びつけた作品群は抹殺される可能性が高かった。先手を打つ必要があった。

二十六日か二十七日、森岩雄は砧撮影所の製作部員と助監督数名を呼び、「内密の仕事を頼みたい」と言い、その夜七時に誰にも言わないで、第二撮影所の門に集合するよう伝えた。そのひとりが宣伝部の斎藤忠夫で、回想録『東宝行進曲』を書き残している。

第二撮影所は砧撮影所のそばの小高い丘にあった。『ハワイ・マレー沖海戦』の真珠湾のセットを作った場所だ。戦争映画は軍の協力、あるいは軍の要請で作られ、リアルさを出すために本物の兵器の資料が必要で、それらは軍事機密だった。撮影所はさまざまな人間が出入りするので、機密が守られにくい。そこで近隣の農地を買って、戦争映画専用の第二撮影所としていたのだ。

斎藤忠夫の『東宝行進曲』によると――森が指示したのは、『ハワイ・マレー沖海戦』をはじめとする東宝戦争映画七作品のマスターネガ、サウンドフィルムなどを隠匿することだった。もしこの隠匿が占領軍に発覚したら死刑になるかもしれないので、家族にも他言無用の極秘任務だと、森は説明した。

斎藤たち七、八名の社員たちは二班に分かれた。一班は倉庫からフィルムを運び、もう一班は穴を掘った。作業は二時間ほどで終わり、東宝戦争映画七本は地下に眠る。

斎藤たちはこのことを家族を含め、誰にも言わなかった。

森の予感は当たり、十一月にGHQは「軍国主義的思想の宣伝に用いられた一切の映画の上映禁止と破棄」を命じる。そして記録映画・文化映画を含めた二百二十七本が押収されて焼却処分となる。当然、『ハワイ・マレー沖海戦』を含む東宝戦争映画も処分された。しかし、ネガは隠匿され露見しなかったのだ。

英語のスローガン

映画公社が排外的愛国映画と戦闘シーンのある映画を禁じる方針を出した二十二日、東宝は企画会議を開いた。しかし、新作についての具体的な案は出なかった。もうひとつ、映画公社についての議論もした。公社は近い将来になくなり、それまでの紅白二系統の均等配給から自由競争になると見込まれていた。

敗戦時の東宝直営館は四十五あり、松竹の三十五より多いが、うかうかしていると抜かれてしまう。競争に勝つには客の入る映画を作るしかない。それを考えなければならない――というのが会議の結論だった。

二十七日、撮影所では従業員全員を集めて、社長の大沢善夫と常務の森岩雄が演説した。森は、これからは「NEW FACE, NEW PLOT, NEW TREATMENT」が必要だと説いた。「新しい人材、新しい企画、新しい制作処理」である。半月前まで鬼畜米英と叫び、英語を使うこともできなかったのに、なんという変わり身の早さであろうか。

東宝が戦後に封切る第一作は『快男児』、それに『虎の尾を踏む男達』が続くことになっていた。前者は明治維新、後者は源平合戦の時代の物語で、排外的愛国映画ではないので公開可能と踏んだのだ。

さらに戦後の新企画として製作が始まるのが、阿部豊監督の『歌へ!太陽』だった。もっとも『歌へ!太陽』も企画は八月十五日以前に立てられていたものだ。菊田一夫の戯曲を八住利雄が脚色し、阿部豊が監督し、その打ち合わせを八月十五日にする予定だったが、玉音放送のため打ち合わせは数日後になった。

戦時中は戦意昂揚映画とは別に、空襲などで罹災した人々の慰安のための娯楽映画も国策として作られ、『歌へ!太陽』はそういうタイプのものとして企画されていた。戦意昂揚の要素はないので、そのまま娯楽映画として作っても問題はなさそうだった。轟夕起子、榎本健一、灰田勝彦の出演が決まった。

「撮影日誌」に『歌へ！太陽』が登場するのは二十七日で、この日はタイトルだけで、二十八日に「スタッフ本読」とある。二十九日にロケハンへ行く予定が中止になり、三十日には「銀座へロケハン」、三十一日に「脚本打ち合わせ」と、着々と進んでいる。

トーカカンセイの出番

松竹の大船撮影所では、五所平之助監督『伊豆の娘たち』の撮影が十五日をはさんで続き、三十日に封切られた。

その次の作品は何も準備されていない。そこで早撮りの名人、「トーカカンセイ（十日完成）」の異名をとる佐々木康監督の出番となった。

佐々木は敗戦を知るとすぐに秋田県横手市に疎開していた家族のもとへ向かった。そこに松竹の大谷撮影所長から電報で呼び出しがあり、大船に戻った。

一九九三年に出版された『佐々木康の悔いなしカチンコ人生』（『楽天楽観　映画監督佐々木康』に収録）によると、大谷と会ったのは八月二十五日で、「十月の初旬に間に合わせたい。なんとか九月末までに一本撮ってくれ。内容なんかどうでもいい、君に全部任せる。九月いっぱいに撮影を上げてくれたら、賞与をやるよ」と言われた。

佐々木は別のインタビュー（「読売新聞」一九九一年三月三十一日付）では、大船に呼び出されてすぐに一本撮れと言われたのは「二十日頃」と語っており、この後の経過を見ると、二十五日では遅すぎるように思う。

撮影は十日で終わるとしても、その前に脚本を書き、配役を決め、セットも組まなければならないことを考えれば、九月末完成はかなり厳しい日程だ。佐々木でなければできない仕事だった。

〈「とにかく思想的なものではだめだ。世相はすさんでいるのだから、ひたすら明るい映画がいい。そして、いちばん簡単なのはスター誕生だ」。こう考えた私の脳裏に閃くものがあった。終戦前に製作部長をしていた私のところに持ち込まれた脚本が思い浮かんだのである。〉

それは岩沢庸徳が書いた『百万人の合唱』という仮題のもので、街頭慰問隊をテーマにした戦意昂揚映画だった。これを劇場の楽団を舞台にしたレビュー映画に作り変えればいいと、佐々木は思いついた。岩沢に会い、「これをスター誕生の脚本にできないか。一週間以内で仕上げてもらわなければならない」と依頼した。

岩沢は「すぐ書きます」と引き受け、一週間もたたないうちに脚本を書いてきた。それが『そよかぜ』となる。

大映の戦中最後の映画

戦中最後に封切られた大映製作の映画は、田中重雄と吉村廉が共同で監督した『最後の帰郷』だった。菊池寛の原作で、七月二十六日に封切られた特攻隊の物語だ。

ある基地で、兵士たちに出撃前の一泊二日の「最後の休暇」が与えられた。若原雅夫演じる軍曹と、月丘夢路演じるその婚約者は月明かりの下で別れる。光山虎夫演じる軍曹は故郷へ帰り、父（見明凡太郎）と会い激励される。花布辰夫演じる准尉は妻子があり、自宅で最後の夜を過ごす。片山明彦演じる最年少の伍長は母の待つ故郷へ帰ろうとしない。それを知った隊長が電報で母（浦辺粂子）を呼び寄せた。

宇佐美淳演じる中尉は信州が故郷だが帰郷しなかった。海原鴻演じる伍長の郷里は遠く、一泊では戻ってこれない。そこで宇佐美は海原を自分の故郷へ行かせる。休暇は終わり、出撃の時がくる。宇佐美は見送る人びとのなかに信州から駆けつけた両親の姿を見た――と、こういうストーリーである。戦意昂揚映画ではあるのだろうが、勇ましい話ではない。軍を題材にしても、こういう物語しか作れない。そして、こういう映画をわざわざ見に行こうと思う観客は少ない。

といって、「現代」を描くのに、戦争は無視できない。戦争を扱えば悲劇的になってしまう。そこで時代劇の出番となり、五月から撮影していたのが、丸根賛太郎監督『花婿太閤記』（出演・嵐寛寿郎、山根寿子）だった。タイトルで分かるように、豊臣秀吉の若い頃を描いたものだった。戦争が終わるとは思わずに製作された映画で、あと二日か三日で完成というところで八月十五日を迎え、その日も午後から録音して、完成させると三十日に封切った。

戦時下の歌舞伎

一九四四年二月二十五日、政府は「決戦非常措置要綱」を閣議決定し、学徒動員・女子挺身隊の強化、空襲対策として都市部から地方への疎開の推進、旅行の制限に加え、「高級享楽の停止」も打ち出された。政府によって「高級享楽」とされたのは、待合、カフェー、遊郭という「夜の街」と劇場だった。映画は「高級享楽」とはならず、映画館は営業を続けていた。

最初は全国で十九の劇場の閉鎖が命じられた。東京では歌舞伎座・東京劇場・新橋演舞場・明治座・国際劇場（以上、松竹）、東京宝塚劇場・日本劇場・有楽座・帝国劇場（以上、東宝）、大阪では中座・角座（以上、松竹）、大阪歌舞伎座・大阪劇場（以上、松竹系千日土地）、北野劇場・梅田映画劇場（以上、東宝）、京都の南座（松竹）、名古屋の御園座（名古屋劇場）、神戸の松竹劇場（松竹）、宝塚大劇場（阪急）である。名古屋の御園座を除けば、日本の大劇場は松竹か東宝（阪急）のものしかなかったのである。

しかし四月になると国民から娯楽を奪い去るのはよくないとの声が高まり、新橋演舞場・明治座・大阪劇場・梅田映画劇場・南座・御園座は閉鎖が解除された。劇場が閉鎖したのでは仕事がなくなると、俳優協会会長だった十五代目市村羽左衛門（一八七四〜一九四五）が、軍部や政府の高官に直接談判して解除させたという説もある。

残りの劇場は接収され、非常時の人員収容所、疎開物資の保管場などに使われた。国際劇場・日本劇場・有楽座は風船爆弾の工場となった。

歌舞伎座は一般興行はさせず、慰安会場として使われることになった。歌舞伎座の公式の公演記録には載っていないが、大歌舞伎も上演されていたようで、羽左衛門が大星由良之助を演じた『仮名手本忠臣蔵』や、松本幸四郎の『大森彦七』を見たと、井崎博之著『エノケンと呼ばれた男』にある。

歌舞伎座での一般の興行ができなくなったので、松竹の歌舞伎公演は新橋演舞場・明治座・新宿第一劇場・浅草松竹座などで上演されていた。

演目についても、制限があった。男女のみだらな関係や反体制的なアウトローを礼賛するような芝居は禁じられ、忠義を描くものが奨励された。さらに興行体制も管理されるようになり、劇団制が導入された。興行会社（劇場）と役者とを分離しようという考えで、当局は上演する演目や配役は劇団が決め、劇場は場を提供するだけというかたちにもっていこうと考えた。歌舞伎界の勢力を分散させたかったのである。さらに、戦地や地方への巡業をするには、大一座では難しいので、小規模なグループにしたほうが都合がよかった。

劇界には「一門」というかたちでの緩やかな結束があったので、「劇団」はそれをベースにして編成された。しかし役者たちには経営実務能力がないので、自分たちで興行の演目を立案し実施できるはずがなく、従来どおり松竹が役者たちを動かしていた。

一九四二年（昭和十七）の時点で、市村羽左衛門一座、松本幸四郎一座、尾上菊五郎一座、中村吉右衛門一座、市川猿之助一座、市川寿美蔵一座、そして関西歌舞伎団が結成された。これらが単独、あるいはいくつかが合同して興行するようになり、戦後になってもそれは続く。

市川猿之助の一九四五年

六代目尾上菊五郎や初代中村吉右衛門が疎開していたため、八月に東京で歌舞伎を演じていたのは、市川猿之助一座だけだった。

猿之助は初代市川猿之助（二代目市川段四郎）の長男として生まれ、一八九二年に市川團子を名乗って初舞台を子役として踏んだ。当時の歌舞伎役者としては珍しく中学に進学し、京華中学を卒業した。市川猿之助を二代目として襲名したのは一九一〇年（明治四十三）だった。

小山内薫と二代目市川左團次が結成した新劇の自由劇場に参加したり、欧米に留学したり、松竹を離脱して自分の劇団として春秋座を結成したりと、猿之助は他の歌舞伎役者とは異なる、いわば異端の道を歩んでいた。したがって、大正から昭和戦前の劇界の主流である菊五郎や吉右衛門とは同世代だが、同座することはない。

戦時中のことを猿之助は次のように語っている。（仁村美津夫による「猿翁聞書」）

〈太平洋戦争中の五年間は、藝能人にとっても暗黒の時代であり、受難の歳月だった。青年俳優はもちろん、相当な年配者まで次々と召集令を受けて出征していった。あの人が、この人がと戦死の報を聞くたびに暗澹として歌舞伎の将来の不安も考えられた。興行といえば、だんだんと慰問的な公演ばかりになっていった、私はなにかやっていなければ気の済まない性格なので、進んで慰問にも各地へ出かけた。それには悲しいエピソードもいろいろあるが、終戦近いころには一座の者達は召集されたり、徴用されたり、または田舎へかえったりして夫婦二人だけになってしまった。〉

猿之助は妻と二人で長崎県佐世保に慰問公演に行った。二人では芝居はできず、朗読や素踊りでの慰問公演だった。

〈佐世保なども爆撃されるようになり、おちおち慰問にも歩けない危険な状態になったので、どうせ死ぬなら東京でと思い、田舎回りから引き上げてきたのが、終戦も近い七月だった。／東京ではせがれの段四郎が「姿三四郎」などやっていたので、早速、人手不足の裏方を手伝ったりした。〉

猿之助の長男・三代目段四郎が出ていたのは、邦楽座（後、映画館の丸の内ピカデリー）での「明朗新劇座」公演で、六月に富田常雄原作『姿三四郎』、七月に『續姿三四郎』を上演しているので、猿之助はその七月公演の裏方をしたのだろう。

築地の東京劇場では八月八日から十四日まで、市川猿之助一座による『橋弁慶』と『東海道中膝栗毛』を上演し、これが戦中最後の歌舞伎公演となった。

猿之助一座は十六日からは『橋弁慶』を『黒塚』に替えて上演する予定だったが、敗戦によって興行は全面的に停止となってしまった。

猿之助としては一日も早く幕を開けたい。『猿翁』収録の「猿翁聞書」自伝にこうある。

〈負けずぎらいの私の性格は、進駐軍が東京へ乗り込んでくるのに日本で芝居をやっていないなどというのは演劇人として恥でもあり、気がすまないような感情になっていた。

警視庁などへ再三交渉したがラチがあかず、ついに進駐軍のやってきた二十九日には開

場できなかったが、それでも九月二日にはどうやら幕をあけることになった。〉
「九月二日」となっているが、各公演記録資料では「九月一日」となっており、また朝日新聞九月一日付の広告にも「本日初日」となっているので、記憶違い、あるいは誤植と思われる。

　猿之助によれば、警視庁が許可しなかったのは、〈当局としては人心が安定するまで少し待てという意向だった〉からだという。しかし〈私としては、かえって人心安定のためにも一日も早く劇場再開を懇願したのだった。〉

　松竹の社史には、〈八月十五日、終戦の詔勅によって平和が甦り、秩序の回復をはかるため、興行界は全国一斉に七日間の営業中止を申し合わせ、さらに演劇劇場は月末まで休業とした。〉とあり、警視庁の意向とする猿之助の回想とは食い違う。

　もうひとつの問題は役者だった。〈進駐軍をこわがって、また疎開したほうが安全だなどと言っていたときだから、俳優達も出演を不安がっていた。そんな中で疎開していた俳優達をも明石町の私の家に呼び集めた。〉

　住む家のない役者も多かったので、猿之助の家に合宿するような形となったのだ。

戦時下の出版界

出版界もまた戦争によって壊滅状態にあった。

出版に限らずどの業種にも言えることだが、アメリカ軍の空襲による物理的被害は大きい。空襲によって多くの印刷会社と書店が焼失した。印刷してくれるところと、売ってくれるところがなければ、本は作れず、売れない。さらに出版社を悩ませたのが、印刷用紙の不足だった。

これらは「モノ」としての本や雑誌を生産・販売する上での苦労だが、そこに書かれている内容についての制約も、戦時体制下では厳しいものがあった。

「出版新体制」と呼ばれる戦時体制は、一九四〇年十二月十九日に「社団法人日本出版文化協会」（通称「文協」）が発足したことで始まった。文協は「内閣総理大臣の管理下に属し、国家的情報・宣伝活動の一元化および言論・報道に対する指導と取り締まりを遂行」する目的で作られたもので、それまでにあった日本雑誌協会・東京出版協会等の出版関係諸団体を統合する形で作られた。「内閣総理大臣の管理下」とあるが、実務を担うのは内閣情報局だった。

文協に加盟した会員出版社は、発行したい書籍と雑誌の企画届を提出し、承認を得なければ用紙割当通知が届かない。その通知がなければ、元受用紙店や各用紙店から印刷用紙の購入ができない。紙がなければ印刷できない。つまり、印刷できないので発行できない――という仕組みだった。実質的には発行禁止を言い渡しているのだが、あくまで「用紙割当」をしないだけで、それでも出したければどこかで用紙を手に入れろということだ。

では文協に加盟しなければ自由に出していいのかというと、出版物の発行は、文協に発行届を出すことになっており、そもそも非会員は発行できないのだ。

政府はさらに出版物の管理を強化するため、一九四一年五月、文協に、日本出版配給株式会社（通称「日配」）を設立させた。当時の出版流通は、東京堂・東海堂・北隆館・大東館・栗田書店・上田屋・大阪屋の七大取次と、二百三十五の中小の取次が、書籍と雑誌を全国の書店へ配送し、集金していた。この二百四十二社を一つに統合してしまったのだ。表向きの理由は、中小の取次の雇用確保のためと説明され、反対運動は起きなかった。

日配は株式会社なので民間企業だが、役員の選任や重要事項の決定には監督官庁である商工省と情報局の承認が必要となっており、実質的には政府の監督下にあった。政府が日配を作った狙いは、もちろん雇用維持ではなく、書籍と雑誌の流通を一元化することにあった。出版物は情報局による検閲を受けた後、奥付に出版社と印刷所の住所を明記しなければ日配は配本しないと定められ、日配は言論統制の一翼を担った。

日配が発足した一九四一年五月、雑誌の整理統合が進んだ。たとえば婦人向け雑誌は五十四あったものが十六誌になり、文藝誌にいたっては九十七誌が八誌に減らされるなど、合計四百八十三誌が百十三誌になってしまった。さらに雑誌名での英米語の使用が禁じられ、「キング」は「富士」、「エコノミスト」は「経済毎日」に改題された。

　一九四三年、出版物整備要綱に基づく企業整備の開始とともに、約三千四百あった出版社は廃業したり統廃合されたりで約二百社となり、雑誌は一九四四年だけで約二千誌が廃刊に追い込まれた。

　廃業、廃刊の理由は、社員の出征も大きい。大手の講談社の場合、百四十二名が応召し、そのうち六十四名が戦死している。

　さらに空襲で社屋や倉庫が焼けた版元も多く、壊滅的状態で敗戦を迎えた。

　それでも出版界は他の業種に先駆けて復興に成功した。文字が印刷されてさえいれば、何でも売れたのだ。敗戦直後の日本人は、食糧が不足し身体が餓えていただけでなく、頭と心も餓えていた。教養と知識と娯楽を求めて人びとは本と雑誌に群がった。空襲で家が焼けて、持っていた本を喪った人が多かったのも、本が売れた理由でもあった。

誠文堂新光社は全盛期には百二十名いた社員が、敗戦時には十人前後になっていた。召集された者、徴用された者が多く、一九四四年には年長者と女子社員しか残っていなかった。四五年になると社員の大半が空襲で罹災し、疎開する者も多かった。戦死した社員も三名いた。社長・小川菊松自身の三人の息子も全員が召集され、次男は無事に帰ってきたが、長男は負傷、三男は戦死していた。

度重なる空襲で神田錦町の誠文堂新光社にも焼夷弾が落ちたが、社員総出で消し止め、一部が焼けただけで助かった。しかし、確保してあった印刷用紙を保管していた倉庫や関連会社は焼失した。

八月十五日、小川は千葉で敗戦を知り、東京へ帰る汽車のなかで「英会話の本」を思いついた。

〈考えたことを早く実行に移す、これがどんな事業でも必要であるが、特にこういう場当たりの出版においては、欠くことのできぬ要素なのである。〉小川は『日本出版界のあゆみ』に成功の秘訣をこう書いている。

〈英米人と会う場合に、自分の意志を先方に伝え、先方の云うことも少しは解る程度の泥縄的なテキストが必要になる。〉というのが小川のコンセプトだった（『出版興亡五十年』）。

本格的な英文法の本は必要とされていない。人びとが求めているのは、すぐに役立つ最低限の「会話手帳」だ。つまり、現在の海外旅行の国別ガイドブックの巻末にある、挨拶や店やレストランでの注文の仕方などが対訳で載っている、その程度のものを作ろうとしていた。用紙も不足しているし、携帯に便利なほうがいいので、四六半裁（単行本の文藝書の半分）で三十二ページとする。

まず、日本語の例文が必要だ。偉い先生に依頼する必要はなかった。社員たちと作ろうと、『日支会話』『日シャム会話手帳』に載っている例文を抜き出した。これを整理して、挨拶や道を訊かれたときの答え方など、七十九の例文を作った。次は英訳だ。これは社内ではできなかったので、東大の大学院生に三日で英訳させた。

小川が一九五三年に出た『出版興亡五十年』にこう書いたため、こういう伝説が流布されているが、誠文堂新光社でこの本を担当した編集者・加藤美生は否定している。朝日文庫『「日米会話手帳」はなぜ売れた』収載の武田徹「『日米会話手帳』というベストセラー」に、加藤へのインタビューが載っており、それによると——八月二十日頃、加藤は吉川英治に原稿を依頼するために青梅へ行った。吉川は、「アメリカやイギリスが来たら日本はどうなるか分からないので、軽々と引き受けて、後で立ち行かなくなり、迷惑をかけるわけにはいかない」と言って、丁重に断った。その帰路、加藤は立川駅で黒人のアメリカ兵を見かけた。遠巻きに避けて通ったが、兵士たちが英語で話しているのを見て、英会話の本はどうだろうかと閃いた。そして社に戻り、小川に提案すると、「ぜひやろう」となった。

小川は社員の手柄を横取りしたのだろうか。加藤は「小川さんはとにかくカンのいい人だから、彼も彼なりに英会話本を考えていたことは間違いないだろうと思う」と一応はフォローしているが、八月十五日に社に帰ってきた小川に命じられたことは、否定している。

小川の長男が反対したのは、加藤も認めている。「これまで科学出版をやってきたのに、突然、英会話の本を出すなんてみっともない」というのがその理由だった。

加藤は見解の異なる父と子の間に挟まれ、数日、この件は何もしないでいた。すると、小川が「あれはどうした」と言うので、「検討中です」と答えておいた。次の日、加藤のデスクの上に「馬鹿の考え休むに似たり」と書いた紙が貼ってあった。

〈こりゃかなわないなと思って二代目に、こうなったらやりましょうと言い、誠文堂ではなく子会社の科学教材社から出版することで妥協して貰った。〉

それはまだ九月になっていない頃だったという。

原稿作りと並行して小川は印刷所を探した。都内の印刷所は度重なる空襲で大半が焼失していたが、大日本印刷は残っていた。四六半裁で三十二ページだから四六判では十六ページに当たる。文字の数も少ないので、三日で組み上がり校正まで終わった。

横綱・双葉山

双葉山が敗戦を九州の太宰府で迎えたのは、一九四三年十月にこの地に「双葉山相撲練成道場」を開設していたからだ。六千坪という敷地で、近隣の青少年たちに相撲を指導するのが目的だったが、戦況が悪化したら、ここで力士たちと自給自足しようという考えもあった。その予感は現実のものとなり、両国の双葉山道場が三月十日の東京大空襲で焼け落ちると、力士たちを連れて太宰府へ疎開した。

三月の大空襲から八月の敗戦までの間の六月七日から、この年の夏場所が開催され、これが結果的に、大横綱・双葉山の最後の土俵となった。

双葉山の初土俵は昭和二年夏場所、最後の土俵は昭和二十年六月なので、まさに「昭和戦前」そのものだった。双葉山が土俵から消えたところから、戦後の大相撲は始まるのである。

双葉山が前人未到の六十九連勝を達成したのは前頭三枚目だった一九三六年（昭和十一）一月の春場所七日目からで（この時代の大相撲は一月の春場所と五月の夏場所しかない）、六十九連勝の間に大関、横綱と昇進したのだ。

横綱になっても全勝は続き、一九三九年春場所も連勝でスタートしたが四日目に敗れて、連勝記録は六十九で止まった。約百五十年ぶりの記録更新で、以後もこの連勝記録は破られていない。

連勝記録が止まっても双葉山の勢いは止まらず、一九三九年春場所は九勝四敗で優勝を逃したが、夏場所は十五勝して全勝優勝、次の四〇年春場所も十四勝一敗で優勝した。以後も、四一年は春、四二年は春と夏、四三年も春と夏に優勝。四三年は二場所とも十五勝全勝で、四二年夏場所の千穐楽から四四年春場所の五日目まで三十六連勝した。

しかし、ここまでだった。すでに三十歳を超えており、一九四四年一月の春場所は十一勝四敗で優勝を逃した。

大相撲の一九四五年

一九四四年二月二十五日の「決戦非常措置要綱」では、歌舞伎座などの大劇場が閉鎖されただけでなく、両国の国技館もその対象となり、軍に接収されて風船爆弾の工場になった。そのため四四年五月の夏場所は後楽園球場で開催された。屋根がないので雨が降れば中止となる「晴天十日間」という興行期間だ。観客動員の点では、一万人前後の国技館でやるよりも多くを動員できた。七日目は晴天で日曜日でもあったので、空前の六万三千人の観客を集めた。

この夏場所、横綱・双葉山は九勝一敗で優勝を逃し、同じ立浪部屋の後輩にあたる横綱・羽黒山政司（一九一四～六九）が優勝した。

この年は変則的で、十一月に夏と同じ後楽園球場で秋場所も開催された。このままでは翌一九四五年一月の春場所も後楽園で行なうしかない。しかし、相撲は裸でとるものだ。冬に屋外では寒過ぎるし、観客動員も見込めそうにない。そこで繰り上げて十一月に秋場所として開催することにしたのだ。

秋場所の初日は十一月五日の予定だったが、雨や警戒警報発令で十日に延び、二十一日が千穐楽となった。双葉山は六日目に関脇・東富士欽壹（あずまふじきんいち）に敗れると、一時は引退を考えた。大関・前田山が九勝一敗で優勝した。

この場所が終わると、力士たちは部屋ごとに「勤労奉仕」で全国に散った。玉ノ海率いる二所ノ関一門は兵庫県尼崎の久保田鉄工の工場、双葉山一行と前田山一行は九州の軍需工場、羽黒山の立浪一門は山形県で松根油（しょうこんゆ）を掘る仕事、出羽海一門は東京で玉川線沿線の軍需工場、照國一行は千葉県で飛行場建設という具合に、肉体労働で国に奉仕していたのだ。

これは玉ノ海のアイデアだった。大相撲は本場所以外の巡業も重要な収入源である。しかし、時局柄難しくなっていた。玉ノ海は部屋の力士に食わせるにはどうしたらいいかを考え、軍需産業で肉体労働をすれば、それが稽古にもなると思いついた。兵庫県知事と親しかったので相談すると、尼崎の久保田鉄工を紹介してくれた。

この勤労奉仕には相撲協会内では反対の声もあったが、力士会の会長である双葉山が賛同し、自分たちは九州へ行くと申し出たので実現した。

こうして力士たちの多くが東京を出た。

一九四五年になると、アメリカ軍は正月でも遠慮せず、元日から向島、本所、浅草を襲った。三月十日の東京大空襲では国技館も焼夷弾の直撃を受けた。丸天井がぶち抜かれ、内部はたちまち火の海と化した。近くの春日野部屋、出羽海部屋、立浪部屋から力士たちが駆け付けた。金庫の中に天皇杯などの賜杯が保管されているので運び出そうとしたが、力士の力でも動かない。そこで金庫を水びたしにして火から守ることにして、バケツリレーを始めた。そのおかげで天皇杯は無事だった。国技館も天井に穴が空き、窓は枠だけとなったが、崩れ落ちはしなかった。

空襲では豊島と松浦潟の二人の力士が亡くなった。勤労奉仕で各地に散っており、東京にいた力士が少なかったため、被害が少なかったとも言える。

戦中最後の場所

四月になると、相撲協会は五月に夏場所を開催しようと準備を始めた。相撲協会にとって、「年二回の本場所」は絶対だった。幕末・維新の動乱期でも関東大震災でも、本場所は年に二回は必ず開かれていた。前年十一月に後楽園球場で開いた秋場所は、一九四五年春場所を繰り上げたという扱いなので、あと一場所、開かなければならない。

協会内部では、今で言う「自粛」すべきという意見もあったが、「こんなときだから、東京は焼けていても、相撲の本場所が行なわれていると全国民に知らせることで、士気が高まる」との意見も出た。軍はまだ戦争を続ける気なので、この趣旨に賛同するはずだとの見通しもあった。

相撲協会は軍とは蜜月関係にあった。一九二五年（大正十四）に大日本相撲協会が設立されると、初代会長に陸軍大将・福田雅太郎に就いてもらい、三〇年から三九年までの二代目会長は陸軍大将の尾野実信、三九年からの三代目会長は海軍大将の竹下勇が就任していた。いずれも「お飾り」だが、この飾りがあるかないかが戦時体制下では重要だった。

軍の許可が得られると次の問題は場所だった。国技館はとても使えそうにない。後楽園球場も高射砲陣地となり、グラウンドは農地となっていて借りるのは難しい。そこで、明治神宮外苑相撲場で開くことにした。

神宮外苑相撲場では一九二五年から、明治神宮例祭奉祝全日本力士選手権大会が毎年開催されていた。それもあって、「大相撲夏場所」ではなく、「明治神宮奉納大相撲」として開催し、無料で公開、軍需産業で働く「産業戦士」を優先的に招待すると申請した。野外なので雨、あるいは空襲警報が発令された場合は順延で、「晴天七日間」とすることを条件に許可された。

夏場所は五月二十三日初日と決まったが、皇族で陸軍元帥だった閑院宮載仁（ことひと）親王が二十日に亡くなったため、初日は二十五日に延期された。その二十五日、午前中に相撲関係者は神宮外苑相撲場に集まり、土俵祭りを行った。そのまま十両の取組に入る予定だったが、警戒警報が発令されたので中止となった。そしてその夜、東京は再び大空襲を受けた。この大空襲では皇居の一部も焼け、麴町、赤坂、麻布、芝の都心部から、本郷、牛込、四谷、中野、世田谷などに焼夷弾が落とされ、神宮外苑の相撲場も跡形もなくなった。

それでも相撲協会は諦めなかった。神宮は無理だ。しかし、国技館がある――と考え直したのだ。三月の空襲で焼けてから、軍は国技館を風船爆弾工場としては使わなくなっていた。屋根に大きな穴があき、窓も枠があるだけだが、野外会場だと考えればいい。また空襲が来たらどうするかとの声もあったが、そのときはそのときだ。

かくして、夏場所は六月七日から「晴天七日間」と決まった。

その初日前日の六月六日、最高戦争指導会議は「本土決戦を辞さず」の方針を発表した。沖縄では連合国軍を相手に抵抗を続けていたが、矢尽き刀折れようとしていた。

戦中最後の大相撲の番付に、横綱は四人いた。三十五代・双葉山定次、三十六代・羽黒山政司、三十七代・安藝ノ海節男、三十八代・照國萬藏である。

双葉山は二月に三十三歳になっていた。前年にいったんは引退を考えた。この場所に出るかどうかも悩んだ。引退を考え弱気になっていたこともあるが、面疔（めんちょう）ができ、とても相撲がとれる状態ではなかったので、全休するつもりだった。しかし協会からどうしても出てくれと懇願され、初日だけという条件で出ることにした。

初日の対戦相手は小結の相模川佶延（よしのぶ）だった。勝った双葉山は決めていた通り、二日目からは休場した。引退するとは発表せず、休場届を出した。本人としても、引退するかどうかは、まだ揺れていたようだ。この場所は一勝六休という成績になる。

招待客しか入れないと思い込んだ人が多かったせいか、一万人は収容できる国技館で、初日の観客は四百名ほどだった。双葉山の「最後の土俵」になると広く報じられていれば超満員になっただろうが、予想記事もなかったようだ。二日目以降は招待券なしでも入れると報じられたこともあり客が増えたが、それでも、四日目に千二百名ほど入っただけだった。千穐楽は十三日で、全勝した東の前頭筆頭・備州山大八郎が優勝した。

夏場所の後、力士たちは再び部屋ごとに勤労奉仕で全国に散らばり、それぞれの地で敗戦を迎えたのだ。

櫻隊の三人の最期

移動演劇・櫻隊は広島にいて、八月六日の原爆の直撃を受けた。劇団が宿舎としていた家は爆心地から七百メートルほどのところにあり、九名いた劇団員のうち、五人が即死したと思われる。その家は炎上し、数日後、その灰のなかから骨となった遺体が発見された。

丸山定夫は一九〇一年（明治三十四）、愛媛県松山市に新聞記者の子として生まれた。文学少年に育ち、一九一七年に広島を拠点に全国を巡業する「青い鳥歌劇団」に入団し、演劇の世界へ入った。小山内薫と土方与志の築地小劇場の研究生一期生となり、劇団が分裂すると、土方について、新築地劇団結成に参加した。

生活のため、丸山は榎本健一の一座に出たり、映画でも活躍したりした。一九四〇年の新劇弾圧後の四二年、薄田研二（すすきだ）、藤原鶏太（藤原釜足）、徳川夢声と「苦楽座」を旗揚げした。

丸山の当たり役となったのが、一九四二年に文学座に客演した『富島松五郎伝』（原作は岩下俊作、脚色は森本薫、演出は里見弴(とん)で、杉村春子が松五郎が慕う吉岡夫人を演じた。この芝居は翌四三年に、大映が『無法松の一生』と改題して阪東妻三郎主演、稲垣浩監督で映画にした。この映画で吉岡夫人に抜擢されたのが、宝塚出身の園井恵子だった。園井はその後も映画の仕事を望んでいたが、製作本数が絞られていた時代でもあったので、役がなく、苦楽座に入った。

苦楽座は一九四四年十二月に解散に追い込まれ、丸山は演劇を続けていくために、内閣情報局が管轄する移動演劇聯盟に加入する決断をして、櫻隊を結成した。

櫻隊には園井恵子、仲みどり、高山象三(薄田研二の息子)なども参加した。

六月に広島へ行くことが決まると、園井恵子は東宝を訪れ、映画の仕事がないか売り込んだが、山本嘉次郎が撮ろうとしていた映画には、原節子の出演が決まった直後だった。おそらく『快男児』であろう。園井が数日早く東宝へ行っていれば、『快男児』に出演でき、広島へは行かなかったかもしれない。

八月六日の原爆で丸山の他に助かったのは、園井恵子と高山象三、仲みどりの三人だった。同じ建物にいても生死を分ける何かがあったのだ。

助かったとはいえ、広島は焼け野原となっていた。園井と高山はともに行動し、神戸へ向かった。園井の宝塚時代からの後援者が住んでいたのだ。二人は八日に神戸の後援者、中井家に辿り着いた。二人とも外傷はさほどなく元気だった。しかし十日から高山に異変が生じた。喉が詰まり呼吸困難になり、歯の痛み、そして発熱もあった。十一日には歯茎から出血し、喉は腫(は)れ、食欲がなくなった。

園井と高山は神戸で十五日を迎えた。この日はまだ丸山も生きていた。

十七日に高山の熱は四十度となり、園井も体調がおかしくなっていた。「原爆症」を知らない医師はジフテリアと診断した。

高山は二十日に、もがき苦しみながら二十一歳の生涯を閉じた。

隣室では園井も苦しんでいた。そして二十一日に三十二歳で亡くなった。

もうひとりの仲みどりは、八月十日にひとりで東京の自宅に帰り着いていた。知人たちに、「私は助かった」「芝居をやります」とはがきを出している。彼女も最初の数日は元気だったのだ。しかし、やがて食欲不振、脱力感、めまいに襲われ、何かがおかしいと思い、十六日に東京帝国大学附属病院へ行き、広島にいたことなどを説明し、入院した。

東大病院では原爆との関連性に気づき、総力を挙げて治療に当たった。しかし仲は二十四日に亡くなった。三十六歳だった。その死因は「原子爆弾症」と記された。おそらく、原爆症と死亡診断書に書かれた最初の患者だった。

こうして櫻隊は全滅した。

第二章

九月

幕が開く劇場、封印される映画、新しい歌声

「アサヒグラフ」に掲載された『虎の尾を踏む男達』の撮影シーン。写真説明文に「大河内、エノケンなど活躍の“新版安宅劇”」とある。（同誌９月５日号より）

歌舞伎再開

九月一日、築地にある東京劇場の幕が開いた。二代目市川猿之助の一座による歌舞伎公演である。一日二回興行で、『黒塚』と『東海道中膝栗毛』が上演された。猿之助は「猿翁聞書」でこう振り返っている。

〈沸きかえるような大入りとなった。娯楽に飢えていた人達が涙を流して喜んでいる姿を見て、私も舞台で感動し目がしらが熱くなった。〉

初日には役者は十三人しか揃わなかった。公演中に疎開から戻ってきた役者もいて、日に日に増えていった。千穐楽の二十五日には二十七人になっていたという。ひとり増えるごとに『東海道中膝栗毛』の登場人物を新たに作り、出演させた。

当時の楽屋についてはこう語っている。

〈一つの石鹸を五人の俳優が分けあって使ったり、白粉もない、刷毛もない、また肉襦袢などもボロボロのを使うより仕方のない貧しさで、まったくみじめだったが、人間どんな苦境に落ちても、なんとかやれるものだという自信も出来た。しかし、あんな経験は二度と繰り返したくない。〉

松竹の劇場では東劇のほか、邦楽座と新宿第一劇場、京都の南座、大阪歌舞伎座が無事だったので、どこも九月から幕を開けた。

邦楽座（後、映画館の丸の内ピカデリー）は、八月に「大船新生劇団　大船舞踊隊」の合同公演を上演し（何日から何日までかは不詳）、九月は「新青年座　森川信一座」の公演で、十月も演目を替えて同一座が公演する。

新宿第一劇場は、八月は「劇団たんぽぽ」が八日から十四日まで公演し、九月は「清水金一新生喜劇座」の公演だった。

中村吉右衛門、東京へ

日光で敗戦を迎えた初代中村吉右衛門が東京へ向かったのは九月十一日だった。

吉右衛門の家は空襲で焼けたので、住む家がない。芝居よりも前に、家を見つけなければならなかった。知人の家に世話になりながら、伊豆の伊東へ知人の慰問に行き、一座の支配人を通して松竹と出演交渉し、十月に京都・南座に出ることが決まる。

吉右衛門は三代目中村歌六の次男だったが、兄が夭逝したので実質的には長男だった。父・歌六は藝は秀でていたが、当時の劇界で主流にある九代目團十郎・五代目菊五郎と折り合いが悪く、不遇だった。そのため吉右衛門も劇界で後ろ盾がなく、歌舞伎座では役に恵まれなかった。そこで一九〇八年（明治四十一）に市村座に入り、六代目菊五郎と並ぶ人気を博した。しかし、一九二一年（大正十）、松竹に誘われて市村座を脱退した。吉右衛門が松竹に入ってからの市村座では、菊五郎が劇場の負債まで背負い奮闘した。だが力尽きて菊五郎も一九二七年（昭和二）に松竹傘下の歌舞伎座に移った。

市村座時代の菊五郎と吉右衛門は舞台の上で共演し、観客を熱狂させたが、吉右衛門が脱退してからは、菊五郎が松竹傘下になった後も共演機会は少なかった。そして劇団制導入により一座が固定すると、ますます共演機会は少なくなっていった。二人が亡くなった後も、歌舞伎座の公演は、菊五郎劇団と吉右衛門劇団とがそれぞれ別の月に行なうという座組が固定し、それは平成になっても続いていた。

横綱とタニマチと神父

大相撲・出羽海一門の製塩事業の中止が決まったのは、偶然にも、ミズーリ号での降伏文書調印式の九月二日だった。静岡県庁から「無理だろう」と言われ、紹介してくれた大安組の安藤社長も「無理して行く必要はない」と言うので、中止にした。

九月になっても地方へ行ったまま戻ってこられない部屋が多く、大日本相撲協会幹部で東京にいるのは春日野の他、理事長の藤島（第三十一代横綱・常ノ花寛市、一八九六〜一九六〇）、楯山（幡瀬川邦七郎、一九〇五〜七四）、武蔵川（出羽ノ花國市、一九〇九〜八七）くらいだった。

藤島や春日野たちは会合を開き、今後どうするかを話し合った。「このご時世だから、様子を見るべき」「こういうときだから、一日も早く本場所を開催すべきだ」と意見が割れた。しかし、「我々がやりたくても、GHQが許可するのだろうか」という声も出る。といって、GHQの意向をどう確認したらいいのかも分からない。

いままでは軍人をトップに置くことで、興行がスムーズになされていたが、敗戦によってすべてが変わるはずだ。

会合の席で藤島理事長は、「相撲は存続させなければならない。本場所の開催を世間に発表しよう」と決断した。そこで武蔵川が文部省へ出向いて、GHQが相撲をどうするつもりなのか見通しを訊いた。しかし文部省の役人には何も分からない。GHQの誰のところへ行けとも言ってくれない。日本政府は当事者能力を失い、何もできなかった。

そんなとき、タニマチの大安組の安藤明が、出羽海部屋の横綱・安藝ノ海節男（第三十七代、引退後は「不知火」を経て「藤島」、一九一四〜七九）に、「アメリカ人牧師をうちに招待するから来てくれ」と声をかけた。

安藤明（一九〇一〜六二）は戦後裏面史に、昭和天皇とマッカーサーとの会談をセットした人物として登場する実業家だ。運送業と土建業を営み、軍の仕事を受けていた。敗戦直いた。

後、徹底抗戦派に占拠されていた厚木飛行場を、マッカサーの到着に間に合うように整備したことでGHQからも信頼され、私的にGHQ高官用の社交場「大安クラブ」も開いていた。

その牧師は親日家で、「相撲が平和なスポーツであるとマッカーサーに言ってくれるかもしれない」と言うのだ。これを聞いた藤島は、安藝ノ海と関脇の笠置山勝一（引退後は「秀ノ山」、一九一一〜七一）に行くように指示した。笠置山は早稲田大学専門部政治経済科を卒業したインテリで、英語もできた。

大相撲の将来がかかった安藤邸での宴会は九月十日夜だった。

現役の横綱と関脇がやって来たのだから、安藤の顔は立った。牧師も上機嫌だった。笠置山は「相撲はボクシングやレスリングと同じ、鑑賞用格闘技です」と説明し、相撲の美学も語った。牧師は「明るい結果が期待できるでしょう」と言った。

九月十八日、進駐軍は神宮外苑野球場と競技場を接収した。空襲の被害を受けなかった施設・建物の多くが接収され、日本人は使えなくなっていく。アメリカ軍は終戦後の日本統治のために必要なものはあえて、空襲を避けていたとも思える。

そうなると、被害は受けたものの修復すればすぐに使用できる国技館も接収されるのではないかとの噂も流れていた。

安藤邸での宴会から二週間ほど過ぎた九月二十三日、相撲協会に対して警視庁から本場所の開催を認めると通知が来た。さらに、「マッカーサー司令官も観戦を希望している」との添え書きまであった。戦後の混乱期ならではの話かもしれないが、いまも続く「タニマチ」と呼ばれる人びとの底知れぬ「力」が垣間見える。

協会は本場所開催に向けた準備を始めた。全国各地に散らばっている親方や力士たちを東京に集めなければならないし、三月十日の東京大空襲で壊された国技館を修復しなければならない。

美空楽団結成

横須賀海兵団で敗戦を迎えた加藤増吉は、八月末に横浜の「屋根なし市場」に帰ってくると、その日から、町内の音楽好きの青年を集めて素人楽団の編成に乗り出した。

美空ひばりの最初の自伝、一九五七年の『虹の唄』にはこうある。

〈父は傾きかかったお店の建直しに努力するとともに「よく留守番をしていてくれたね」と、私の歌のためにバンドをつくってくれました。もちろん、本職にするなんて気持からではなく、ただ、歌をうたうのに伴奏が要るだろうという程度なのです。〉

一九七一年の美空ひばりの二冊目の自伝『ひばり自伝　わたしと影』だと、こうだ。

〈母は戦争が終わって父が復員してくると、かねて心にあった願いを父にうちあけて許しを求めました。それは、わたしのために伴奏楽団をつくるという、ちょっと今から考えると、大へんな計画でした。

「あなたのいない間、いろいろ苦労しましたからね。今度はすこしやりたいこともやらして下さいな」

母にそういわれると、父もしいて反対できませんでした。父は、わたしが職業的な歌手になることには終始反対でしたけれど、このときはいうことをきいてくれました。そして、自分から、海兵団の人のつてでドラムを買ってくれたりしました。〉

『わたしと影』にある夫婦の会話を当時八歳の和枝が聞いて覚えていたのか、後に有名になってから母から聞いた話なのか、そのあたりもはっきりしない。

貴美枝が主導した、ひばりのための楽団だったように『わたしと影』にはあるが、ひばりの何冊かある評伝では、増吉が自分が音楽を楽しむために結成したように書かれている。

増吉が頼ったのは、酒匂(さこう)正というギターの上手な青年だった。増吉は配給の魚を横流しして資金を作り、海軍の軍楽隊が払い下げた大太鼓、小太鼓、クラリネット、トランペットなどを買って、演奏できる者を集めて楽団を編成した。『わたしと影』には、〈編成は一応コンボみたいなものです。ドラムとギター二丁とトランペットとオリン(バイオリン)とアコーディオンで、アコがメロディーを弾き、オリンがバックをやります。なかなか堂々たるものでした。〉と振り返っている。

楽団は貴美枝によって「美空楽団」と名付けられるが、最初は「青空楽団」だった。竹中労『美空ひばり』によれば、増吉の作った「青空楽団」の最初のステージは九月八日だった。〈滝頭の町内演芸会を皮切りに、ひばりとその楽団は、焼土の街に明るいメロディを流しはじめた。〉

ひばりプロダクションによる『美空ひばり公式完全データブック』（二〇一一年、角川書店）には、九月十一日に〈和枝の歌を生かすために素人集団の「青空楽團」をつくる。町内演芸会等で演奏する。〉と三日ずれている。いずれにしろ、九月に「青空楽団」は活動を開始した。

では、どんな曲を演奏していたのだろう。『わたしと影』には〈わたしがうたいたい歌や、そのころはやっていた歌を、わたしのキーに合わせてなんとか、つくりあげていくわけでした。〉とある。アマチュアなのでプロにお金を払ってアレンジしてもらうことなどできず、酒匂と、母・貴美枝の弟の諏訪重忠の二人で、試行錯誤してアレンジしていった。『おつかいは自転車に乗って』『リンゴの唄』『長崎物語』『旅姿三人男』『小雨の丘』がアマチュア楽団時代のレパートリーとして挙げられている。

このなかで『おつかいは自転車に乗って』と『リンゴの唄』は青空楽団が活動を始めた一九四五年九月時点には、まだできていない。

並木路子の戦争

並木路子が映画『そよかぜ』に出演するよう言われたのは、九月一日だった。

並木路子（一九二一〜二〇〇一）は父が台湾精糖の台中工場の工事長だったので、台湾で五歳まで育った。ただ、母は東京・浅草の家に帰って彼女を生んだので、生地は東京となる。父が日本国内で教育することを望んだので、五歳で母と姉、次兄と帰国した。父と長兄は台湾に残ったのだ。小学校時代から歌が好きで、唱歌の成績はよかった。映画も好きで、映画館にフリーパスの友だちができると無料でたくさん見たという。

小学校を卒業すると、一年間は関口典之の内弟子となって音楽を学び、一九三六年（昭和十一）に松竹少女歌劇学校に入学した。四期生にあたり、同期には後に黒澤明の妻となる矢口陽子や、女優・加藤治子らがいた。三七年に浅草国際劇場の落成柿落し（こけらおとし）公演で初舞台を踏み、以後も少女歌劇団の一員としてステージに立っていた。フィリピンへ慰問公演をしたこともある。

一九四四年二月の決戦非常措置要綱により、浅草の国際劇場が閉鎖対象になると、松竹少女歌劇団も解散となり、「松竹藝能本部女子挺身隊」として各地へ慰問するようになり、並木も参加していた。

一九四五年三月九日、並木路子は東京・立川へ慰問に行っていた。浅草の家に帰宅すると疲れていたせいもあり、熟睡していたところ、午前零時過ぎから大空襲が始まった。母と逃げたがはぐれてしまった。家は焼け落ちた。母は帰ってこず、探しまわったが見つからなかった。四日目に遺体となった母と対面した。身元の分からない遺体のなかに松竹の給料袋を腹巻きに入れていた女性のものがあり、警察が松竹に問い合わせ、並木が母を探していることから連絡があったのだ。並木は遺骨を姉が疎開していた三重県松阪へ持って行き、しばらく滞在していた。松竹を辞めるつもりでいたところに電報が届き、すぐに東京へ戻れとある。

松竹本社に着いた並木は、中支へ慰問に行ってくれと頼まれ、四月に出発した。かなり奥地まで行った後、五月のドイツ降伏時には上海にいた。東京に戻ったのは五月二十五日の大空襲の後で、東京駅に着いたら駅舎がなく、焼け野原となっていたのに驚いた。中野にあった歌劇団の寮は無事だったので、そこに落ち着いた。

並木の帰国後最初の舞台は、邦楽座での八月の「大船新生劇団、大船舞踊隊合同公演」で、『美しき円舞曲』『手鞠日記』に出た。

『そよかぜ』出演が決まるまで

ここで佐々木康監督の回想を確認すると、八月二十日から二十五日の間に、撮影所長から、九月中に一本作るように言われ、八月末までに『そよかぜ』のシナリオができたと語っている。〈東北のリンゴ娘が東京に出てくる。父親はいない。母親は劇場の楽屋番。その劇場の楽団員たちに助けられながら、やがてスターの座に輝いていく〉という物語で、楽団員には松竹の看板スターの佐野周二と上原謙を配し、リンゴ娘には松竹少女歌劇団のなかから新人を抜擢することになった。そこで作曲家・万城目正と、少女歌劇の公演を見に行き、「この娘にしよう」と白羽の矢を立てたのが、並木路子だった——というのが佐々木の自伝にある『そよかぜ』の経緯だが、これが正しいとすれば、佐々木が万城目と並木の舞台を見に行くのは『そよかぜ』のシナリオができた後だから、九月になってからのはずだ。しかし、実際は八月上旬である。

『リンゴの唄』の作詞者であるサトウハチローが「歌謡春秋」一九四六年七月号に書いた、「リンゴ余談」という『リンゴの唄』誕生についての随筆には、八月二日にサトウと佐々木、万城目の三人で飲んだとき、新しい映画を作ろうと盛り上がり、主演女優として並木路子の名が挙げられたという。そこで数日後、並木が邦楽座に出ていると知った佐々木と万城目は「大船新生劇団、大船舞踊隊合同公演」を見に行ったのだ。

サトウハチロー（一九〇三～七三）はこの年、四十二歳。詩人・作詞家・作家として、すでに名声を得ていた。童謡作家としてデビューしたのが一九一九年（大正八）で、二六年には詩集も出版し、三〇年代に入ると小説も書き、映画の主題歌の作詞もして、三八年に日本コロムビアの専属となっていた。八月六日の原爆では弟を失くしている。サトウは広島へ弟を探しに行ったが、遺骨も遺品も見つからなかった。

万城目正（一九〇五～六八）は北海道で生まれた。両親とも教員で転勤が多く、北海道内を転々とした。母から音楽を学び、小学校を卒業するときにはオルガンやヴァイオリンが弾け、天才少年と評判になっていた。

一九二一年（大正十）、万城目は小樽の北海商業学校（現・小樽北照高校）を卒業し、十六歳で上京した。東京音楽学校（現・東京藝術大学音楽学部）を受験したが落ち、浅草の活動写真館の楽士の仕事を得た。サイレント映画時代なので、音楽は映画館で生演奏されており、その座付き楽団の一員となったのだ。関東大震災で浅草が壊滅すると北海道へ帰り、活動写真館やダンスホールで演奏していた。一九二八年に再び上京し、浅草の帝国館の楽士となり、翌二九年には松竹キネマ蒲田撮影所音楽部、松竹楽団に入った。二十四歳になっていた。映画がサイレントからトーキーへと移行しようとしている時期で、三一年に松竹蒲田撮影所は初のオールトーキー映画『マダムと女房』（五所平之助監督）を製作している。時代が、映画音楽の作曲家を求めていたとき、万城目正はその世界に入ったのだ。

万城目は松竹楽団で作曲と指揮を担当するようになり、三四年の『玄関番とお嬢さん』（野村浩将監督）で初めて映画伴奏音楽の作曲をした。一九三八年、田中絹代と上原謙が出演した野村浩将監督の『愛染かつら』の主題歌『旅の夜風』は、レコードとしても発売され、八十万枚を売った。これによって、万城目は映画音楽だけでなく、流行歌の作曲家としても認められ、日本コロムビアの専属になった。戦争の時代になっていたので、万城目も軍歌、軍国歌謡も作っている。

並木路子の自伝『「リンゴの唄」の昭和史』によると、佐々木たちが見に来た数日後、並木は寮の学務室に呼ばれた。そこには生徒監の伊丹貞子や何人かの「先生」が並び、万城目正もいた。並木は「先生」たちから親のことやそれまでの経歴などを質問された。なんでいまさらそんなことを訊くのだろうと思ったが、伊丹から、「先生方はあなたの声を試しているので、ちゃんと答えるように」と言われ、その通りにした。映画で通用するかどうかのテストだったのだ。

その場では具体的な仕事の話は何もなかった。その後に敗戦となって、さらに半月が過ぎ、九月一日に、いきなり「映画に出るように」と言われたのだ。並木はこう書いている。

〈「そよかぜ」は、戦後に企画された映画のように思っていらっしゃる方が多いようですが、実はこれは、戦時中に音楽映画を作ろうというので、配給のフィルムなんかも用意して、松竹のほうで具体化しつつあったものだそうです。／ですから上海から帰った私を主役の候補として、松竹の監督さんたちがステージを見にいらしていたということなんですね。主役の子を誰にしようかということになって、歌が歌えて芝居ができ、一応はかわい子ちゃん的要素もあって、ということでそうなったらしいのです。〉

すでにシナリオはできており、少女歌劇団生徒監の伊丹貞子は出演許可を出していた。生徒監は、いまでいうマネージャーの役割も担っていた。

並木は断った。自分はステージに出たいのであり映画には出たくない、そもそも女優ではない。だが、伊丹は「主人公の名前はミッチーで、あなたのために書かれた映画みたいじゃないの」と説得され、出る気になったという。おそらく、並木路子の主演が前提としてあり、ヒロインの名も「みち」となっていたのだろう。

並木は自伝に、〈『そよかぜ』の台本をGHQに提出し、すぐにOKが出たということなのですね。〉と記しているが、九月上旬の段階では、まだGHQの検閲は始まっていない。この映画が検閲を受けるのは完成後のことだ。

『そよかぜ』撮影開始

九月に入ると松竹の大船撮影所では『そよかぜ』の撮影が始まった。

並木路子の自伝に、『そよかぜ』は〈ラブロマンスではなく、楽屋番の母親の手伝いをしている娘が歌手としてスターになるという、いってみれば明るい雰囲気のサクセスストーリーなのです。〉と、そのストーリーが紹介されている。

〈私、つまりミッチーは父親がいなくて、母親が劇場の楽屋番。その劇場ではスターたちが次つぎに結婚してやめていくので、支配人が困って、バンドの人たちに、「きみたちは誰かいい歌手を知らないか」とたずねます。

バンドマンたちはすかさず、「ミッチーがいい」と言うのですが、実はミッチーは、楽屋番の母親の手伝いをし、バンドの人たちのところへお茶を運んできたりしていて、みんなからよく「ミッチーは顔もかわいいし、声もいいから、歌い手にならないか」ってひやかされていたのですね。

そんなとき私、ではなく、ミッチーは「私が歌い手になれるわけがないじゃない。そんなにからかうなら、もう、お茶持ってきません」なんて怒りながら出ていく、という場面があったりします。

バンドマンの話から、支配人はミッチーを歌い手として育ててみようということになって、歌の先生役の上原謙さんがピアノを弾きながら、発声やら歌い方やらを教えてくれるのです。ところが秋田に嫁いでいる姉に赤ちゃんが生まれて、母親がその手伝いに秋田へ行くことになったので、ミッチーも一緒に帰ってしまいました。

秋田では、ミッチーは村の子供たちと仲よしになって、一緒に「リンゴの唄」なんか歌っているのですが、そこへ佐野周二さんが私ことミッチーを迎えにやってきます。それで東京に帰って、いよいよスターが誕生する。とまぁ、そんなストーリーです。〉

ミッチーが秋田へ帰るのは、佐々木が秋田出身で家族が疎開していたからだろう。

『リンゴの唄』が劇中で歌われるのは、並木の説明にあるようにミッチーが秋田へ行ってからで、彼女ひとりだけでなく、子供たちと歌う。そのロケに行ったときは、サトウハチローの詞はできていたが、万城目正による曲がまだできていなかった——と並木は説明している。「監督」が何度も大船に問い合わせ、催促するが、届かない。ロケのスケジュールも決まっていたので、これ以上待てないとなったとき、万城目から「代わりに『丘を越えて』を歌ってくれ。ただし、アップでは撮らず、ロングショットで撮ってくれ」と連絡があった。『丘を越えて』は新興キネマ製作の映画『姉』の主題歌で、島田芳文作詞、古賀政男作曲で、藤山一郎が歌ったレコードがコロムビアから一九三一年に発売されている。

出だしの歌詞が似ている『ピクニック』とは別の曲だ。

秋田ロケは佐々木ではなく、シナリオを書いた岩沢が代理として演出した。

岩沢は指示どおりに『丘を越えて』を歌わせて撮った。大船に戻ってからの録音で、並木は出来上がった『リンゴの唄』を歌った。

〈試写会のときに見たら、歌の文句と映画の口の動きがぴったり合っているのに、びっくりしました。子供たちも「丘を越えて」の意味も知らずに歌っていたのが、やはり「リンゴの唄」の口の動きになっていたのです。〉

『リンゴの唄』はいつ書かれたか

『そよかぜ』のシナリオがいつの時点でできていたかも諸説あるが、主題歌『リンゴの唄』がいつできたのかも諸説ある。
並木の自伝では、〈「リンゴの唄」の歌詞は、映画の台本と同様、サトウ・ハチロー先生が戦争中に書いていらしたものなのだそうです。いつ終わるかわからない戦争だから、こんなときこそ、青空を見上げる気持ちの明るい歌がなければ、というお気持ちで書かれたというのです。〉
戦争中も敗戦直後も、暗い世相であることは共通する。どちらも「こんなときこそ、明るい歌が必要とされる」と思ってもおかしくない時代だ。戦時下映画も末期になると戦意昂揚映画だけでなく、単純で明朗な娯楽映画も多い。あからさまな反戦・厭戦を描かなければ、戦意昂揚ではなくても検閲は通る。その路線として映画『そよかぜ』のシナリオが書かれ、主題歌が書かれていたとしても、矛盾はない。

サトウハチローの随筆「リンゴ余談」には、八月二十一日に万城目から電話があり、ちょっと来いというので会いに行くと、一冊の台本を渡され、「この映画の歌を作ってくれ」と頼まれた旨が書かれている。

〈そこで家へかえり、案を練ること数日（というと苦心談になるのだが）、数日間ぼんやりして、さいそくをされ、書いたのがリンゴの唄だ。〉

ということは、「二十五日に映画を作れと言われ、一週間後にシナリオができた」という佐々木の記憶は間違っている。さらに、「八月十五日以前に歌詞ができていた」という並木の話も勘違いだ。並木は誰かからそう伝えられ、信じているのだろう。

佐々木は読売新聞のインタビューでは、八月末にシナリオができ、〈そのホンを助監督にサトウさんのところに持って行かせ、作詞を依頼している〉として、戦時中作詞説を否定している。サトウが『そよかぜ』公開の翌年に書いた随筆では、「万城目からシナリオを渡された」とあるが、佐々木は助監督が渡したと語っており、この点も食い違う。

サトウの随筆は一年後に書かれたものなので、佐々木のインタビューなどよりは信頼できそうだ。サトウは随筆で歌詞を引用し、最初は二番だった部分を、万城目が「こちらが先がいい」と入れ替えて、「赤いリンゴに」で始まる唄になったとも書いている。

並木路子で映画を作ろうと盛り上がったのが八月二日、六日に広島に原爆が落ち、サトウは弟を探しに行くが見つからず、十五日に敗戦となって、二十一日にシナリオを渡され、数日で『リンゴの唄』を作詞したことになる。二十一日に『そよかぜ』のシナリオが出来ていたとは考えにくいので、このときに渡されたのは、元になった『百万人の合唱』のシナリオかもしれない。サトウは弟を失ったばかりだったが、すぐに書いた。しかし、万城目は、かつては月に三本の映画音楽を書くほど筆が早いのに、この歌の作曲は難航したのだ。『万城目正の生涯』（下山光雄）には万城目の心情がこう書かれている。〈万城目はこの歌で戦争の悲惨さ、無意味さを伝えたいと思い、とにかく明るい心情になれるメロディーを考えました。終戦直後は何もかも変わりはて、ひどい混乱ぶりでした。万城目も本音はひどく落ち込み、作曲どころではなかったのですが、自分を含めた大衆の心を奮い立たせようと「甘酸っぱいリンゴに込め」たのでした。〉

万城目の作曲は秋田ロケには間に合わなかった。そして録音も難航した。今度は並木がこの明るいメロディーに感情移入できなかったのだ。前述のように並木の母は東京大空襲で亡くなったが、南洋諸島パラオへ行っていた父も空襲で亡くなり、兄は千島列島で戦死していた。とても明るく歌える心境ではなかった。演技は、ふりをすればできるが、歌のほうがストレートに感情が出てしまうものなのかもしれない。

万城目は「不幸なのは君ひとりじゃない」と並木を諭すが、うまくいかない。そこで、万城目はレコーディングを中止し、「上野の山をひとまわりしてきなさい」と言った。並木が上野へ行くと、そこには闇市が広がり、戦争孤児が靴磨きをしていた。ひとりの少年に話しかけると、「お母さんは空襲で死んじゃった」と答えた。

並木は、「戦争で親兄弟を失くしたのは私だけじゃない」と気付き、こんな小さな子も懸命に生きようとしているんだから、自分も負けずに生きていこうと決心し、録音スタジオに戻った。その声は一変していた。

こうして主題歌の録音も終わり、『そよかぜ』は、大谷所長との約束である「九月一杯」に完成した。

その撮影中に映画界は大きく揺れた。GHQが具体的に指示・命令してきたのだ。

GHQの通達

九月二十日、連合国総司令部情報頒布部(Information Dissemination Section、略称ID

S）から各映画会社に、二日後に総司令部の会合に出席するようにという指令が届いた。二十二日、IDSは民間教育情報部（Civil Information and Educational Section、略称CIE）に改組されており、以後、このCIEが映画、演劇などの文化政策を担うことになる。CIEの事務所は、内幸町の放送会館内に置かれた。

二十二日の会合のCIE側の出席者はグリーン中佐、マイケル・ミッチェル少佐、ブラッドフォード・スミス、デビッド・コンデ、通訳はジョージ・イシカワ。日本側は東宝・松竹・大映など映画会社各社の重役、製作者、監督、政府の役人約四十名が集まった。

CIEから、それまでの日本政府による映画統制組織はすべて解散するとの方針が伝えられた。これにより映画公社などは解散されることになる。そのうえで、「日本映画界がポツダム宣言の主旨を受け入れ、その趣旨に基づいて映画を作り、日本の再建に積極的に努める意思があるのなら、占領軍は支持する」と伝えた。さらに、映画製作に対する占領軍の希望として、次の三原則が示された。

（一）日本の軍国主義および軍国的国家主義を撤廃すること。
（二）信教の自由、言論の自由、集会の自由のような基本的自由を含む日本の自由主義的傾向および活動を促進すること。

（三）日本がもはや再び世界の平和と安全に脅威を与えないことを保障するに十分な条件を設定すること。

次に、この目的の達成に協力する方法として、製作されるべき映画の内容が示唆された。

（一）生活の各分野で平和国家の建設に協力する日本人を描くもの。

（二）日本軍人の市民生活への復員を描くもの。

（三）連合軍の手中にあった日本人捕虜が復帰し、好意をもって社会に迎えられる姿を描くもの。

（四）工業、農業、その他国民生活の各分野における日本の戦後諸問題の解決に率先して当たる日本人の創意を描くもの。

（五）労働組合の平和的かつ建設的組織を助長するもの。

（六）従来の官僚政治から脱して、人民のあいだに政治的意識および責任感を高揚させるもの。

（七）政治問題に対する自由討論を奨励するもの。

（八）個人の人権尊重を育成するもの。

（九）あらゆる人種および階級間における寛容尊厳を増進せしむるもの。

（十）日本の歴史上、自由および議会政治のために尽力した人物を劇化すること。

これらを合わせて「九・二二通達」と呼ばれている。

その場にいたのは映画関係者だけだったが、演劇、落語、漫才、講談、浪花節なども同様だと説明された。東宝常務の森岩雄は自伝『私の藝界遍歴』にこう書いている。

〈「封建主義に基礎を置く忠誠、仇討ちを扱った歌舞伎劇は現代的世界とは相容れない。叛逆、殺人、詐欺等が公衆の面前で正当化され、個人的復讐が法律に取って代る事が許される限り、日本国民は現代世界の国際関係を支配する行動の根源を了解することは出来ないであろう。その他、その他」

こう真正面から出られたのでは、映画の時代劇などは作れるものではなく、時代劇を柱にしていた〝大映〟は一番打撃をうける。〉

その大映の代表として出席していたのは、社長で作家の菊池寛だった。菊池は英語で、「時代劇は大人の童話とも言うべき荒唐無稽のものであって、それを禁止するには当たらない」と反論した。これについてGHQからは再反論はなかった。

菊池は、大映の柱である剣戟スターによる殺陣を見せ場とする時代劇の製作が困難になると認識した。しかし抵抗しても無駄だった。GHQが容認できる時代劇を作ればいい。

菊池は、自分が書いた小説のなかで、新時代の映画として製作可能なものはないか思いをめぐらす。

東宝の森は自分が何を言ったのか、自伝に書いている。

〈日本の民主化というがその達成には百年の歳月を要するだろう、急激に製作方針を改めることには無理があり、徐々に、そして確実に行なうべきであろうと言ったところ、一人の担当官は真っ赤になり、卓をたたいて、日本の民主化は直ちに実行しなければならない、何を言うのかと怒号した。〉真っ赤になって怒ったのは、デヴィッド・コンデだった。

森に激怒したコンデは一九〇六年にカナダのオンタリオで生まれ、三二年にアメリカの市民権を得た。アメリカでの経歴は本人が語りたがらなかったようで、よく分かっていない。地方の新聞記者だったという説もある。独学で日本を研究し、専門家として軍に雇われていたようだ。一説には共産党員だったこともあり、FBIにマークされていたともいう。大柄で、髪は灰色がかった茶色、頬は赤味を帯びていたので、歌舞伎の悪役の「赤面」に似ており、森は「赤面」と呼んで嫌っていた。もっともコンデは映画関係者の全てに嫌われていたとも言える。

日本側の誰かが、「日本の歴史における自由と民主主義のために奮闘した人物を劇化しろと言うが、誰を指すのか」と言った。どうせ日本のことなどよく知らないだろうと思っての質問だった。コンデは、冷静に、福沢諭吉、板垣退助、大杉栄、福田英子など十数名の、自由と民主主義のために奮闘した日本人の名を列挙した。日本側は沈黙した。

この後、歌舞伎関係者もアメリカがいかに日本の文化・藝術について深く研究しているかを思い知らされることになる。

CIEは法的には民間企業である映画会社に対し命令・禁止する権限はなく、「指導」という立場で勧告・助言するという建前だったが、映画会社はその勧告や助言を拒否できる状況ではなかった。内閣情報局の検閲がなくなったと思ったら、CIEによる、より厳しい検閲と統制が待っていたのだ。

戦中の城戸四郎

映画会社首脳が集められた会議に出席していた城戸四郎（一八九四〜一九七七）は、東宝の森岩雄と同じように、敗戦のことは十五日の数日前には知っており、玉音放送は自宅で聞いた。

城戸の自伝的な『日本映画傳』には〈中立國だったソ連が敵側についたり、原子爆弾が廣島や長崎へおとされたりして、ついに終戦となった。進駐して来たアメリカ軍の司令部から、われわれ映画業者に呼び出しが来た。〉とあるだけで、十五日についての感慨は何も記されていない。

城戸の評伝、小林久三著『日本映画を創った男』には〈城戸は平和が戻ってきたことに目を輝かせ、期待に胸を膨らませた。これで軍部の圧力や干渉なしに、自由に映画を作ることができる。〉とあり、升本喜年著『小津も絹代も寅さんも』には〈何ともいえぬ安堵感と開放感だった。だが、すぐに悔しさと悲しみが込み上げてきた。〉とある。

戦後も松竹映画のみならず日本映画界を牽引していくことになる城戸四郎は、この年、五十一歳である。

城戸はレストラン・精養軒の経営者の家に生まれ、東京帝国大学法学部を卒業して、銀行に入った後、一九二一年に松竹に入った。当時、帝国大学を卒業した者が映画会社に入るのは異例だった。松竹創業者の大谷竹次郎の妾腹の娘と結婚し、二四年に撮影所長となり、女性映画・家庭映画というジャンルを確立した。

戦時体制下では、東宝が軍部と協力して作る戦争映画が全盛だったので、女性が主人公のメロドラマが中心の松竹映画は興行不振が続いた。城戸の責任を問う声が社内外で上がり、そんなとき、陸軍航空本部から各映画会社に二名ずつ南方視察に出すようにとの要請があったので、城戸は自分が行くと申し出た。

南方視察の出発は一九四三年二月で、三カ月の予定だった。城戸は帰国したら松竹を辞める覚悟でいた。その最後の仕事として、城戸は気にかけていた助監督の木下恵介を監督に昇進させた。出発直前に木下が菊田一夫の戯曲『花咲く港』を持ってきて、「これを映画にしたい」と言ってきたので城戸は了承し、旅立った。

南方視察で日本の敗色が濃厚だと察した城戸は、戦争を美化し戦意昂揚の映画を作り続けることに疑問を抱いて帰国した。もともと辞める覚悟で行った視察で、帰国したときはその意思は固まっていた。社長の大谷に、帰国の報告をした際に辞意を伝えると、慰留されなかった。城戸は一九四三年九月一日付で辞任した。

城戸はしばらく何もしていなかったが、十一月に大日本映画協会（映協）の専務理事になった。映協は財団法人だったが、政府、映画配給社、その他の民間業者が総額百万を出資して社団法人に改組された。これにともない、映画製作の管理部門として強化されるため、城戸が招聘されたのだ。内閣情報局が担当していたシナリオの事前検閲は、映協へ委嘱された。

昭和二十年になると、大日本映画協会と映画配給社とを統合する案が出てきた。その背景にはさまざま思惑があったようで、社長の人事も簡単には決まらなかった。政界を巻き込む謀略合戦となり、大谷竹次郎が社長に内定した。大谷は城戸を呼び、専務となってくれと頼んだ。実務は全て任せると言う。大映の永田雅一が専務になろうとしていたので、大谷はそれを阻止したかったのだろう。城戸は、最初は固辞したが、結局引き受けて、六月に、映画の製作・配給・興行を一貫して統制する「社団法人映画公社」が設立された。

しかし、すぐに敗戦となった。城戸の仕事は映画公社を解散・精算することだった。

CIEに呼ばれた最初の会合で、城戸は「今後コムミュズム（共産党）が台頭するに違いないが、そのときの経営者の立場としてどうしたらよいか」と質問した。三人は何やら協議し、「その問題は各撮影所がそれぞれの判断で処理してよい」と答えた。

木下惠介の戦時中映画

城戸四郎が期待していた木下惠介（一九一二〜九八）は、静岡県浜松市の生まれで、父は漬物製造から食料品店を営み一代で財をなした人だった。木下は少年期から映画を見ており、浜松工業学校（現・浜松工業高等学校）紡績科を卒業後に東京へ出た。一九三三年（昭和八）にオリエンタル写真学校を出て、松竹の蒲田撮影所現像部に入社した。現像部から撮影部に移り、三六年に撮影所が大船に移ると、島津保次郎監督に見込まれて助監督となった。一九四〇年に召集され、中国各地を転戦したが、作業中に事故に遭い内地に戻された。

城戸四郎が南方視察へ行く前の一九四三年三月に、木下は『花咲く港』で監督デビューすると決まり、同作は七月二十九日に封切られた。黒澤のデビュー作『姿三四郎』が同年三月に封切られたので、二人は同年のデビューである。

『花咲く港』は菊田一夫が古川ロッパ（緑波）のために書いた戯曲で、一九四三年三月に帝劇で上映されたものだった。これを映画にし、二枚目の上原謙にペテン師の役を演じさせ、新境地を開かせた。興行成績もよかったので、木下の第二作として『生きている孫六』が一九四三年十一月十八日に封切られた。これも喜劇だったが、四四年六月八日封切りの第三作『歓呼の町』は強制疎開を題材にしたシリアスなドラマで、軍の情報局から強制疎開を悲しく描いてはいけないとクレームがついた。

島津保次郎、倒れる

映画監督・島津保次郎は、下駄用材商と老舗海産物商を営む家に生まれ、幼少期から映画を見ていた。家業を手伝っていたが、一九二〇年に松竹が映画事業に乗り出すことを知って、父の友人に小山内薫を紹介してもらい、松竹キネマ蒲田撮影所に入社した。

関東大震災後、城戸四郎が蒲田撮影所の実権を握ると、島津は中心的な監督となり、庶民の日常を描く「小市民映画」を確立した。一九三六年に撮影所が大船へ移ってからは「メロドラマ」の名手となり、上原謙・佐分利信・佐野周二の松竹三羽烏を育てた。

島津門下には、五所平之助、豊田四郎、吉村公三郎、木下惠介、中村登、佐伯清、谷口千吉ら名監督がいる。

一九三九年に島津は東宝へ移籍したが、戦時下になると、島津の得意とする庶民の生活やメロドラマは作りにくくなっていた。一九四四年八月三日封切りの『日常の戦ひ』が最後の映画で、佐分利信演じる高級住宅地に住む英文学の助教授と、轟夕起子演じる妻が主人公だ。英文学者は戦時下には何の役にも立たないと悩んでいた助教授は「隣組」の組長になり、「銃後」の立場で戦争遂行に協力していく。石川達三が一九四三年に毎日新聞に連載した同題の小説が原作だ。

島津の次回作は筈見恒夫が企画していた、移動劇団を題材にした『檜舞台』である。筈見としては、今井正の『東京の仲間』が中止になったので、これがプロデュース第一作になるはずだった。

島津は軽井沢から東京へ戻っていたが八月二十五日に帝大病院（東大病院）に入院し、手術をした。本人には胃潰瘍と伝えられたが胃癌だった。

筈見は島津が『檜舞台』を撮れない場合に備え、豊田四郎と相談していた。二十八日に見舞うと、本人は元気だったが、妻から全快の見込みはないと伝えられた。筈見は『檜舞台』を、島津の総指揮で豊田が監督する形にしようと決める。

豊田四郎の国策映画

豊田四郎（一九〇六〜七七）は「女性映画」「文藝映画」の名匠として知られる。一九二四年に松竹蒲田撮影所に入社して島津保次郎に師事し、サイレント映画時代の二九年に『彩られる唇』で監督デビューした。東京発声映画製作所（後の東宝）に移籍し、三七年に石坂洋次郎のベストセラーを原作にした『若い人』が大ヒットした。

豊田は東京発声でのエース監督となり、一九三八年には林芙美子原作『泣蟲小僧』、阿部知二原作『冬の宿』、伊藤永之介原作『鶯』、一九四〇年は『奥村五百子（いおこ）』、『小島の春』、『大日向村（おおひなたむら）』を作った。なかでも『小島の春』はハンセン病患者を国立療養所に収容するのに献身した女性の手記を原作とし、ヒューマニズムと抒情性が評価され、興行的にもヒットした（現在の視点では問題のある作品となる）。

『大日向村』は満州開拓民の苦闘を描くもので、このあたりから国策色が出てくる。一九四一年二月、東京発声は東宝に買収された。豊田は傷痍軍人の妻の手記を原作とした『わが愛の記』を作り終えたところだった。看護婦が、患者として入院中の傷痍軍人と結婚しようと決意するが、両親に反対され、それでも結婚して幸福になる話だ。

戦中最後の豊田の映画は完全な国策映画である。一九四三年十二月一日に公開された

『若き姿』で、朝鮮の徴兵令発令に対応したものだった。東宝・大映・松竹の三社が協力した朝鮮映画製作株式会社の製作で、新劇の丸山定夫、大映の月形龍之介、松竹の佐分利信らに朝鮮の俳優が加わった。

そもそも朝鮮映画製作が日本と朝鮮の同化を目的として設立された国策会社であり、戦時下の朝鮮で中学生たちの軍事教練を指導する少佐を中心に、中学生や教師たちの日本への忠誠ぶりを描くというものだった。

これ以後、豊田は何も撮らないで敗戦を迎えた。

島津の弟子、吉村公三郎

九月十四日に筈見恒夫と豊田四郎が見舞ったときも、島津保次郎は元気だった。だがこの場で『檜舞台』は豊田に託された。

この頃、見舞いに行った木下惠介に、島津は「軍人の馬鹿野郎がこんな目に遭わせた。負けるに決まっている戦争なんかしやがって。おれは承知できない。徹底的に叩いてやる。これからはおれたちの時代だよ。何を作ったっていいんだ。何を言っても自由だ」と息巻いた。そして、「島津組のプロダクションを作ろう」と言って、木下の他、豊田四郎、吉村公三郎、中村登といった名を挙げて、張り切っていた。

島津が名を挙げた弟子たちのうち、吉村公三郎（一九一一〜二〇〇〇）だけが、戦地で敗戦を迎えていた。

吉村は一九二九年に松竹蒲田撮影所に入り、島津の助監督になった。一九三四年に子役時代の高峰秀子主演の短篇『ぬき足さし足・非常時商売』で監督デビューしたが、なかなか芽が出なかった。島津とその門下の五所平之助と豊田四郎の助監督に戻り、一九三九年に改めて『女こそ家を守れ』で監督となったが、島津が東宝へ移ったので、岸田國士原作『暖流』を撮る機会がまわり、この映画が成功した。このときの助監督が中村登だ。

吉村は一九四三年十月に徴兵されて出征した。南方戦線に派遣され、タイのバンコク駐屯の第十八方面軍司令部報道部に配属された。軍での吉村の仕事は、前線で戦うのではなく、タイへ来た映画関係者や報道員の世話、現地で発行される日本語新聞の検閲、慰問のための巡回映写などだった。この司令部に吉村は二年間いた。

〈敗戦を知ったのはいつであったか、はっきり覚えていない。〉と吉村は『わが映画黄金時代』に書いている。その夜、水浴びをしていると、激しくドアを叩く者がいて、腰にタオルを巻いて外に出ると、「ただ今入ったニュースです。日本の天皇は、日本政府に対し、ポツダム宣言を受諾する用意があることを、連合軍に通知せよと命令したというのです」と、英文を翻訳しながら伝えられたとある。

支局長と会った吉村が「どうやら、生きていられましたね」と言うと、「吉村少尉殿、あなたもまた映画が作れますよ」と言われた。

それから一ヵ月が過ぎ、九月十八日に、島津保次郎は四十八歳で亡くなった。

タイにいる吉村が知る由もない。吉村が復員するのは翌年七月で、船は浦賀に着いたが、コレラ患者がいたため一週間、上陸できなかった。その間に船に持ち込まれた半年分の新聞を読んで、吉村は島津が一年近く前に亡くなっていたことを知る。その記事には島津が「病気が治ったら、五所、吉村、木下、中村を呼び集めてプロダクションを作るんだ」と語っていたとあるのを読み、〈師匠はやはり私のことを気にしていてくれたのだと思うと、涙があふれた。〉

自首した菊田一夫

岩手県水沢にいる菊田一夫のもとに仕事を依頼してきたのは、ついこの前まで仕事をしていた東宝ではなく、そのライバルの松竹だった。

菊田は一九〇八年に生まれ、すぐに養子に出され、生後四カ月で養親と台湾に渡ったが、まもなく捨てられた。以後も転々と他人のもとで育てられ、小学校に入学したが薬種問屋に売られ、年季奉公をつとめるという壮絶な幼少期を過ごした。

一九二五年（大正十四）、十七歳の年に東京に出て、印刷工として働いていたが、萩原朔太郎やサトウハチロー、林芙美子ら文学者と知り合い、サトウの世話で浅草国際劇場の文藝部に入った。一九三六（昭和十一）からは古川ロッパの「笑の王国」の座付き作家となり、ロッパが東宝へ移籍すると、菊田も東宝文藝部に入った。しかし終戦時は東宝との契約は切れていた。

九月五日、松竹演劇部の「加納君」が訪ねてきて、邦楽座を「明朗新劇」で再開したいので新作を書いてくれと言った。加納はすでに開幕していた東劇での猿之助一座が盛況だとも伝えた。

菊田は、自分は「数々の軍事劇を書き敵愾心（てきがいしん）昂揚劇を書いた。それによって国民が戦意を昂めたかどうかは別として、敗戦となったいま、掌をかえすようにアメリカと仲良くしましょうは書けません」と言って断ろうとした。それにいつ戦犯として捕まるかもしれない。だが加納は「戦犯の件は大丈夫のようです」と、何を根拠にしているのか断言した。

菊田としては東京へ帰りたいとの思いがある。東劇が満員と聞けばなおさらだし、明朗新劇のメンバーとは気心も知れている。東宝との嘱託契約はもう切れているので、松竹の仕事をすることに問題はない。しかし、戦中に自分が書いてきたものへの責任も感じている。ゆっくり考えて返事をすることにした。

そして十八日——菊田一夫は東京へ戻った。映画会社首脳がＧＨＱに呼び出されたのは二十二日だが、菊田はその前日の二十一日に、自らＧＨＱの民間教育情報部演劇課を訪ね、担当将校のキースと面談した。後に書かれた「敗戦日記」に、菊田はそのときに自分が述べたことを書いている。

〈数多くの敵愾心昂揚脚本を書きました。私は日本国民として日本に勝って欲しかったから誰に強要されたのでもなく、それらの脚本を書いたのです。いまでも悪いことをしたとは思っておりません。きくところによれば文士も戦犯として捕われ、処刑されるときききましたが、いまのところ何の沙汰もありません。私は脚本を書くことによって生活の糧を得ているものです。書かねば食えません。いま、あるところから脚本を頼まれているが、それは果たして書いてもよいものであろうか、どうかの質問をしに参りました〉

するとキースは、「罪があるかどうかは、その担当者が調べることなので、ここで釈明を聞く必要はない」「アメリカの法律では、犯罪者は裁判で有罪と判決が出るまでは無罪だ」という原則を述べた。菊田はいまひとつ理解できなかったので、再度、「脚本を書いてもいいのか」と訊くと、またも「有罪の判決が出るまでは無罪である」という答えだった。「捕まるまでは、仕事をしていいのですね」と念を押すと、通訳が「いいらしいですよ」と教えてくれた。キースは「占領軍として進駐してからこの仕事をしているが、自ら名乗り出て、戦争中の仕事を告白したのはミスター・キクタだけだ」と言った。

帰りがけ、キースは菊田の肩を叩き、「グッド・ラック」と言った。

菊田はこの話を他の随筆にも書いており、事実とは思うが、第三者が聞いていたわけではない。「敗戦日記」は当日に書かれたものではなく、メモや記憶のもとに後年、書かれたものだ（発表されたのは一九六四年）。

キースと会ったことで、菊田は書く気になり、九月中に明朗新劇のための『新風』を書いた。この芝居は邦楽座で十一月に上演される。

その次に来た仕事はNHKからのラジオ放送劇の依頼だった。戦後初のラジオドラマになる『山から来た男』である。

幻の『快男児』

山本嘉次郎監督『快男児』の新聞広告は九月になっても出ていた。九月七日付には〈奇才縦横！演出の粋！／明治情緒のキレイなこと驚くばかり！／主人公のバンカラさも亦驚くばかり！〉という惹句が載っている。

ポストプロダクションも進んでおり、「撮影日誌」の九月一日は「タイトル撮影」「アフレコ」、二日は公休日で、三日に「入替へ」とあり、四日に「完成試写」が行なわれ、「撮影日誌」からタイトルが消えるが、十三日に再登場して、「再撮影」となった。十四日は空欄で、十五日に「再ダビング　音楽、擬音」があり、十八日の「改訂版　ネガ再編集」が日誌にある最後となる。

一方、『快男児』の新聞広告は十八日に、〈東宝ノ一番アタラシイ寫眞。封切はモウスグデス〉と出た。そして二十五日には〈奇抜とは？〉と大きくあって、その次に〈奇抜とは「思ひがけぬ」「ぬきん出る」と云う意味です。そして、今度の東宝最新作「快男児」は奇抜な演出とハッキリ申し上げて大丈夫御引受けいたします　藤田・原・エノケンをそろへた山本嘉次郎久々の明朗傑作です〉と期待を煽っている。

ところが二十八日、「今週の映画と演劇」欄に、〈二十七日封切予定であった東宝の「快男児」大映の「鞍馬天狗」（旧日活時代の作）ともにマックアーサー司令部の検閲で保留となったので、今週も各映画会社は再映もので番組を埋めている。松竹の「そよかぜ」と大映の「乞食大将」は十月上旬封切の予定〉とある。

二十二日に映画会社幹部たちが呼ばれて通達が出された時点では『快男児』を公開するつもりだったが、二十七日までの五日間に事態は変化したのだ。

筈見恒夫の日記の二十六日には、〈「快男児」検閲保留の由〉とある。自分が関係している映画ではないせいか、筈見はその夜は長谷川一夫と麻雀をしており、撮影所が大混乱に陥っていたわけではなさそうだ。

大映の『乞食大将』は大佛次郎が朝日新聞に連載していた小説が原作で（一九四五年三月六日で紙面に小説のスペースが確保できず未完で連載は中絶、敗戦後に雑誌「新太陽」「モダン日本」に続きを掲載）、戦国時代の武将、後藤又兵衛が主人公で市川右太衛門主演、松田定次監督だ。記事には十月上旬封切予定とあるが、一九五二年まで待たねばならない。

大映の戦後最初に完成した映画『別れも愉し』

十日の新聞には大映の音楽映画として『別れも愉し』の広告が載り、演出の田中重雄他のスタッフと若原雅夫、月丘夢路などの出演者の名前が載り、九月十三日に封切られる。松竹の『伊豆の娘たち』同様に、『別れも愉し』も八月十五日以前から撮影していた、「戦後最初に完成した映画」のひとつだ。主人公は村田知英子演じる産婦人科医で、その夫で遠洋航海船の船員を若原雅夫、若原の妹で歌手を月丘夢路が演じた。船員は二年間の遠洋航海に出ていたが、北海道に寄港し、神戸へ向かう。そこで若原は鉄道を利用して東京を経由して神戸に行くことにする。そうすれば妻と東京で五、六時間は過ごせるからだ。

もともとは船員ではなく軍人という設定だったのを、敗戦後、急遽、船員にシナリオを書き換えて作られたという。たしかに、戦時中に二年間の遠洋航海という設定は無理がある。映画のなかの時代設定は、戦中とも戦後とも確定されていない。

監督の田中重雄（一九〇七〜九二）は娯楽映画の名手で、一九二六年に松竹蒲田撮影所に入り、以後、いくつもの撮影所、プロダクションを転々とし、戦時中は大映にいた。

二十三日、『そよかぜ』の広告が初めて出た。〈明るく甘く日本映画界をそよ吹く松竹のそよかぜ〉とあって、上原謙、佐野周二、三浦光子らの名があり、並木路子は（新人）とあって六番目だ。

二十四日、東宝藝能大会の第二回の広告がある。二十五日から翌月一日までで、長谷川一夫、高峰秀子、古川ロッパらの名が出ている。その隣に、「日本ニュース」の広告があり、「原子爆弾の惨害」と「米軍東京進駐」が「近日公開」とある。広島の原爆後を撮った映像なのだが、占領軍はこの映画を公開させない。

二十六日、十月四日に日比谷公会堂で開かれる「日響演奏会」と、十月三日初日の帝国劇場での尾上菊五郎一座の広告が載った。その横には、「開演中」として大勝館で水の江瀧子の「劇団たんぽぽ」公演の広告もある。さらに「明大野球部復活へ」という記事もある。

『歌へ！太陽』

山本嘉次郎の『快男児』はＧＨＱによって公開が禁止された。かなり前から新聞広告を出していたので、東宝としては痛手だろう。

黒澤の『虎の尾を踏む男達』はまだ撮影中なので、結果として東宝が戦後最初に封切る映画は『歌へ！太陽』となった。古川ロッパの日記には、九月十一日に撮影所へ行くと、すでに撮影が始まっていたとある。この映画にロッパは出ていない。ライバルの榎本健一が主演だ。

『歌へ！太陽』は戦中に企画された娯楽音楽映画で、八月以前から企画されていたもので、菊田一夫の原作を八住利雄が脚色し、阿部豊が演出した。劇場で「微笑少女」と呼ばれている若い歌手を中心としたドラマという点で、『そよかぜ』に似ている。時局と関係ない他愛ない音楽劇をという発想だと、似てしまうのだろう。十一月二十二日に公開される。

榎本健一は『虎の尾を踏む男達』に続いて『歌へ！太陽』と、映画で戦後の仕事を再開していたが、古川ロッパは舞台で再開する。

東宝藝能大会

高岡で敗戦を迎えた長谷川一夫の戦後最初の仕事は、東京宝塚劇場での「東宝藝能大会」だった。

自伝には〈終戦の大混乱はみなさまご存知の通りですが、じっとしていられない性質の私はなにがなんでも仕事をしたくてしょうがなく、東宝本社で相談して終戦の翌月、九月十八日から東宝劇場でいち早く公演を行ないました。幸い東宝劇場は戦禍を免かれまして、内部は少しよごれてはいたものの、ステージも楽屋もそのまま使用にたえる状態だったのが幸せでした。〉とある。

「東宝藝能大会」には長谷川一夫、高峰秀子、山根寿子、月丘夢路、轟夕起子、古川ロッパ、小夜福子、川田正子、灰田勝彦、二葉あき子、笠置シヅ子、小唄勝太郎、貝谷八百子らが出た。彼らにしてみれば、戦中の慰問公演とやることは同じだったので、慣れたものだった。しかし客席の雰囲気は違っていただろう。大卒男子の銀行員の初任給が八十円の時代に、入場税込で九円と四円五十銭と高価だったが、連日大入り満員だった。

一週間単位で出演者や演目が替わり、長谷川一夫は九月十八日から一週間の予定で歌舞伎舞踊の『鷺娘』を舞った。もちろん、トリである。一九四二年に同じ東京宝塚劇場で演じたのが最初で、長谷川一夫の評伝『花の春秋』(旗一兵著)には、その初演とはガラリと変わっていたとして、こうある。

〈振りも衣しょうも派手なのである。セリ上がりの白装束はそのままだが、ひきぬきは赤に金色のぬいとりの、道成寺ふうの明るさで、次ぎは黒地に紅葉ちらしの下町好みに変った。／つづいて、水色のひきぬきも、やはり金色のぬいとりで、ラストは白地にネズミの

小梅に、羽根模様の下着という手の込みようである。〉

敗戦直後に、これだけの衣裳を揃えられたのである。

『花の春秋』によると、観客はびっくりするほど詰めかけ、『鷺娘』は一週間だけの予定だったが、三週間の続演となり、長谷川は十月八日まで出た。見に来たアメリカ軍の将校はどうしても長谷川を男だとは信じなかった。

九月二十五日からは古川ロッパが加わった。

古川ロッパ（一九〇三〜六一）は加藤男爵家の六男として生まれ、南満州鉄道の役員、古川武太郎の養子となった。幼少期から文学に親しみ、中学時代から映画雑誌に評論を書いていた。早稲田大学中退後は菊池寛の文藝春秋社に入り、雑誌「映画時代」の編集者となり、弁士の徳川夢声らと演芸活動も始めた。当時「声色（こわいろ）」と呼ばれていた声の真似芸を「声帯模写」と名付けたところ、大当たりした。雑誌「映画時代」の経営を買って出たものの、巨額の負債を抱えてしまった。映画評などを書いたり映画に脇役で出たりしていたが、菊池寛や小林一三に勧められて喜劇役者に転じた。最初は失敗したが、一九三三年（昭和八）に、浅草で徳川夢声、大辻司郎、三益愛子、山野一郎らと劇団「笑の王国」を結成し、「アチャラカ」と呼ばれるようになるナンセンス喜劇を出すと、大当たりした。菊田一夫を座付き作家とし、エノケン一座と人気を二分していた。

この他、都内で営業可能な劇場は九月には次々と幕を開けていた。新宿第一劇場は清水金一一座、邦楽座は森川信・坂本武・吉川満子、大勝館は劇団たんぽぽ、常盤座は本郷秀雄・杉山昌三九（しょうさく）、金龍劇場は木戸新太郎一座、浅草松竹座は前半が生駒雷遊一座で後半は劇団山茶花究と松竹舞踊隊合同、新宿松竹座は後半に生駒雷遊一座、浅草花月劇場は伴淳三郎一座、浅草大都劇場は渡辺篤・吉本楽劇座らが興行していたのである。

菊五郎、始動

東宝の演劇部門の戦後は東京宝塚劇場での藝能大会に始まるが、本格的な演劇公演は十月三日初日の帝国劇場での尾上菊五郎一座の公演である。

尾上菊五郎は、長谷川一夫同様にじっとしていられない性格の役者だった。一日も早く舞台に立ちたい。しかし、松竹は何も言ってこない。その間に東宝が菊五郎の帝劇出演を決めた。

六代目尾上菊五郎（一八八五〜四九）は敗戦の年、六十歳である。明治の名優・五代目尾上菊五郎の子だ。

菊五郎は父のライバルであり盟友でもあった九代目市川團十郎に預けられて修業し、一九〇三年（明治三十六）二月に父・五代目が亡くなると、團十郎が後ろ盾となって六代目を襲名した。しかしその團十郎も同年九月に亡くなったので、十八歳で劇界の孤児となった。歌舞伎座にいたのでは端役しかまわってこないので、市村座に入り、同世代の初代中村吉右衛門とともに一時代を築いた。

菊五郎の一九四五年を振り返ってみよう。一月は新橋演舞場で『鏡獅子』『雪曙誉赤垣』に出た。この戦中最後の正月公演は、明治座には中村吉右衛門の一座、浅草松竹座には猿之助の一座が出ており、七代目松本幸四郎は長男の市川海老蔵、七代目坂東三津五郎、二代目中村芝鶴らと東京郊外の工業地帯に慰問公演に出ていた。

一月の各劇場での公演が千穐楽を迎えた後の二十七日、正午頃にアメリカ軍のB29が東京に来襲し、新富町にあった松竹本社に焼夷弾が落下した。その爆風で社長の大谷竹次郎は片耳の鼓膜を破られ、社員のなかに死者も出た。

新橋演舞場で二月にも予定されていた菊五郎一座の公演は、空襲を警戒して中止になった。この月は新宿第一劇場で中村もしほ（十七代目中村勘三郎）と中村芝翫（六代目中村歌右衛門）ら若手による公演があっただけだ。

二月の演舞場には最長老の十五代目市村羽左衛門も出る予定だったが、高齢でもあったので、これを機に長野県湯田中温泉に疎開した。大正から昭和戦前にかけて「三右衛門」と呼ばれた三人の名優のうち、十一代目仁左衛門は一九三四年に、五代目歌右衛門は一九四〇年に亡くなり、羽左衛門ひとりになっていた。

明治座は、二月は花柳章太郎ら「新生新派」の公演だった。それが終わった後の三月十日の東京大空襲で、明治座は焼け落ちた。浅草松竹座も一部が破壊され十二月まで休座となった。松竹はさらに浅草国際劇場も失った。

明治座などが失われた一方で、決戦非常措置要綱で閉鎖されていた東京劇場は四月に再開が許可され、歌舞伎座も六月に再開する予定となり、菊五郎と羽左衛門が出ることになった。羽左衛門は長野で静養しながら六月の歌舞伎座出演を楽しみにしていたが、五月六日に心臓麻痺で急死した。前年（一九四四）十二月の、京都・南座の顔見世での『源氏店』の与三郎と、『浜松屋』の弁天小僧が最後の舞台となった。最後まで二枚目を演じ切ったのだ。享年七十。

東京劇場は五月に「清水金一一座に広沢虎造出演」、六月に「森川信一座、松竹舞踊隊合同」、七月に「劇団たんぽぽ」の公演があったが、これらは歌舞伎ではない。

新橋演舞場は三月と四月は休業していたが、五月は都民の士気向上のため開場が認められ、四月二十五日初日で、菊五郎一座の『義経千本櫻／鮓屋』『棒しばり』『東海道中膝栗毛』を上演した。そのさなかに、羽左衛門の訃報が届いたのだ。

五月二十五日、新橋演舞場の菊五郎の公演は千穐楽を迎えた。それを待っていたかのように、その夜、アメリカ軍による大規模な空襲があり、菊五郎の家も新橋演舞場も歌舞伎座も焼けてしまった。菊五郎の戦中最後の舞台は五月の新橋演舞場だったので、十月の舞台まで四カ月休んだことになる。

大半の歌舞伎役者は松竹の劇場にのみ出ているが、専属契約を結んでいるわけではなかった。東宝は阪急グループ傘下にあり、興行においても近代的な契約を結ぶが、松竹は慣習と口約束だった。そのため長谷川一夫が松竹から東宝へ移ったようなことも起き、戦後も、八代目松本幸四郎（初代白鸚）の一門が東宝へ移るようなことが起きる。

敗戦直後も当然、役者たちは誰も松竹と専属契約は結んでいないので、不安定で、来月は何をしたらいいのか先の見えない状況にあった。

菊五郎は早く舞台に立ちたいが、都内で唯一残っている松竹の大劇場は東劇だけで、九月は市川猿之助一座が公演しており、十月は新生新派が『瀧の白糸』を出すと決まっていた。菊五郎は松竹に不満を抱いていた。それを知った東宝の渋沢秀雄は菊五郎と交渉し、年四回（四カ月）の出演契約を結び、その最初を十月の帝劇と決めた。菊五郎はこの時期、阪急・東宝の総帥である小林一三と不仲だったので、渋沢は後に小林に叱られる一幕もあった。

菊五郎一座の帝劇公演は十月三日初日と決まった。

資料① 活気づく撮影所

「アサヒグラフ」九月五日号

戦争終結の大詔渙發せられ、何事も憂鬱な氣分に支配せられがちであるが、こんな事では新生日本の建設は出來ない。首相宮様のお言葉の通り街も明るくしよう、健全娯樂も盛んにやりたい。そして國民全体の心持を一轉しこの難局をきりぬけねばならない。記者は國民大衆と最も馴染の深い映畫界は、どうしてゐるだらうかと東寶撮影所を訪れて見た。

「映畫人は皆元氣です。それは物を製作するといふ仕事にたづさはる者が有する共通の氣持でせうか、一時は一般同様茫然自失の体でしたが、今や文化新日本の建設――映畫報國の秋であると、その立上り様は實に盛んなものです。

映畫人は、今までは狹い視野を持つてゐると言はれて來たが、今日を契機として新しき世界觀のもとに新發足をしなければならない。第一に新しい筋を得ること、第二に新しき顔の登場、第三に新しき映畫製作の處理法、この三つに心掛けて今後に處して行きたいと思ふ。

過去四箇年の間に、アメリカは約千五百本のストックを持つてゐる。その内約一割は物量に物言はせた所謂超特作物で、それらが今後どしどし日本にやつて來るであらう。
我々は今、年に十六本のフイルムの配給を受けてゐるだけである。時局のため豪華なセットも出來ないし、遠隔の地にロケーションに行くわけにも行かない。その點我々はひけ目を感じるのであるが、技術的には過去四年間にも進歩して來たし、今後も——發展して行くことは、確信を持つて斷言し得る。」

痩身の森所長さんの言葉は段々と熱を帯びて來る。この時、撮影所らしい美しい女の給仕さんが、來客のある事を知らせに來たが、それには意もくれず、煙草に火を点けた所長さんは言葉を續けた。

「戰前我國には映畫館が約千九百あつたのですが、今では戰災その他のために約九百に減つてゐます。加ふるに海外市場の喪失、それに先に申し上げたアメリカ映畫の輸入、これらの難關を排除して益々窮屈になるであらう配給のフイルムを十分に活し、かつては敵撃滅の戰意昂揚に、或は軍需増産の激勵に、その全能を傾けて來た我々も、戰爭終結のためともすれば暗く動搖し勝ちな國民生活を明朗にし安定するといつた新しい使命が與へられたわけであります。そのためには、從來と異なつた内容が要求されることは言ふまでもありません。現在ではまだ當局から何ら指示はありませんが、詔勅を熟讀含味すれば自ら向ふ所も分るわけでありまして、若しも、その映畫が當局のおしかりを受けた時には、我々は腹を切る覺悟で、どんどん制作は進めてをります。今後の私の方針としましては、日本の良い面を映畫に出して、日本は斯く良い國、良い國民だといふことを世界各國に示さなければならないと思ひます。」

森所長の熱弁は淘々と續く。この時、先の給仕さんが再び現れ、映畫の試寫の開始を知らせて來る。所長さんはなかなか多忙である。記者もそれを機に所長の部屋を辭し、撮影所内を見學させてもらつたが、セットでは唯でさへ蒸し返るやうな残暑の中、煌々たる熱閃を帯びて汗だくの熱演、五分と撮影が續けられない。監督も俳優も苦しさうである。

然しこの苦しみが新生日本の礎石の一つになることに思ひを致し、心からなる感謝の默禮を捧げて記者は撮影所を辭した。

砧村の午後の陽は九月とも思はれぬ暑さである。林にざはめく蟬はこの重大なる秋なるを知らずに騒々しい。

（一花記者）

第三章

十月　檜舞台の役者たち

10月3日に帝国劇場で開幕した公演で『鏡獅子』を踊る六代目尾上菊五郎（「アサヒグラフ」10月5日号より）

満席の帝国劇場（「アサヒグラフ」同号より）

帝劇、菊五郎一座で再開

歌舞伎座、新橋演舞場を焼失した松竹に比べれば、東宝は恵まれていた。日比谷一帯は空襲でも焼かれなかったのだ。帝国劇場（帝劇）、東京宝塚劇場（東宝劇場）、有楽座、日比谷映画劇場、そして日本劇場（日劇）も無事だった。アメリカ軍は勝利した後、どの建物を接収して使用するかを考え、日比谷一帯は焼かずにいたのだ。

東京宝塚劇場の「東宝藝能大会」は十月になっても盛況だった。長谷川一夫は八日まで出て、古川ロッパは九月二十五日から十月十五日まで出ているので、八日までは二人が同座していたことになる。

東京宝塚劇場の「藝能大会」が盛況を呈している間の十月三日、すぐ近くの帝劇で、尾上菊五郎一座の芝居が開幕した。

帝劇出演にあたり菊五郎は『鏡獅子』を演目と決めた。この舞踊劇は九代目市川團十郎のために作られ、「新歌舞伎十八番」のひとつとなっているものだ。少年時代、團十郎に住み込みで弟子入りしていた六代目菊五郎が、直伝で教えてもらった唯一の演目が『鏡獅子』だった。そのため『鏡獅子』は成田屋（市川團十郎家）のものでありながら、音羽屋（尾上菊五郎家）にも伝わっている。

もうひとつは新作の現代劇『銀座復興』に決まった。これは東宝から持ちかけたものだった。

『銀座復興』は関東大震災で焼け野原となった東京・銀座を舞台に、料理屋「はち巻」の店主を中心に、銀座復興に向かう人びとを描いたものだ。水上瀧太郎が震災から八年後の一九三一（昭和六）に書いた小説を、一九四四年に久保田万太郎が戯曲として「三田文学」に載せていた。それを上演しようというのだ。この公演が初演である。

再び焼け野原となった東京で演劇興行を再開するにあたり、これほどふさわしい作品はなかった。久保田が戯曲にしたのは敗戦一年前で、まだ東京への空襲は激化していないが、何か予感するものがあったのであろうか。

演出は久保田万太郎自身と菊五郎が共同で当たった。久保田が菊五郎を演出し、菊五郎が自分以外の役者を演出するという分担で、菊五郎主導の舞台となる。菊五郎が現代劇を演じるのは久しぶりだったが、初めてではない。

主人公の野口文吉に菊五郎、その妻おとくに三代目尾上多賀之丞で、他に四代目市川男女蔵（おめぞう）（三代目左團次）、二代目河原崎権十郎、三代目尾上菊之助（七代目梅幸）、三代目尾上鯉三郎、八代目澤村訥子（とっし）、五代目片岡市蔵、二代目尾上松緑（しょうろく）、十五代目市村家橘（十六代目羽左衛門）、坂東光伸（九代目三津五郎）、三代目中村種太郎（二代目歌昇（かしょう））らが出た。

『鏡獅子』は菊五郎が御小姓彌生・獅子の精で、老女越路に多賀之丞、奥女中紅梅に四代目尾上梅朝(ばいちょう)、胡蝶の精は七代目中村福助(七代目芝翫)と後に映画界へ入る二代目大川橋蔵だった。

観劇料は税別で、A席六円五〇銭、B席二円五〇銭、C席一円五〇銭だったが、三日の新聞広告には八日まで売り切れとあった。実際に大入りとなり十一月も続演され、十一月二十一日で打ち上げた。夜間は危険だというので平日は十三時開演の一回公演で、日曜・祭日は十一時と十五時の二回だった。

新宿第一劇場の歌舞伎

新宿三丁目の、現在は大塚家具のショールームのあるあたりに、一九六〇年まで劇場があり、一九四五年当時は「新宿第一劇場」という名だった。一九三〇年代は「青年歌舞伎」の本拠地となっており、若い役者の修業の場としての機能を持っていたが、敗戦直後のこの時期は、大劇場の座組から外された不遇な役者たちの活躍の場となり、十月・十一月に「仁左衛門・壽美蔵一座」による歌舞伎公演が行なわれた。

十二代目片岡仁左衛門(一八八二〜一九四六)はこの年六十三歳だった。十代目仁左衛門の養子だが、妹の子なので甥でもある。代々の仁左衛門は立役だが、十二代目は女形だった。十五代目羽左衛門がその相手役に起用し、引き立ててくれたが、仁左衛門が三十七歳も若い女性と再婚したことが原因で絶縁した。羽左衛門が共演しなくなると、仁左衛門は歌舞伎座などの大劇場への出番が減る。

六代目市川壽美蔵（一八八六～一九七一、三代目市川壽海）は、五十九歳で敗戦を迎えた。壽美蔵は役者の子ではなく、八歳の年に五代目市川小團次の弟子となり、劇界に入った。しかし役に恵まれないので、二代目市川左團次の演劇革新運動に加わり、さらに一九三四年に創設された東宝劇団に加わった。新天地のはずだった東宝劇団が解散すると、松竹に戻ったが不遇だった。

二人の不遇な役者を組ませての座組で、そこに、後に「海老様」として人気俳優になる九代目市川海老蔵（一九〇九～六五、十一代目市川團十郎）が加わった。もっとも、この時点ではまだ人気役者ではない。

海老蔵は七代目松本幸四郎の長男だった。幸四郎の師である九代目團十郎には男子がなく、その長女は婿養子をとったが、この夫婦には子がなかったので、一九四〇年、幸四郎は自らの長男を師である團十郎家の養子に出し、九代目海老蔵とした。その後、海老蔵は幸四郎に無断で新しくできた東宝劇団に入り、一時は勘当されたが、同劇団が解散したので、松竹の歌舞伎に戻っていた。しかしまだ役に恵まれず、その藝も開化していない時期にあたった。敗戦のこの年、三十六歳である。

戦時中から敗戦にかけて不遇だった三人で、新宿第一劇場では、『沓掛時次郎』『弁天娘女男白浪／浜松屋～稲瀬川』が上演された。『時次郎』は、時次郎に寿美蔵、六ツ田の三蔵に海老蔵、おきぬに仁左衛門、『弁天』は、弁天小僧菊之助に仁左衛門、南郷力丸に寿美蔵、日本駄右衛門に海老蔵という配役で、他に二代目市川子團次、五代目片岡市蔵らが出た。

南座と吉右衛門一座

中村吉右衛門の戦後初の舞台は十月の京都南座だった。一日が初日の予定が、従業員のストライキで六日に延びた。

吉右衛門の一座は家族で固められていた。弟の三代目中村時蔵（一八九五～一九五九）、異母弟の中村もしほ（一九〇九～八八、十七代目中村勘三郎）、娘婿の五代目市川染五郎（八代目幸四郎を経て初代白鸚）らである。時蔵には五人の男子がいて、四男が戦後の映画スター中村錦之助（萬屋錦之介）となるがそれはまだ後の話だ。

この一族による座組に、若い女形として六代目中村芝翫（一九一七～二〇〇一、六代目中村歌右衛門）が加わっていた。

南座での吉右衛門一座の公演には、時蔵、澤村田之助、芝翫、もしほ、染五郎ら一座の主要な役者が揃い、昼の部は『近江源氏先陣館／盛綱陣屋』『隅田川續俤（すみだがわごにちのおもかげ）／双面惹姿繪（ふたおもてしのぶすがたえ）』『松浦の太鼓』、夜の部が『繪本太功記／尼ヶ崎閑居』『京鹿子娘道成寺』『恋飛脚大和往来／新口村（にのくちむら）』と古典を並べた。

吉右衛門は『盛綱陣屋』で佐々木盛綱、『松浦の太鼓』で松浦鎮信、『新口村』で孫右衛門を演じた。南座の公式記録『昭和の南座』にはこうある。〈一月に明治座と日比谷音楽堂に出た切りで芝居をしていなかった吉右衛門は、渋い藝風とは裏腹に、はしゃぎすぎるくらいの熱演で、芝居のできる喜びを全身で現わしていた。〉そして、〈衣食住すべてにわたってどん底時代だったが、大入りの続いた興行だった。〉

『双面惹姿繪』では法界坊の霊に時蔵、おくみにもしほ、松若に染五郎、『尼ヶ崎閑居』では武智十次郎にもしほ、光秀の妻操に時蔵、『京鹿子娘道成寺』は芝翫が舞った。

中村芝翫、後の六代目歌右衛門の戦後初舞台は『京鹿子娘道成寺』だったのである。

上演された演目のうち『盛綱陣屋』は子供が父親のために自殺する話だし、『松浦の太鼓』は「忠臣蔵」の外伝で仇討ちを称賛する話だが、進駐軍将校も喜んで見て、楽屋に俳優たちを訪ねていた。しかし十二月になるとGHQは封建思想、忠君もの、仇討ちものを禁止する。

京都は空襲の被害がなかったので、八月の敗戦前後も劇場は開いていた。十五日から二十一日まで劇場や映画館は休業したとされているが、東京はそうだったとしても、全国で休業していたわけではないようだ。

南座の八月は五日から十四日まで「関西大歌舞伎」で、中村翫雀、中村扇雀、坂東簑助、中村富十郎の一座での公演があり、休むことなく、十五日から二十九日までは「新興演藝」として、ワカナ・一郎の公演があった。

九月は一日から十六日が「文楽座人形浄瑠璃」で、十九日から十月一日までは「曾我廼弥五郎劇」を上演していた。そして十月が吉右衛門一座の歌舞伎だった。

大阪・千日前の歌舞伎座も八月になっても開いていた。一日から十四日が「新興演藝ワカナ一郎劇団・草笛美子劇団」、十五日から二十一日は休み、二十二日から二十九日まで歌舞伎公演で、中村翫雀、中村霞仙、嵐雛助、中村富十郎の一座で『葛の葉』『伊勢音頭』『座頭・藤娘』を上演していた。

したがって、東京の歌舞伎公演は猿之助の一座が戦後初だが、全国では大阪の歌舞伎座での八月二十二日からの公演が「戦後初」となるようだ。

九月になると、大阪の歌舞伎座は一日から十七日まで「木下サーカス藝能団」の公演で、二十日から十月十日までが歌舞伎だった。中村梅玉、中村翫雀、中村霞仙、中村富十郎、實川延若(じつかわえんじゃく)の一座で『絵本太功記』『鏡獅子』『実録先代萩』を上演した。

劇場が残っていたこともあり、関西歌舞伎のほうが先に復興していたのである。だが、戦後、関西歌舞伎はまたたく間に衰退してしまう。

新生新派

九月に市川猿之助一座が出た東劇の十月は、「新生新派」の公演で、川口松太郎作『母娘』と泉鏡花作『瀧の白糸』が、喜多村緑郎(ろくろう)、花柳章太郎らによって上演された。

現在は「劇団新派」という固有の劇団名となっている「新派」だが、もとはジャンル名であり、いくつもの一座が生まれては離合集散を繰り返した。戦時下の新派は、「本流新派」「井上演劇道場」「新生新派」「藝術座」、そして「関西新派」とに分かれていた。

大正時代に新派の「三頭目」と呼ばれたのが、伊井蓉峰(一八七一〜一九三二)・喜多村緑郎(一八七一〜一九六一)・河合武雄(一八七七〜一九四二)の三人だった。伊井は一九三二年に東劇出演中に舞台で倒れ、そのまま亡くなった。以後は喜多村・河合が新派の本流となる。

井上正夫(一八八一〜一九五〇)は伊井蓉峰の一座にいたが、一九一〇年(明治四十三)に独立して新時代劇協会を結成した。しかし経済的に失敗して一年で新派へ戻り、その後は映画界にいた時期もあった。一九三六年（昭和十一）、井上は新派と新劇の「中間演劇」を提唱して、「井上演劇道場」を結成し、岡田嘉子、山村聰、鈴木光枝、松本克平らが加わった。

井上の動きを見て、喜多村の弟子だった花柳章太郎（一八九四〜一九六五）は大矢市次郎・柳永二郎・伊志井寛らと合同して、一九三九年（昭和十四）に「劇団新生新派」を旗揚げした。花柳らが独立したことで、喜多村・河合らは「本流新派」と呼ばれるようになり、一九四二年に河合が亡くなると、「劇団新派」と改称した。

「藝術座」は坪内逍遥の文藝協会にいた島村抱月が松井須磨子とともに脱退して、一九一三年（大正二）に結成したのが最初である。しかし一八年に島村がスペイン風邪で急死し、二カ月後に松井が後を追って自殺したことで、解散した。結成メンバーだった劇作家で演出家の水谷竹紫（一八八二〜一九三五）は、松井須磨子との確執で解散前に藝術座から離れていたが、一九二四年（大正十三）に島村の遺族の了解を得て、義妹の水谷八重子のために藝術座を再結成した。これを第二次藝術座という。

水谷八重子（一九〇五〜七九）は、水谷竹柴の妻の歳の離れた妹で、二歳の年に父が亡くなったので、水谷家で育てられた。一九一三年に藝術座の舞台に子役としてデビューし、義兄の竹柴が一九三五年に亡くなった後は第二次藝術座の中心となっていた。

一九四四年二月の決戦非常措置要綱により劇場が閉鎖されると、新派も公演の場が限られてきた。水谷八重子の藝術座は一九四五年二月の公演を最後に一時的に解散し、本流新派も河合の死後は難しくなり、井上の一座は慰問活動をして、敗戦を迎えた。

敗戦時に健在だったのは花柳章太郎らの「新生新派」だけだった。

そして十月、東劇で新生新派は戦後初の公演の幕を開け、花柳の師である喜多村緑郎も客演したのである。

大谷竹次郎、水谷八重子の疎開先を訪ねる

熱海に疎開していた水谷八重子は専業主婦になっていた。夫・守田勘彌と娘・水谷良重に姉との四人での生活で、炊事をし、配給の列にも並び、家庭菜園で野菜を作る日々を送っていたのだ。
〈芝居を忘れたのではない。終戦直後の心のむなしさが、家庭の日々に自適させたのである。〉(私の履歴書)
そんな時(「柿の熟した晩秋」と水谷は記しているが、会話の内容から十月のようでもある)、松竹の大谷竹次郎が何の事前連絡もなしに熱海にやってきた。
「八重ちゃん、劇場は開いたよ」と大谷は言った。「焼け野原になっても、東京の人たち

は、どんなに芝居を求めているか。東劇に毎日お客さんが詰めかけてくる。引っ込んでいる時ではない。あんたの出番だ。来年早々芝居をしよう。」大谷はこう説いた。

そのときの大谷を〈年齢を超越した若々しい目〉だったと水谷は記している。

松竹創業者の大谷竹次郎（一八七七〜一九六九）、この年、六十八歳。京都で劇場の売店を営む夫婦の子として生まれ、双子の兄・白井松次郎とともに興行師となった。まず京都の劇場を次々と手に入れ、大阪、東京へと進出した。歌舞伎、新派を傘下にして映画にも手を伸ばし、兄とともに一代で松竹を日本最大の興行会社にした。

松竹は二十二年前も関東大震災で多くの劇場、映画館を失った。歌舞伎座は震災前に火災で焼失し、その再建工事中だった。財務面だけを考えれば、工事は中止して更地にし、土地を売ったほうが利益が出るとの声が株主の一部から上がったが、大谷はなんとしても歌舞伎座を再建すると説得した。

その歌舞伎座が戦争でまたも焼けた。歌舞伎座だけではない。映画館の焼失も松竹が最も多い。それでもこの興行師は、演劇がなくなることはないと信じていた。

著名な俳優の多くが疎開していたが、大谷が自ら訪ねたという記録は、水谷八重子しか見当たらない。

水谷八重子の復帰は一九四六年二月、東京劇場での市川猿之助一座への客演となる。

文学座――製薬会社社長の経済的援助

文学座は一九三七年（昭和十二）に劇作家の久保田万太郎、岸田國士、岩田豊雄（獅子文六）ら文学者が発起して創立された。もとともは俳優の友田恭助とその妻で女優の田村明子のために作られた劇団だったが、結成の相談をしていた日に友田に召集令状が届き、中国戦線に送られた友田は翌月に戦死するという悲劇的なスタートとなった。

友田のための劇団のつもりだったので、久保田たちはやる気をなくしてしまい、劇団は旗揚げ公演前に消滅しそうになったが、それを助けたのが、作家の林髞（たかし）で文学座のためにラジオドラマの台本を書いてくれた。ラジオの仕事でつないで、一九三八年一月に勉強会をし、三月の「試演」が旗揚げ公演となり、徳川夢声、中村伸郎、森雅之、杉村春子らが参加し、森本薫の『みごとな女』他が上演された。

杉村春子は、一九〇六年（明治三十九）に広島市に生まれ、両親が亡くなったため、建築資材商と置屋経営者の養女となった。声楽家を目指し、東京音楽学校（現・東京藝術大学音楽学部）を受験したが落ち、広島女学院で音楽の代用教員をしていた。一九二七年に築地小劇場の広島公演を見て感銘を受け、入団テストを受けた。土方与志が認めて入団したが、最初はセリフのない役だった。二九年の築地小劇場分裂後は友田恭助の築地座に参加し、三六年に築地座が解散した後は文学座に加わった。一九四〇年の『ファニー』で主役を摑み、以後は文学座の中心となる。一九三三年に医大生の長広岸郎と結婚したが、長広は四二年に結核で亡くなった。戦中から多くの映画にも出演していた。

森本薫（一九一二〜四六）は大阪に生まれ、京都帝国大学文学部英文科に進んだ。同人雑誌に発表した戯曲が評判となり、一九三五年、二十三歳の年に『わが家』が築地座で初演されると、劇作家としての道を歩み始め、映画、ラジオドラマのシナリオも手がけていた。三八年に女優・吉川和歌子と結婚して上京、一九四〇年に文学座に入った。

杉村と森本は不倫の関係に落ちた。隠せるわけもなく周知の事実で、森本が杉村に当てて書いたのが、『女の一生』だった。

『女の一生』は一九四五年三月に国民小劇場（築地小劇場が改称）で初演されるはずだったが、十日の東京大空襲で焼けたため中止となり、四月に渋谷東横劇場で初演された。その後、文学座は石川県小松へ疎開した。杉村は東京に残り、森本は京都へ疎開し、敗戦を迎えた。

文学座が東京へ戻り再出発するのは、杉村春子が奔走したからだった。

演劇をするにはすぐにでも東京へ戻って来る必要がある。しかし、空襲で家が焼けて住む場所のない人もたくさんいるし、劇団の経済的基盤がない。どうしたらいいかと悩んでいた時、杉村は林髞（一八九七〜一九六九）から、製薬会社経営者を紹介してもらった。林は探偵小説作家「木々高太郎」としても知られる医学博士だ。杉村の説明だと、その製薬会社はペニシリンをもじったタペシリンという薬をつくったところで、社長は長原芳郎といった。薬ならなんでも売れた時代で、長原はかなり儲けていたらしく、文学座に一カ月三千円を出すと申し出てくれた。当時の大卒初任給が八十円前後だったというから、三千円あれば三十人以上が食べていける。

八月二十日過ぎ、杉村は京都に着くと、森本に会った。「製薬会社の社長が毎月三千円出してくれると言っている」と話すと、森本は、「その社長は何のために金を出すんだ」と怒り出した。杉村と長原が男女の関係にあるのではと疑ったのだ。

森本と話していても何も進まないので、杉村は京都から大阪へ出て、劇団員のいる小松へ向かった。乗った汽車が貨車だったので、夜行なのに電気もなく、へとへとになって小松へ着き、小松製作所にいる劇団員たちに説明した。中村伸郎たちも、杉村の「製薬会社の社長が三千円出すから東京へ戻ろう」という話がよく理解できなかったが、とにかく帰ろうということになった。

こうして文学座は九月末に東京へ戻った。

「家は焼かれ、稽古場もないのに、どこへ帰ってきたの」という小山祐士の質問に、杉村は〈とにかく、みんな帰ってきたのよ。それぞれの地点に。〉としか答えない。忘れたのか、他人のことに関心がないのか。

文学座公式サイトには、〈九月一杯にて、小松市より東京へ引き揚ぐ。タペシリンの長原芳郎の経済的援助を受け、杉並区方南町の同邸内に事務所兼稽古場を持つ〉とある。

東京へ落ち着いた後、文学座は、十月六日から二十五日まで石川県、十一月十一日から二十三日まで兵庫県へと、再び地方公演に出ている。杉村春子は参加しなかった。

森本薫は翌一九四六年十月六日に結核で亡くなる。杉村は『女の一生』を八十四歳になる一九九〇年まで演じ、上演回数は九四七回に達した。

赤い伯爵・土方与志の釈放

帝劇の菊五郎一座の公演が賑わっていた頃――十月八日、新劇の「赤い伯爵」こと土方与志（一八九八〜一九五九）が仙台刑務所から出獄した。四年ぶりの社会復帰だった。

土方はソ連を追放された後パリにいて、第二次世界大戦が勃発し、フランスがあっさりとドイツに降伏したのを目の当たりにした。日本が降伏した今、囚人たちは真っ先に殺されるのではないかと危惧していた。ところが、釈放された。

ＧＨＱは十月四日に、治安維持法、思想犯保護観察法、国防保安法、軍機保護法などの廃止、さらに特別高等警察の廃止、政治犯の即時釈放、天皇制批判の自由などを司令する「政治警察廃止に関する覚書」を発表した。

日本共産党幹部の徳田球一が釈放されるのは十月十日で、約二千四百名の政治犯・思想犯が釈放されるが、土方は彼らに先立って、八日に釈放された。

土方が日本を離れてから十二年、獄にあること四年、この年、四十七歳である。

十月十日の毎日新聞に土方の談話が載っている。

〈今日戦争のない平和な日本を見るのはまことに嬉しい。そして自由主義の日本、民主主義の日本が形造られようとする日に私がこの日を迎えたことは、まことに意義深く感ずる。四年余の刑務所生活で心身ともに疲労しているから、当分の間は栃木県の西那須野の息子の農園で農耕生活をしながら世の推移を慎重に研究し、また友人、先輩の意見も聞いて、自分の今後の生き方を決めたいと思う。〉

しかし土方には農耕生活をする時間はなかった。慎重に決める時間もない。新劇を再興できるのは土方しかいない。戦中、新劇の演劇人も生きていくため、食べていくために、戦意昂揚演劇を作り、軍需工場への慰問もした。獄中にいて何もできなかった土方だけが思想的に無傷だった。

新劇の再出発

俳優座は戦争末期の一九四四年二月に青山杉作、千田是也、東野英治郎、小沢栄太郎、東山千栄子、岸輝子、遠藤慎吾ら十名によって出発した。同年夏に国民新劇場で試演会をしたが、その後は移動演劇隊「芙蓉隊」として巡業した。戦争末期は御殿場に青山杉作や東山千栄子の別荘があったので、そこへ疎開していた。

九月に、遠藤慎吾が御殿場へ行って千田是也と話し、俳優座として何かやらなければということで合意した。遠藤は懇意にしていた毎日新聞の久住良三に相談し、まずGHQへ行った。CIEの演劇課長は新劇の再開に乗り気だった。歌舞伎に民主主義啓蒙劇をやらせるのは無理と踏んでいたので、占領軍として期待できる演劇は新劇だったのだ。

新劇は社会主義運動と密接な関係を持って発展してきた歴史がある。だから、戦時下では弾圧されたわけだが、戦後は左翼演劇でなければ演劇ではないという風潮に激変する。

GHQのなかには社会主義者がかなりいたので、敗戦直後は左翼優位となっていき、新劇はその象徴となるのだ。

CIEは遠藤と久住に、土方与志を中心にしてやるようにと指示した。新劇についてもGHQはかなり調べており、リーダーにふさわしいのは土方だと理解していたようだ。そこで、土方を共産党幹部の徳田球一よりも先に釈放したのだ。

久住は新劇の関係者に呼びかけ、十月十五日に毎日新聞社の会議室で「新劇懇談会」が開かれた。戦後、新劇人が一堂に会した最初だった。出席したのは、俳優座の青山杉作・千田是也・遠藤慎吾、文学座の中村伸郎、この時点ではフリーの薄田研二、滝沢修、山田肇、山本安英、八田元夫、北村喜八らだった。

この場で、合同公演をやろうじゃないかとなった。演目は、出演者が多く、稽古がそれほど必要ないものという理由で、チェーホフの『櫻の園』と、一応、決まる。

だが、この時点ではそれしか決まらなかった。

土方はCIEの招聘で十月二十日に上京し、荻窪の薄田研二（一八九八〜一九七二）の家に泊まり、数日、東京で過ごした。

薄田は福岡県の造り酒屋に生まれ、十二歳で両親が亡くなったので当主となった。しかし画家を目指して上京し、演劇の世界へ入った。家業は弟に譲り、一九二五年に築地小劇場の研究生となり、俳優となった。築地小劇場分裂では土方与志と行動をともにし、新築地劇団を結成した。一九四〇年の新劇人への一斉検挙で薄田も逮捕され、半年の勾留後、起訴猶予となった。その後は大映の専属俳優となり、本名の高山徳右衛門名義で出ていた。四二年に丸山定夫らと移動劇団「苦楽座」を結成したが、四五年に櫻隊と改称した際には広島への疎開に加わらなかったので、原爆には遭わなかった。しかし櫻隊に参加した息子・高山象三は亡くなった。

土方は数日、東京に滞在した。毎日新聞十月二十一日付に、土方の談話が載っている。

〈今後の新劇運動についてはマッカーサー司令部の意向を熟慮したいと思ひますが、これまでの左翼演劇のやうな分派的、小児病的割拠を捨ててあくまで全新劇が一つになつて政治運動から離れた新日本の自由主義と民主主義のためによりよき日本演劇を建設したいと思ひます。最初渡欧した時、私はロシヤで関東大震災を聞くと急遽帰朝のシベリヤ鉄道の中で帝都の焼跡に築地小劇場の構想を練りながら帰つて来てすぐにあの演劇運動を小山内薫氏と一緒に開始したのですが、今度は同じ焼跡にまた再び新劇運動をはじめようとするのですが、今後はジックリ腰を据えて仕事にかかっていきたいと思ひます。〉

土方は四年の獄中生活で肉体的に疲労していたが、それ以上に十二年も日本の演劇から離れていたことで、はたして再起できるのかを不安視していた。しばらく農耕生活をすると言ったのは、そういう事情があった。

しかし土方の思いとは裏腹に、やはり新劇は一つになれない。この時点でさまざまな動きが進行していた。それは演劇人の戦争責任をどう考えるかという思想問題と人間関係とが錯綜する、悲喜劇でもあった。

新劇人懇談会

二十一日、土方与志と薄田研二は、築地小劇場以来の同志、久保栄を訪ねた。土方は久保に「新たに七百人劇場を建て、直属劇団は置かず、演出家と俳優の技術者を集めて株券を分け与え、その集団のもとに演劇学校を作る」というプランを語った。その中心人物に土方が考えていたのは、村山知義だった。

久保栄（一九〇〇～五八）は第一高等学校から東京帝国大学に入ってドイツ文学を学び、卒業すると築地小劇場に入団した。演出・脚本を学び、分裂時には土方について新築地劇団に加わった。新築地劇団を退団した後は、日本プロレタリア劇場同盟（日本プロレタリア演劇同盟に改称、略称「プロット」）に加盟し、斬新な舞台を作った。一九三四年にプロットが強制解散させられると、村山知義とともに新協劇団の結成に参画した。

戦時下、多くの新劇人が国策に従った戦意昂揚演劇や映画に関わったのに対し、久保栄はずっと小山内薫の評伝を執筆しており、演劇活動はしなかった。その意味では獄中にあった土方と同様に、戦争責任が一切ない、数少ない演劇人だった。

村山知義（一九〇一～七七）は時代小説『忍びの者』の作家として知られているが、劇作家・演出家でもある。海軍軍医の子として生まれ、母の影響でキリスト教に心酔していたが棄教し、社会主義者になった。一九二一年に一高を卒業し、東京帝国大学哲学科に入学した。久保栄とは一高時代からの同志でありライバルだ。築地小劇場には演出家として参加した。一九三〇年に村山は治安維持法違反で検挙され、保釈後に日本共産党に入った。三二年に再び検挙されると転向した。出獄すると、「新劇団大同団結の提唱」を雑誌「改造」に発表し、新協劇団が結成された。参加したのは、演出家では久保栄、俳優では小沢栄太郎・滝沢修・伊達信・松本克平・原泉子・細川ちか子・伊藤智子らだった。

一九四〇年、新劇の一斉検挙で村山が逮捕されると、新協劇団は解体した。村山は四二年に保釈され、四四年に懲役二年執行猶予五年の判決が下されたが、四五年三月に朝鮮へ渡った。裁判長が進歩的な人で、「参謀本部は、富士山麓にドイツのような強制収容所を作り、危険人物はみなそこへ入れ、戦争が絶望的状況になったら殺す計画を立てているから、朝鮮へ逃げないか。朝鮮総督府の嘱託になれば、裁判所として渡航を許可する」と言ってくれたので、従ったのだ。七月には満州へ行って敗戦を迎えた。帰国は十二月である。

村山は何度も逮捕され、共産党員にもなったが、久保は慎重に行動するので逮捕されることなく戦時体制を乗り切った。

土方、薄田、久保、村山は築地小劇場以来の同志である。演劇観や藝術理念で異なる点はあっても、新劇が迫害・弾圧されていたなかを生き抜いてきた。自由にできるようになって、さあみんなで一緒にやろうというのが土方の気分のようだが、久保は簡単には乗ってこない。

土方と久保が会った翌日、毎日新聞の久住の動きとは別の、新劇再興のための会合が開かれた。呼びかけたのは、演劇学者の山田肇（一九〇七〜九三）だった。山田は東京帝国大学文学部美学科を卒業し、明治大学で西洋演劇を教えていた。広義の演劇人だが、劇作家でも俳優でもない。山田は一九四四年から官民合同の文化組織として作られた「日本文化中央連盟」の仕事をしていた。

連盟の事務局は内幸町の大阪ビル内にあり、山田はこの会議室を新劇人懇談会に使ってはどうかと呼びかけた。山田としては、新劇の活動がどうなっていくかは研究対象だったので、仕事にもなる。

十月二十二日に、新劇人懇談会の第一回が開かれ、滝沢修、千田是也、北村喜八、薄田研二、八田元夫、利倉幸一、遠藤慎吾、安藤鶴夫、土方正巳と東京新聞の記者二人が参加した。呼びかけたが不参加だったのが、青山杉作、久板栄二郎、杉村春子、久保栄だった。

以後、新劇人たちは、三日にあげず、大阪ビルへやって来て、いろいろなことを議論した。

『そよかぜ』封切り

九月の映画は、戦前に検閲を通っていた作品が新作として封切られていたが、十月前半も新作が準備できないため、ここ数年の間に作られた旧作が上映された。九日からは『五重塔』（一九四四年製作）、『むすめ』（一九四三年製作）、『韋駄天街道』（一九四四年製作）、『團十郎三代』（一九四四年製作）が再映されていた。

十月一日に内閣情報局による検閲は廃止された。

しかしこれまで述べてきたように、自由に映画を作り、公開できる世の中になったわけではなかった。内閣情報局の代わりに、GHQの一部門であるCIEが絶大な権威で、映画製作に関与してきた。CIEは「こういう映画を作れ」と命じ、撮影現場にまで乗り込むようになる。

CIEは映画の製作前、企画段階での検閲だったが、それさえ通ればあとは自由だったわけではない。GHQの別セクション、参謀本部第二部の民間検閲支隊（Civil Censorship Detachment、略称CCD）が完成した映画を検閲するという二重システムが確立される。『そよかぜ』は九月初めに撮影が始まるので、事前検閲は受けていないが、完成後の検閲を受けた最初の映画になる。

十月六日の朝日新聞に『そよかぜ』の広告が載った。〈封切間近な評判の松竹明朗音楽映画〉となっている。翌七日の広告には〈照明係の少女が一躍今日から舞臺に立つてライトを浴びることになつたのですが――〉とコピーがある。九日にも出て、上原、佐野ら出演者の名と〈日本映画に見られなかつた明朗大音楽映画が出来ました〉とあった。

十月十一日、映画の封切館として新宿東宝と渋谷東宝が開館した。その同じ日、松竹映画『そよかぜ』が封切りとなった。

映画公社による紅系・白系の配給がまだ続いており、『そよかぜ』は白系で、帝都座、渋谷公会堂、上野日活、神田日活での公開だった。同じ週の紅系は、大映の『歌ふ狸御殿』（一九四二年製作）が銀座松竹と銀座全線座、富士館、東宝の『新婚お化屋敷』（一九三九年製作）が浅草松竹、本所映画で公開された。

『そよかぜ』は大ヒットして、映画館を出てくる人びとはみな『リンゴの唄』を口ずさみ、たちまちこの歌も大ヒットして、並木路子は一躍スターになった――と思われているが、実際は映画はヒットしたとは言えなかった。『リンゴの唄』がレコードとして発売されるのは一九四六年になってからなので、一九四五年十月の時点では『そよかぜ』を見た人しか聞いていない、ラジオで流れるのも、もう少し後だし、それも年内だけでは数えるほどでしかない。

焼け野原となった東京の闇市で、電信柱にぶら下がっているスピーカーから、毎日朝から晩まで『リンゴの唄』が流れていたかのようなイメージがあるが、それはだいぶ後に作られたものである。少なくとも一九四五年のうちは、この唄はほとんど知られていない。

監督の佐々木康は〈日本の戦後はまさにこの歌から始まったと言っていいだろう。昨日まで唄っていた軍歌を禁止され、唄う歌とてなかった日本人は底抜けに明るいメロディーに飛びついた。作詞・サトウハチロー、作曲・万城目正。仁木他喜雄のテンポのいい編曲も効果的だった。バラックの闇市の焼け残りの電蓄から、あるいは農村の炉端のラジオから毎日のようにこの歌が流れたものである。〉と自伝『悔いなしカチンコ人生』に書いている。しかし佐々木が、闇市はともかく、農村へ行ってラジオから流れているのを聞いたとも思えず、これ自体が作られた記憶であろう。

佐々木は、肝心の映画『そよかぜ』については、〈記憶にとどめている方は少ないだろう〉と書く。〈そもそも戦後すぐに映画を見るような人は少なかった。当時の資料を見ると、戦災のため焼失した映画館は全国五百十三館に達したとある。そういう事情も手伝って『そよかぜ』はヒットしなかったが、主題歌の『リンゴの唄』だけが一人歩きする格好で一世を風靡したのである。〉

並木路子も、自伝で『そよかぜ』は〈戦後初の映画だから、さぞたくさんの人が見に来ただろうとお思いになるでしょうが、実はそうではなかったのです。〉と書いている。「戦後初の映画」は事実誤認だが、それはそれとして、並木はこう続ける。〈フィルムが配給ですから、わずかに二本ぐらいしかプリントできなかった。〉映画館も空襲で少なくなっていたので、多くの人が見たわけではないと、並木は思っている。監督と主演女優がともに、ヒットしなかったと認識しているのだ。

朝日新聞の映画評では酷評された（十月十二日付）。

〈ムシズを走らせたいと思う人はこの映画の最初の十分間を経験しても十分である。〉と出だしから厳しい。〈急場の間に合わせ的な粗製品であることは一見明瞭だが、レビュー劇場の楽士たち（斎藤、上原、佐野）が協力して、照明係の少女（新人並木路子）をスタアにするという話の構成に何の趣向もない貧しさと惨めさは論外。だいたい企画としてもこういう心懸けで映画を作っていくと、日本映画は衰亡のほかあるまいと痛感される。〉

松竹の大谷撮影所長が何でもいいから一カ月で作れと言った内幕を知っているかのようだ。この評には『リンゴの唄』については何も触れられていない。並木についても〈余り好意の持てない容貌と素質〉と、匿名での批評なのに書き手の主観を提示している。

批評の最後は〈記者は計らずもこの映画を見て、敗戦感をまざまざと憶えた。敗戦の素材を扱わずして、敗戦感を与えるとは偉なる哉。〉と皮肉で結ばれている。

その他の批評も厳しいものばかりだ。映画評も戦時体制下は、軍が協力して作った戦意昂揚映画や公認の娯楽映画を批判したり貶すことは、国家に楯突く行為なので、できなかった。溜まっていた鬱憤がここに一気に吹き出し、『そよかぜ』という、軍も内閣情報局も、そしてGHQも後ろ盾となっていない映画が、いい標的とされたとも言える。名作、傑作ではないにしても、ここまで酷評されるのも異常である。

しかし佐々木は、内心はともかく表向きは動じた様子はなく、続いて高峰三枝子主演の『新風』に取り掛かった。封切りは十二月十四日である。

並木は本格的に女優に転身することはなかった。以後も映画に出ることはあるが、歌手として生きていく。十一月からラジオ番組で歌うようになり、『リンゴの唄』はスクリーンよりも電波によって拡散していく。

『大曾根家の朝』へ

木下惠介の戦後第一作は、なかなか決まらなかった。CIEの企画段階での検閲が始まってから、木下は『わが恋せし乙女』を考え、小説の形式にして書き、それを英訳したものを提出した。主人公の男性が、密かに恋していた血のつながらない妹が別の男を愛していると知り、彼女の幸福のために身を引くという話だった。純愛もので問題はなさそうだが、「自己犠牲の精神は特攻隊と同じだ」という理由で却下された。

次に書いたのが、トルストイの『イワンのばか』をベースにしたミュージカル『悪魔と馬鹿と唖娘』で、これはCIEの検閲は通過できた。しかし、松竹にミュージカルを製作するだけの予算がなく、実現しなかった。

松竹は金がなく、豪華な衣装やセットは無理だと悟った木下は、それならば、一軒の家の中だけを舞台にした演劇のような映画にしようと思いついた。

そんなとき、仙台に疎開していたプロレタリア演劇の劇作家、久板栄二郎が上京し、大船撮影所にふらりとやってきた。企画部のひとりが久板を見つけると、「木下君がアイデアを持っていて、演劇的なシナリオを書ける人を探している。やらないか」と声をかけた。

これが映画『大曾根家の朝』の始まりだった。

久板栄二郎（一八九八〜一九七六）は、宮城県に生まれ、東京帝国大学国文科に入学し、在学中からプロレタリア演劇運動に参加した。一九三四年に結成された「新協劇団」では、村山知義、久保栄、滝沢修らと並ぶ主要メンバーとなる。

一九四〇年八月、滝沢修ら新劇関係者が一斉検挙された際に久板も逮捕され、翌一九四一年十二月に仮保釈で出獄した。

保釈されても仕事がない久板を救ったのは、松竹の城戸四郎だった。大船撮影所脚本部の嘱託にしてくれたのだ。城戸は映画作りにおける脚本の重要性を認識しており、久板の劇作家としての才能を見込んだ。久板が書いた最初の映画脚本が、一九四四年二月二十四日封切りの吉村公三郎監督『決戦』だった。造船所を舞台にした船舶増産を謳い上げる国策映画で、撮影中に吉村が出征し、萩山輝男が仕上げた。四五年二月二十二日封切りの衣笠貞之助監督『間諜海の薔薇』が第二作だ。これは松竹ではなく東宝映画だった。女性スパイの物語で、国民に防諜の必要性を訴える国策映画だった。このように左翼だった新劇人も戦中は国策映画を作らされていた。

久板は木下と会い、二人で一晩かけておおよそのプランを立てた。木下のアイデアは、一軒の家だけで展開される話だ。久板と話しながら、それがどういう家で、どういう家族が暮らし、過去に何があり、どういうドラマが展開されるのか――といったプロットが決まっていった。久板はそれを持って仙台へ帰り執筆する。

『海の呼ぶ聲』『千日前附近』

十月二十五日、大映の『海の呼ぶ聲』と、松竹京都の『千日前附近』の二作が封切られた。『千日前附近』は紅系で日比谷映画、銀座全線座、銀座松竹、富士館、浅草松竹、本所映画で上映、『海の呼ぶ聲』は白系で、帝都座、新宿東宝、渋谷公会堂、上野日活、神田日活で上映された。十一月一日から、紅系で『千日前附近』、白系で『海の呼ぶ聲』と入れ替わる。

『海の呼ぶ聲』は「大映浪曲映画」として一年前の一九四四年八月に完成していながら、「上映不許可」となっていたものだった。東宝の『快男児』とは逆のケースで、戦時中は「上映不可」と判断されたものが、戦後は上映してもよくなったのだ。

久藤達郎の国民演劇脚本情報局賞を受賞した戯曲が原作で、監督は伊賀山正徳、浪曲師・寿々木米若が口演し、杉村春子、片山明彦らが出演した。杉村春子演じる母は漁師の夫を海で失っていたので、ひとり息子が漁師になるのを禁じているが、息子は父のような漁師になりたいと思っている——というストーリーだ。

『千日前附近』は長谷川幸延の小説が原作で、一九一二年(明治四十五)の「大阪・ミナミの大火」から、千日前と呼ばれる地域が「娯楽の街」として復興するのを描いたものだった。松竹京都撮影所長のマキノ正博(マキノ雅弘)の戦後第一作で、GHQも現代劇なので製作を許可し、主演は小杉勇、佐分利信、高田浩吉らである。

マキノの自叙伝『映画渡世・地の巻』には〈これは荒廃した千日前を土地の者が力を合せて大変な娯楽街にするという話だ。初めて活動写真が出来て上映するという話だ。この「建設」のテーマで、私は松竹京都での戦後第一回作品を撮りたいと思った。〉とある。菊五郎が帝劇で『銀座復興』を上演したのと同じ気分が感じられる。

佐分利信（一九〇九〜八二）が映画界へ入ったのは一九三〇年（昭和五）で、最初は日活だった。監督を志望したが俳優になれと言われて、三一年に内田吐夢監督『日本嬢』でデビューした。三三年に日活を退社して、劇団にいたこともあるが、三五年に松竹蒲田撮影所に入り、五所平之助監督『あこがれ』が松竹での第一作となった。三六年に『家族会議』に主演して人気も出てきたところ、一九三六年、五所平之助の『新道』で、上原謙、佐野周二と共演し、「松竹三羽烏」と称された。

上原謙（一九〇九〜九一）は一九三五年に松竹に入り、清水宏監督『若旦那・春爛漫』でデビューした。立教大学在学中、友人が松竹の新人公募に勝手に上原の写真を送り、あまりに美男子だったので写真だけで採用されたという伝説になっている。一九三六年に召集され台中で軍隊生活を送るが、原因不明の発熱で除隊となった。帰国すると、撮影所長の城戸四郎の反対を押し切り、女優の小桜葉子と結婚した。翌年に生まれたのが、加山雄三である。

一九三七年、松竹はスター女優の高峰三枝子と佐野周二、上原謙、佐分利信の三人を組み合わせ、島津保次郎に『婚約三羽烏』を撮らせると大ヒットした。上原は三八年に川口松太郎原作・野村浩将監督の『愛染かつら』で田中絹代の相手役をつとめ、空前の大ヒット作となり、二枚目スターとして絶対的な存在となった。

一九四三年七月封切りの木下惠介の監督デビュー作『花咲く港』で、上原はペテン師の役で東北弁丸出しの軽妙な男を演じ、新境地を開拓していた。その後も四三年十一月封切りの『生きてゐる孫六』、四四年六月封切りの『歓呼の町』、同十二月封切りの『陸軍』と四作続けて木下惠介監督の映画に出た。オムニバス映画『必勝歌』が上原の戦中最後の映画となった。

佐野周二だけが三度も応召したが、三羽烏は戦争の時代を映画スターとして生き抜いて、一九四五年八月十五日を迎えた。そして上原謙と佐野周二が『そよかぜ』で、佐分利信が『千日前附近』で、戦中からの空白期間なしに、戦後の俳優活動を始めたことになる。

成瀬巳喜男の幻の映画

成瀬巳喜男の戦中最後の映画は、長谷川一夫と田中絹代の『三十三間堂通し矢物語』で、六月に封切られたが、ほとんど評判にならず、朝日新聞の映画評は、〈焼跡ばかり見慣れていたためか、この映画を見て、目を引かれたのは実物の三十三間堂の建築的な美しさで、その外は何もない。〉と意地悪な内容だった。成瀬作品のなかでも、言及されることは少ない作品だ。当人も出来がよくなかったことは自覚していただろうから、次作には慎重だった。筈見と考えていた『開化任俠録』は、明治維新前後の時代の股旅ものだった。準備はしていたが、まだシナリオに着手しないうちに八月十五日を迎えた。

筈見の没後にまとめられた『筈見恒夫』には一九四五年八月から四六年七月までの日記が収録されており、この敗戦直後の東宝を中心とした映画界の様子がよく分かる。

八月二十三日に筈見は成瀬を訪ね、『開化任俠録』を続行するかどうか話し合った。「続けるとしても、状況が変わったからには、根本的な企画の刷新が必要ではないか」「もっと、おおらかなものをやりたい」と成瀬は言った。

九月になると、筈見は先行していた『檜舞台』が、監督の島津の入院・死去、豊田四郎に交代という事態に見舞われていたので、そちらが多忙な様子だ。

『開化任俠録』のシナリオは九月二十九日になって三分の一ができたので、成瀬と脚本家の岸松雄（一九〇六〜八五）と検討した。筈見の見解では、ヤクザ的なものと道中ものの どっちつかずに思えたので、書き直してもらうことになった。この雑談のなかで、今後の企画として、岸は「明治の東京」「随筆風俗帳」、成瀬は「明治の作家」「続夏目漱石」といったアイデアを出した。

十月一日、東宝社内では午後三時からの会議で、森岩雄常務が「マッカーサー司令部から積極的命令が出て、事態は逃避的製作方針を許さない」と報告された。好戦的、軍国主義的、愛国主義的でなければいいといった消極的な考えを捨て、民主主義の正しさ、平和主義の正しさを訴える内容のものでなければならないと、方針転換されたのだ。

この方針を受け、筈見は成瀬と会い、『開化任俠録』の中止を決めた。いまさら浪曲ものを無理して作る必要はないとの結論に達したのだ。そもそも「浪曲映画」を作ることにしたのは、戦時中の検閲を通すにはこういうものがいいとの考えからだった。世の中の価値観は変わったのだ。

では何を作るか。この日は何も決まらなかった。

十月二十日に、東宝からＣＩＥへ提出される企画として、筈見が用意した『兵士故国へ帰る』が、成瀬の次回作『浦島太郎の後裔』になるのだが、この時点ではまだ成瀬が撮るとは決まっていない。

『檜舞台』の始動

筈見恒夫が抱えていたもう一本の『檜舞台』は、島津保次郎の死で豊田四郎が監督となり、八木隆一郎によるシナリオが十月九日に完成した。同時に、主人公の劇団員に長谷川一夫、彼に好意を寄せる劇団員に山田五十鈴、長谷川の実の父に古川ロッパという配役が内定した。

十三日に豊田が長谷川と打ち合わせ、古川ロッパは十五日まで東京宝塚劇場に出演し、その後は横浜で公演だというので、撮影は月末からと決まる。十五日に豊田監督以下のスタッフによる「本読み」をして、十六日に撮影部が先にロケハンへ出発した。豊田は二十一日に合流する。

その間の十六日に、『檜舞台』の劇中で長谷川一夫扮する俳優が演じる歌舞伎舞踊を、当初の『道成寺』から『鏡獅子』へ替えることになった。長谷川はこれまで舞台で『鏡獅子』を舞ったことはない。この月の帝国劇場で尾上菊五郎が『鏡獅子』を出しているので、それと関連しているのだろう。長谷川は十一月十一日に帝劇へ『鏡獅子』を見に行く。

二十日は土曜日で、CIEに映画のストーリーの英訳を提出する日だった。それに基づいて、実質的な検閲がある。この日は長谷川一夫が加わっての本読みがあった。慰問の巡業に出ていた山田五十鈴が参加するのは二十四日だった。

二十二日に黒澤明の『虎の尾を踏む男達』の社内試写が行なわれた。この時点では公開するつもりでいる。

二十五日、筈見は東宝本社に呼ばれ、森常務から、第二スタジオ・プロダクションを創設するとの話を聞かされた。映画公社が廃されるので、配給・興行は自由競争になる。系列映画館を増やすには一本でも多く製作しなければならない。量産体制の始まりだった。

第二スタジオは一年に十二本、企画本位、品質本位で行くと森は説明した。

その場で筈見が提案したのが、五所平之助『兵士故国へ帰る』、阿部豊『エノケンの検察官』の二本で、その場で通った。会議が終わると、『檜舞台』がＣＩＥの検閲を通ったと知らされた。

二十六日に『兵士故国へ帰る』のプロットを書き直すことになった。戦場から帰ってきた兵士が、日本の変わりように驚くという話で、主人公の名は「浦島太郎」をもじって浦島五郎になる。

二十七日の撮影所内での打ち合わせで、『兵士故国へ帰る』こと『浦島』の監督は、五所平之助よりも成瀬巳喜男がいいだろうと変更になった。

『開化任侠録』が中止になったので、成瀬の戦後第一作は『浦島太郎の後裔』となって、一九四六年一月に撮影開始、三月に公開される。

『檜舞台』はロケから撮影が始まることになっていた。二十七日に豊田はスタッフの一部と出発した。ところが、二十九日になって、古川ロッパが出演しないと言い出した。筈見が会いに行くと、「東京宝塚劇場での藝能大会で東宝側に不手際があったので、当分、東宝の舞台と映画には出ないことにした」と言う。『檜舞台』が気に入らないわけではないらしい。

筈見はロッパとの交渉は常務の森岩雄に任せ、万一に備え、志村喬を代役にすると決めた。結局、ロッパは降板し、志村が出演する。

大相撲番付発表

十月四日の朝日新聞には、十一月中旬に両国国技館で大相撲秋場所を行なうことになったので復旧工事が始まり、各地にいた力士たちも東京へ戻ってきているとの記事が載っている。「一割から二割方は瘦せてしまって服もダブダブですよ。配給米が二合一勺でその中六割が大豆では相撲取りも太れません。しかし瘦せたって相撲は取れますから元気のあるところを一つやりますよ」という山科親方（元・大邱山高祥（たいきゅうざんたかよし））の談話がある。

藤島、武蔵川、楯山の理事三人は国技館修復のための資金集めに奔走した。相撲協会の金庫には一円も残っていなかったのだ。銀行からの融資も期待できそうにない。三人は家を抵当に入れて借金をし、二十万円を集め、どうにか屋根の穴の修復ができた。十月二十六日の新聞には、工事中の国技館の写真が載った。

その同じ二十六日、GHQは国技館を接収すると通告してきた。しかし即時の接収ではなく、秋場所が終わってからだった。この通告により、どうせ接収されるならと国技館の修復は最低限でいいとなった。そのため、秋場所が始まって七日目に雨が降ると、取組どころではなくなり、延期となる。

力士たちも東京へ戻り始めていた。商工省に対しては、稽古まわし二百二十本のために必要な帆布の申請もなされた。現在では番付に載っている力士は約六五〇名とされるが、敗戦直後はその三分の一ほどしかいなかったのだ。

番付の発表は十一月五日、初日は十一月十六日からで十日間と発表された。番付での横綱は六月と同じ、双葉山、羽黒山、安藝ノ海、照國の四人だ。

『日米会話手帳』発売

GHQは九月二十四日に新聞の統制を撤廃し、二十九日には新聞・出版その他言論の自由を制限する法令を全廃するよう日本政府に命じた。それまでは、一九四三年二月交付の「出版事業令」により、出版業を営むには政府の許可が必要だったが、十月六日に出版事業令は廃止され、誰でも自由に出版社を設立できるようになった。

これを受けて、年末までに五百六十六の出版社が誕生した。その数は一九四六年になるとさらに増えて、同年末には出版社の数は二四五九、四七年末で三四四六、四八年末には四五八一社に達する。

戦後最初期の出版物で、いきなり三百万部というベストセラーになった『日米会話手帳』の発売日には、諸説ある。

朝日文庫『「日米会話手帳」はなぜ売れたか』に収載されている復刻版『日米会話手帳』の奥付には「十月一日印刷、十月三日発行」とある。版・刷の記載はなく、はたして初版初刷かどうかは分からない。一方、この本を「九月十五日」に発行されたとしている資料がいくつかある。

もうひとつの日付の手がかりとして、広告がある。朝日新聞十月十八日付に広告が出ているのだ。

〈今すぐ役立つ　日米會話手帳　ポケット版　定価八拾銭〉
〈一家に一冊は勿論、旅行に外出に必ず携帯せられよ。本書一冊あれば日常の米語は一通り話せる。刻下必備の大宝典！〉
〈全国書店で販賣、直接申込謝絶、必ず最寄書店へ〉

発行所は「科學教材社」で、これは誠文堂新光社の傍系会社である。

この広告にも「発売中」「近日発売」などの文字はないが、常識的に、この時点では店頭にあるだろう。ない本を宣伝するのであれば、「予約受付中」などと書くはずだからだ。

十月十八日には店頭に並んでいたと考えていい。

十一月二十五日には〈大好評品切れ　大増刷出来〉という広告が出た。

小川の回想では——最初に刷ったのは三十万部で、長男の小川誠一郎が当時の唯一の取次である日本出版配給（日配）へ持っていくと、仕入れ部長が「百万部買う、ただし、定価五十銭では困る、一円にしてくれ」と言った。しかし原価から考えれば五十銭でも利益が出るので、一円では高過ぎる。なかなか話がまとまらなかったが、間をとって、八十銭として発売することになった。いまのように「定価」が印刷されているわけではなかったのだ。

最初に刷ったのは三十万部だったが、百万部を仕入れるというので、追加の印刷をした。すでに大ベストセラーだ。

〈発売してみると、注文殺到、ばかばかしい売れ方である。大日本印刷の輪転機をフルに動かしてもらって、刷り上ったのが三百万部。〉となった。

しかし、それでも地方の書店にまで行きわたらない。敗戦直後で鉄道網が復旧されていなかった。書店からは矢の催促だ。そこで小川は懇意にしていた名古屋の星野書店、京都の博省堂に、印刷のための紙型を送り、現地の印刷会社で刷ってもらうことにした。さらに、川越と宇都宮にも送った。このように地方で印刷・製本した分だけでも六十万部に達したので、三百万部と合わせて総計三百六十万部をこの年のうちに売ったのである。

ベストセラーが一冊出れば、類似の本が他社から出るのは、いつの時代も同じだった。

英会話本が続々と出された。十一月になると、『日米会話集』『日米会話全集』『新日米英会話集』『日米会話入門』など類似のタイトルの本が出ている。

小川が見事なのは、英会話の本を思いついたのもさることながら、他社が出してきたと見ると、『日米会話手帳』の増刷はしなかったことだ。売り切ったら、そのままにしたのだ。もし増刷していたら、四百万部、五百万部と売れたかもしれないが、逆に大量の売れ残りを抱えたかもしれない。

「アメリカ人が来る、大変だ」と、人びとが不安というか、一種の高揚感のなかにあったので売れたのだ。世の中が落ち着いてみると、必要がないことが分かり、売れなくなった可能性は高い。

『日米会話手帳』三百六十万部は、その部数もさることながら、それをわずか三カ月で達成したのも驚異だ。

小川は〈私の一生の内でも、最も愉快な思い出の一つである。〉と書いている。

この間に、九月に印刷した時点では一連三十五円か三十六円だった更紙の価格が急騰し、三千円前後になっていた。すさまじいインフレの時代だった。大日本印刷での三百万部のために確保した用紙を売らずに持っていたら、どんなに儲かっただろうと語り合い、それも愉快な思い出のひとつだった——と、小川は回想している。

る。

戦後初のスポーツ

戦後初のスポーツは何か。これは何をもって「スポーツ」と呼ぶかによって変わってくる。

八月十五日に玉音放送を聞いた後、キャッチボールをした少年がいたら、彼にとってはそれが戦後初のスポーツだ。しかし、それを言い出すときりがない。

阪神タイガースの公式球団史『阪神タイガース　昭和のあゆみ』は、一九四五年八月以降の新聞をあたって調べた結果、野球に限らず、戦後初の公式スポーツ試合は、九月二十三日に京都大学のグラウンドで行なわれた、第三高等学校（旧制、現・京都大学）とそのOBによる関西ラグビー倶楽部の試合だとしている。倶楽部が二四対六で勝った。

一週間後の九月三十日、今度は京都帝国大学対第三高等学校の試合が行なわれ、五九対〇で京大が圧勝した。

このように、まずラグビーが復活した。

野球は、大学野球が先に動いていた。九月二十九日付の「朝日新聞」には、二十八日午後一時に、慶應の小野、早稲田の伊丹、明治の銭村、立教の鈴木というOBたちが法政大学に集まり、六大学OBの野球大会を開くことで一致したとある。日程などはこれから決めるが、秋に開くことにした。

二十九日、文部省では前田多門文部大臣、内田祥三(よしかず)東大総長を始めとする大学・高等専門学校の校長らによる懇談会が開かれた。文部大臣は、戦後の体育について「文弱文化に流れぬように健全な体育を奨励したい」と挨拶した。

この懇談会では、現在の問題点として、食糧問題の解決、運動場が他の施設や農場として使われているので、その復旧と、資材不足の解決が求められた。また一般の学生・生徒の体育・運動はもちろんだが、競技における選手制度は今後も認めたい、スポーツによる道義心の昂揚も必要であるなどの意見も出された。

一方、銃剣術、射撃などの軍国主義に結びつくものは禁止になった。問題は、柔道と剣道だった。いままでこれら武道は男子の必須科目だったが、これを見直すことになったのである。

戦時中のプロ野球

十月九日、プロ野球の動きが、「朝日新聞」に載っている。それによると——関東では巨人と名古屋軍が合同で十六日頃から後楽園球場で練習を開始し、横沢三郎が新しくセネター軍を編成し新加盟することが決定、西鉄と大和の両軍選手による一チームを加えて関東で四チームとして、関西の四チームと合わせて、東西八チームでのリーグ戦が来年度から始まる、とある。しかし、この予測通りにはいかない。

いまの日本野球機構の前身にあたる「日本職業野球連盟」は、一九三六年（昭和十一）二月に設立された。日中戦争の発端となる盧溝橋事件が起きる一年前で、戦前のプロ野球の歴史は日中戦争・太平洋戦争の歴史と重なる。

一九三六年の発足時に連盟に参加したのは、東京巨人軍、大阪タイガース、名古屋軍、名古屋金鯱（きんこ）軍、阪急軍、大東京軍、東京セネタースの七球団だった。一九三七年に後楽園球場を親会社とする後楽園イーグルス、三八年に南海軍が加わった。

一九四一年の日米開戦で野球は敵国のスポーツとなったので風当たりが強くなっていたが、それでも四四年秋まで公式戦が行なわれ、この年は阪神が優勝した。だがそれが限界だった。

一九四四年十月二十三日、丸ノ内の東京會舘でオーナー会議が開かれ、プロ野球の中断を決めた。会議に出席したのは、阪神、阪急、近畿日本、朝日、巨人、産業の六球団の代表だった。九つの球団のうち、一九四四年になっても親会社が変わっていないのは巨人と大阪（阪神）、阪急だけだった。南海は親会社の南海鉄道が関西急行鉄道と合併して近畿日本鉄道となり、大東京も親会社が替わり朝日軍、名古屋軍は産業軍となっていた。セネタースと名古屋金鯱軍は合併し大洋軍となり、福岡の西日本鉄道に譲渡されたが、四三年に解散、もうひとつの後楽園イーグルスも大和軍になった後に解散していたので、四四年は六球団しかなかったのだ。

報国会も解散するのか何らかの形で残すのかも協議され、ここまで持ちこたえてきたのだから、何らかの形で組織だけは残そうという結論を出した。

報国会は残すが、機能は選手の登録のみとして、これを専務理事の管理とすることなどが決まり、十一月十三日に声明が出された。こうして専務理事の鈴木龍二が全ての責任者となった。

鈴木は東京生まれで、海城中学中退、東京高等工業学校卒という学歴だ。一九二一年に國民新聞に入社し、社会部長にまでなった。政治部記者としても活躍し、政界に人脈を持っていた。三三年、國民新聞が新愛知新聞社（現・中日新聞社）傘下になると、それを嫌って翌三四年に退社して時事新報に移った。ところが、三六年に國民新聞社がプロ野球球団・大東京軍を創設すると、その代表に招聘された。それまでは野球には何の関心もなく知識もなかったが引き受け、同時に結成された日本職業野球連盟（一九三九年に「日本野球連盟」、四四年に「日本野球報国会」）の理事にもなった。

プロ野球再開への始動

鈴木龍二は箱根仙石原に疎開していたが、東京・世田谷の奥沢にも家を借り、上京したときの拠点としていた。八月十五日の敗戦から三日後に様子を見に東京へ出たが、以後は仙石原にこもり、社会のなりゆきを見ていた——と『鈴木龍二回顧録』にはある。

十月になってから、連盟の事務局に勤務していた井原宏が仙石原に訪ねてきた。井原は二度目の出征で尼崎の部隊で敗戦を迎え、部隊が解散すると、すぐに鈴木を訪ねたのだ。井原から「これからどうするんですか」と訊かれると、鈴木は「野球を再開しようと思う」と言った。

〈それは全く、思いがけずぼくの口をついて出た言葉だった。〉と鈴木は『回顧録』に書いている。〈井原君が訪ねてくるまで、確信を持って考えていたことではない。共にプロ野球で苦労した井原君の顔を見て、いろいろ話している間に「そうだ、野球を復活させよう」という考えがにわかに固まってきたのだった。〉

井原は、日本はアメリカに負けたのに、そのアメリカの国技である野球を復興するとは何事かと、くってかかった。鈴木は「野球がアメリカの国技だから復興するんだ」と反論し、「日本は軍隊がなくなった。丸腰で外交をしなければならない。それには野球がいい」と言った。そのとき初めて思いついたことだった。

鈴木は井原と話すことで、なぜ野球を復興しなければならないのか、理論武装をしたのである。数日後、鈴木は仙石原を引き払い、借りていた奥沢の家へ移った。疎開していた家族も呼び、さらに、いったん故郷の出雲へ帰った井原も上京し、鈴木の奥沢の家に下宿することになった。

こうして、鈴木はプロ野球復興へ向けて動き出した——鈴木の『回顧録』には、このような経緯が書かれている。だが鈴木明著『昭和20年11月23日のプレイボール』(文庫版『日本プロ野球復活の日』、以下『復活の日』)や他の資料によると、鈴木はもっと早くから動いていたようだ。

鈴木は敗戦から十日も経たない頃に、野球連盟事務局の職員だった川村俊作に手紙を出し、奥沢の家に呼び出して、「読売報知新聞」(戦時統制で「読売」と「報知」は合併させられていた)八月二十三日付にある「世界野球大会に日本を招聘」という見出しの記事を見せた。そこには、翌年九月にワシントンかニューヨークで世界野球大会が開催されることになり、十九カ国に招聘状を送る、そのなかに日本も含まれる旨が書かれていた。鈴木は「アメリカは占領政策に野球を使ってくるに違いない」と述べ、だから職業野球が始まる、と川村に宣言した。

以後、川村は鈴木龍二の意を汲んで野球関係者の間をまわり、プロ野球復活に尽力する――というのが『復活の日』に描かれるストーリーである。

鈴木龍二の『回顧録』では、奥沢で暮らすようになり、井原が下宿すると決まった後に、川村も妹と一緒に鈴木の家で暮らすことになったと書かれており、八月下旬に川村を呼び出したことは書かれていない。

『復活の日』では、「川村俊作」は「佐藤信」という仮名になっている。同書における川村俊作（佐藤信）の動きは、フィクションの要素が混ざっている可能性があるので、ここでは鈴木明の本は参考程度にして、鈴木龍二の動きは基本的には『回顧録』に準拠して記していく。

鈴木は当分は私費で動くしかない。奥沢の自宅は事務所にするには都心から離れているので、銀座の古いビルの一室を借りた。まもなくして、政界の大物、大野重治とばったり会い、プロ野球を再開しようと思っていると近況を伝えると、「それなら事務所がいるだろう。おれのところへ来い」と言われ、銀座の弘業社ビルに事務所を置くことになった。

「プロ野球の父」と称される正力松太郎を無視するわけにはいかない。鈴木は読売新聞社の、築地本願寺にあった仮社屋を訪ねた。読売新聞社は社屋が空襲に遭ったため、築地本願寺を借りていたのだ。本願寺へ行く途中の築地橋の上で、鈴木龍二は鈴木惣太郎とばったり出会った。

鈴木惣太郎（一八九〇〜一九八二）は群馬県伊勢崎市出身である。早稲田大学を中退し、大倉商業学校（現・東京経済大）に入学し直して貿易を学んだ。アメリカへ渡ると、コロンビア大学の聴講生となり、アメリカ野球について研究したという経歴を持つ。日本にプロ野球ができるきっかけとなる一九三四年の日米野球の開催に尽力し、以後も野球に関わっていたが、なにかのポストに就いていたわけではない。

鈴木惣太郎が巨人軍代表の市岡忠男（一八九一〜一九六四）からの電報を受け取ったのは九月五日で、七日に読売新聞社で会った。市岡は鈴木惣太郎に巨人軍への復帰を依頼し、プロ野球再興について語った。惣太郎は了承し、十五日に正力松太郎と会い、自由勤務の秘書となることが決まった。主な仕事はアメリカ人記者への対応と通訳、翻訳などとされた。

鈴木龍二は『回顧録』では惣太郎との再開の日を具体的には書いていないが、惣太郎側の資料（羽多野勝『日米野球の架け橋』）によれば、二人の鈴木、龍二と惣太郎が読売新聞近くでばったり会ったのは、九月二十日である。このあたりからも、十月になってから動き出したという龍二の『回顧録』の記述は事実ではないと類推できる。なぜ、龍二は、九月から動いていると書かなかったのか。何か表には出せないことをしていたのか。

野球への慎重論

一方、正力松太郎はプロ野球復活はまだ早いと考え、鈴木惣太郎にはそう伝えていた。国民のなかにはアメリカを憎んでいる者も多いから、アメリカのイメージの強い野球が反感を持たれるのを危惧しているようだった。鈴木龍二が会いに行くと、正力は「慎重にやれ」と念を押した。

この時期の重要人物として、小西得郎（一八九六～一九七七）もいる。明治大学野球部のキャプテンで、石川島造船に勤めていたが、アヘンの販売をして大儲けし、神楽坂の置屋の主人になった。プロ野球が結成されると大東京軍の監督になり、野球を知らないのに同球団の常務となった鈴木龍二に野球を教えた人でもある。大東京軍の監督を辞めた後も、野球界で球団の身売りの際に蔭で動き調整役となっていた。

終戦直後のこの時期、小西はニクロム等の合金製品を扱う「仙台製作所」の開店休業状態の東京出張所を預かっており、新橋駅前のビルに事務所を持っていた。警官に追われているヤクザを匿ったことで、闇の物資や食糧が小西の事務所に届くようになり、野球関係者の溜まり場になる。小西は六代目菊五郎とも親しく（菊五郎はアマチュアの野球チームを持っていた）、役者たちも出入りしていた。

先に動いたのは関西の球団だった。もともと、一九四四年十月の中断時の六球団のうち、阪神、阪急、近畿日本、朝日の四チームは関西の球団だ。そのうち三社は鉄道会社が親会社で、戦争の被害をそれほど受けなかった。

中断後の一九四五年も関西の球団だけで一月一日から「関西正月大会」を開催していた。会場は一日・三日・五日が甲子園、二日・四日が西宮球場で、阪神と産業による「猛虎」と、阪急と朝日の「隼」の対戦で、五日連続のダブルヘッダーだった。空襲の警戒警報発令で中止になった試合もあり、八試合が行なわれ、猛虎の七勝、隼の一勝だった。

さらに三月十四にも試合が予定されていたが、十三日夜の大阪大空襲で中止となり、そのまま敗戦となった。したがって、非公式ではあるが、一月五日がプロ野球の戦中最後の試合だ。

三月の大空襲後、甲子園球場は食糧増産のため芋畑になったが、収穫を待たずに敗戦となり、占領軍に接収された。しかし、西宮球場はすぐに使えたので、阪急はいちはやく選手を呼び寄せて練習を再開していた。

十月二十五日（二十二日説も）、大阪梅田の阪急百貨店八階の食堂に在阪四球団の幹部が集まり、「大日本野球連盟」結成のための会合を持った。日本野球報国会（日本野球連盟）の再出発が遅れるようなら新しい組織を作り、とにかく再開へ向けて動こうという目的での集まりで、「連盟は大日本野球連盟として再出発し、阪神、阪急、朝日、南海（近畿日本）、巨人の五チームは開店休業中につき、連盟再出発と同時に無条件に連盟参加資格を持つ」と申し合わせた。

十月二十三日、読売新聞社では労働争議が勃発した。さらに戦犯として逮捕されるとの憶測もあり、正力松太郎は野球どころではなかった。正力がA級戦犯容疑で巣鴨刑務所に収監されるのは十二月だ。

田村駒治郎と藤本定義

プロ野球再興の立役者のもうひとりが、朝日軍のオーナーだった田村駒治郎（一九〇四〜六二）である。

田村駒治郎は大阪・船場の繊維商「田村駒」創業者の長男で、一九三一年に父が亡くなり、二代目社長となった。少年時代から野球が好きで、父が存命中にアメリカを視察した際にもプロ野球を見てきた。田村は田村駒を近代的商社に改革し、さらに繊維メーカーへも進出し、太陽レーヨンを設立すると、倉敷に工場を建てた。

田村が関係したのは、日本職業野球連盟発足時の球団のひとつ、大東京軍である。大東京軍は國民新聞が親会社だったが、一年で経営に行き詰まり、博文館・共同印刷を持つ大橋財閥の大橋松雄が買い取った。大橋の妻と田村の妻が姉妹という関係だったので、田村も資本を出した。大橋はいまでいうネーミング・ライツを思いつき、ライオン歯磨きを売出し中の小林商店とスポンサー契約を結び、大東京軍は二シーズン目の一九三七年から「ライオン軍」となった。

しかし大橋は父が野球へ関わることに反対したので一年で引き上げ、以後は田村がオーナーとなっていた。國民新聞記者だった鈴木龍二は、同社が手放してからも球団代表を続けていたので、田村の下で働いていたことになる。

ライオン軍は一九四〇年にチーム名を日本語にするよう求められても抵抗していたが、四一年に「朝日軍」となり、同時に小林商店とのスポンサー契約も切れた。

一九四二年、巨人の監督だった藤本定義が辞任すると、田村は「いずれ、会社のひとつの経営を任せたいので、しばらく重役見習いをしろ」と秘書にした。巨人の監督としての手腕から、会社を経営できると見込んだのであろう。

藤本定義(一九〇四〜八一)は野球人の多い愛媛県松山市生まれで、松山商業、早稲田大学へ進み、卒業後は東京鉄道局(現・JR東日本)野球部の監督となった。野球連盟発足前に、巨人軍は巡業試合で東京鉄道局野球部と戦っており、敵チームの藤本を監督に招聘した。巨人軍にはその前にも二人の監督がいるが、連盟発足前のことなので、公式史では藤本定義を初代監督と数えている。藤本のもと、巨人は三六年春季から四二年までの十シーズン（三六年から三八年までは二シーズン制）に七回優勝した。名監督なのに辞めたのは、一九四一年十二月にアメリカとの戦争が始まり、「もはやこれまで、野球どころではない」と思ったからだという。

田村の鞄持ちとなった藤本は、朝日軍の様子も分かっていたが、野球には直接関わらなかった。野球から離れたところで終戦を迎えた。

田村駒は大阪に本社があるので、田村も大阪の家が本宅だが、東京にも赤坂の氷川神社のそばに家を持っていた。空襲であたり一面が焼け野原となっていたが、田村邸は焼けなかった。

藤本の自伝によると、九月下旬にこの田村邸に、鈴木龍二と鈴木惣太郎をはじめ、巨人、阪神、阪急、南海、名古屋の代表が集まり、プロ野球再興で盛り上がり、東西対抗戦をやることまで決まったとある。この会合を藤本は、「九月下旬ころではなかったかと思う」と、曖昧に記しているが、一カ月後ではないかと思われる。

日付はともかくとして、プロ野球再興を田村たちが語り合った夜のことを藤本はこう書いている。

〈田村邸秘蔵の日本酒に、意気は大いに上がり、焼野が原をすき腹をかかえてさまよって

いる不安な世相などは、まるで眼中にないもののごとくであった。〉

十月五日、東京にいた藤本は大阪にいた田村からの「すぐに来い」との電報を受け取り、大阪へ向かった。朝日軍再興の件だった。野球には関わらないことにしていた藤本だったが、もはや仕方がない。藤本は、早稲田の先輩で戦前も朝日軍の社長だった増田稲三郎に社長を、同じ早稲田の先輩である田中勝男に代表になってもらうことを田村に提案し、了承を得た。

こうして株式会社朝日野球クラブが発足した。チーム名は田村の妻の発案で、平和になったので天下太平だということと、太平洋のごとく洋々たれという意味を込めて、パシフィックとした（「太平パシフィック」、「太平」とも呼ばれる）。

こうして球団再出発に関わったことで、藤本定義はパシフィックの監督を引き受けることになり、野球界に復帰する。

セネタース復活

映画館や劇場は空襲の被害が大きく、その再建が必要だったが、野球場は東京も大阪も無事だった。最大の問題は選手が揃うかどうかだった。

野球選手の大半は応召した。一九四五年秋の時点では消息不明な者も多かった。『日本プロ野球60年史』（ベースボール・マガジン社）にある戦死者リストには、六十八名の名がある。

各球団は再出発にあたり、所属していた選手の居所を突き止め、連絡を取り、呼び戻すところから始めなければならない。それでも足りないので、新人の獲得も必要だ。

鈴木龍二が政財界の人脈を駆使してプロ野球再興へ向けて動き出したとき、すでに新球団を結成しようとしていた男がいた。

野球連盟発足時から参加した東京セネタースの初代監督だった横沢三郎（一九〇四〜九五）である。横沢は台湾で生まれ、東京で育った。旧制荏原中学校時代は遊撃手、明治大学時代は二塁手だった。まだプロ野球はなかったので、大学卒業後は社会人クラブチーム・東京倶楽部で活躍し、一九三六年に東京セネタースが設立された際に監督として招聘された。三十二歳である。選手としても一試合に出た。だが二年目の三七年の秋季リーグの途中で辞任し、審判に転じて日本野球連盟の審判として四四年まで務めていた。敗戦の一九四五年は四十一歳だ。

横沢三郎の兄弟三人が東京セネタースに関わっていた。兄の小林次男（継男）はマネージャー、弟の四郎（一九〇六〜八二）と七郎（一九一三〜二〇〇二）は選手として入団した。四郎は三郎が監督を辞めた年に退団したが、七郎は四四年まで続け、戦後も四六年と四七年に選手として活躍する。

　横沢三郎が兄の小林次男から「プロ野球が復活するらしい」と聞いたのは九月半ばだった。すでに鈴木が動き出していたのか、別の動きがあったのか。横沢は自分の手で新球団を作ろうと決断し、兄弟は結集した。横沢三郎が社長、小林次男が専務、四郎はマネージャーとスカウト、七郎は選手として新球団に参加する。球団名は愛着がある「セネタース」に決めた。

　新しいセネタースに資金を出したのは、高利貸しで銀座のキャバレー経営者の「織手登」なる人物だった。現在のように大企業でなければ球団を持てないわけではない。「個人」でもどうにかなる時代だった。もっともセネタースは一年で経営は行き詰まる（その後、東急、急映、東映、日拓を経て現在の北海道日本ハムファイターズになる）。

　横沢は資金を得ると、銀座の交詢社ビルの一室を借りて事務所とした。会長には戦前の東京セネタースの理事長だった安藤信昭の紹介で、西園寺公一に就いてもらおうと考えた。元老・西園寺公望の孫で、近衛文麿首相のブレーンだったが、ゾルゲ事件に連座して逮捕され、禁錮一年六月、執行猶予二年の有罪判決を受けた人物だ。

　戦前の東京セネタースは翼軍、大洋軍、西鉄軍と経営母体と名称が変わった後、四三年シーズンで解散していたため、野球連盟への無条件での参加資格がない。それを認めてもらう工作も必要だった。西日本鉄道も独自にチームを作り参加しようとしていた。

新球団が成功するかどうかは、いい選手を集められるかどうかだ。セネタースは母体となるチームがないので、選手も一から集めなければならない。健康な若者が少ないので、それが最大の難問だった。横沢三郎は母校である明治大学野球部とはずっと良好な関係を保っていた。その明大野球部に逸材がいると知った。

大下弘、明大へ帰る

大下弘は、所属していた部隊が解散になっても行くところがなかった。台湾にいる母とは連絡が取れないままだった。本籍地のある神戸には身を寄せられる人はいない。

九月二日に豊岡陸軍士官学校を出た大下が思いつく「帰る場所」は、明治大学野球部の合宿所しかなかった。

明大和泉校舎は陸軍に接収されており、学生たちは神田駿河台の校舎へ通っていた。そんなことを知らない大下は和泉校舎へ帰ってきた。グラウンドのそばの合宿所へ行ってみると、空襲で焼け落ちていた。だが、用具置き場のバラック小屋があった。大下が向かうと、そこには大下と親しくしていた野球部員の清水喜一郎がいた。

清水の両親は近くで食堂を営むかたわら、合宿所の賄いも任されていた。父は清水が中学生のときに、母は戦争中に亡くなり、食堂も手放した。復員した清水は住むところがなく、無断でバラック小屋に寝泊まりしていたのだった。二人は再会を喜び、このバラック小屋でしばらく暮らすことにした。やがて野球部の同僚、貫井函治の家に暮らすようになる。

九月半ばになって和泉校舎が陸軍から返還され、予科の学生たちも神田駿河台から戻ってきた。野球部も再建へ向けて動き出した。

九月三十日、明大野球部は和泉グラウンドで再出発した。

明大野球部が再建されたと知ったセネタースのスカウト担当の横沢四郎は、さっそく練習を見学に行くと、顔見知りの学生、清水がいた。清水の両親は合宿所の賄いをしていたので、野球部OBである横沢兄弟とは親しくしていた。

清水は横沢四郎に、大下というすごいバッターがいると話した。そこで数日後、横沢三郎、四郎、小林次男の三人がやってきた。彼らがグラウンドに着いたときはバッティング練習は終わり、大下はキャッチボールをしていた。それを見ただけで、横沢三郎は大下の可能性を見抜いた。

横沢は帰りかけている大下に、「今夜、神田のシナソバ屋で話したい」と声をかけた。そしてそのシナソバ屋で、入団しないかと誘った――と鈴木明『復活の日』にある。

桑原稲敏『青バットのポンちゃん　大下弘』では、横沢は十一月四日の神宮球場での親善試合を見に行き、時間の都合で大下の一塁守備しか見ることができなかったので、数日後に改めて和泉のグラウンドへ行き、シナソバ屋に誘ったとある。

シナソバ屋での勧誘に大下は即答しなかった。数日後、横沢は改めて大下を呼び出して、熱心に口説いた。辺見じゅん『大下弘　虹の生涯』には、銀座の交詢社ビルの事務所に大下が呼ばれて、横沢から「セネタースに入らないか」と誘われたとあるので、この二度目の面談のことだろう。

プロ野球に戸惑っていた大下が入団しようと決意したのは、横沢が台湾出身でいろいろ伝手があると言ったからだった。大下は入団の条件として「母を引き揚げさせて、神戸の知人宅に預かってもらいたい」とのみ告げた。横沢はそれを引き受け、支度金一千円、月給二百円を提示した。銀行員の初任給八十円の時代の二百円だった。大下は「いまの僕には多いくらいです」と笑って承諾した。

横沢はその場で百円札十枚と契約書をテーブルに並べた。大下は契約すると、その足で銀座のテーラーへ行き、背広を仕立てた。

大下だけでなく、清水、貫井もセネタースに入団することが決まった。

第四章　十一月　禁止された芝居、広がった土俵、放たれたホームラン

戦後初の本場所・大相撲秋場所が開催。４階席から見た千穐楽の盛況
(「アサヒグラフ」相撲特別号より)

優勝した横綱・羽黒山

菊五郎と長谷川一夫

十一月の帝劇では、十月に続いて菊五郎一座が『銀座復興』『鏡獅子』を上演していた。十一日の日曜日に、長谷川一夫、豊田四郎、筈見恒夫ら映画『檜舞台』の関係者が帝劇へ行った。劇中劇として『鏡獅子』を長谷川が演じるので、参考にしようと見に行ったのだ。

長谷川一夫は関西歌舞伎の名優、初代中村鴈治郎の弟子からスタートした。鴈治郎の藝のなかに『鏡獅子』はない。これは九代目團十郎が作ったもので、六代目菊五郎がその継承者だった。長谷川としては映画の中で演じるからには、菊五郎に挨拶をして筋を通さなければならない。

菊五郎と長谷川が面談したのか、筈見の日記に記載はないが、菊五郎は自分の弟子が映画『檜舞台』に協力することを認めた。

歌舞伎役者は映画を見下していたので、若き日の長谷川一夫は辛い思いをしてきたが、菊五郎は、そういう差別をしない人だったようだ。長谷川がまだ林長二郎の名で歌舞伎の舞台にも出ていたときに同座した際も、優しい言葉をかけてくれた。

菊五郎の『鏡獅子』は一九三五年に、小津安二郎が記録映画として撮っているが、菊五郎自身はその出来が気に入らなかったようだ。長谷川の『檜舞台』は、一部分ではあるが

『鏡獅子』の映像化としては、それに次ぐものだ。筈見は日記に『鏡獅子』について〈これをとり入れるのは一汗かくこと必定なり〉と記した。

長谷川の評伝『花の春秋』（旗一兵著）には、〈『鏡獅子』の後ジテで、毛を振るくだりは可れんな女形踊りを本領とする彼としては画期的なもの〉〈長谷川の『鏡獅子』に取組む気魄と努力は壮烈なものだった。六代目菊五郎の好意でその門下の応援出演をうけ、舞台に火花を散らした。〉とある。

『檜舞台』の撮影は古川ロッパが降板して、志村喬が代役となったことも響いて、十一月では終わらず、十二月まで続く。

プロデューサーの筈見恒夫は並行して、成瀬巳喜男の次回作の準備もしていた。日記ではタイトルが「浦島」「兵士故国へ帰る」と揺れているが、十三日に脚本家の八木隆一郎と打ち合わせ、その週のうちにプロットを書くよう依頼した。そのプロットは十八日にできた。

二十一日、筈見は新劇の劇作家の久保栄を訪ね、戯曲を新劇ユニット作品として映画化する話をまとめた。二十二日のプロデューサー会議では、来年上半期に十八本を作るので三十本のシナリオを用意することが決まる。

新宿第一劇場、酷評された新作

十一月二日、新宿第一劇場は前月に続いて、片岡仁左衛門、市川壽美蔵、市川海老蔵の座組で幕を開けた。演目は替わって、宇野信夫の新作『いわし雲』、岡本綺堂作『番町皿屋敷』、『与話情浮名横櫛』が上演された。

『いわし雲』は「歌舞伎俳優のために書かれた現代劇」で、復員してきた漁師が周囲の冷たい仕打ちに遭い、やけになるが立ち直るという、タイムリーな題材の芝居だった。壽美蔵が漁師、仁左衛門がその妻、海老蔵が弟を演じた。しかし進駐軍向けに一夜漬けで書いたに違いないと酷評された。

『いわし雲』は翌十二月にも京都・南座で澤村訥子、尾上多賀之丞、尾上松緑で上演される。海老蔵・松緑の兄弟は同じ役を演じたのだ。

『番長皿屋敷』は青山播磨に壽美蔵、お菊に五代目片岡芦燕(ろえん)、後室真弓に仁左衛門、『与話情浮名横櫛』は与三郎に仁左衛門、お富に芦燕、蝙蝠安(こうもりやす)に壽美蔵という配役だった。片岡芦燕(一九一〇〜一九九三)は仁左衛門の長男で、十三代目我童となり没後十四代目仁左衛門を追贈される。

松本幸四郎・中村吉右衛門一座、東劇

十一月五日、東劇では松本幸四郎一座の幕が開いた。中村吉右衛門も、一門の時蔵、もしほ、染五郎、芝翫（六代目歌右衛門）とともに客演したので、実質的には吉右衛門一座と幸四郎一座の合同公演である。

七代目松本幸四郎（一八七〇～一九四九）は、劇界最長老である。この年、七十五歳。渋谷に住んでいたが空襲で焼けたので、世田谷区桜上水にあった三井家の別荘を借り、そこで敗戦を迎えた。

幸四郎は三重県で土木業を営む家に生まれたが、母とともに東京へ出て、日本舞踊の藤間流宗家・二代目藤間勘右衛門の養子となった。そして一八八〇年〈明治十三〉に九代目市川團十郎の門弟となった。後継者のいない松本幸四郎家に請われて、幸四郎の名跡を継ぐことになり、一九一一年（明治四十四）に七代目として襲名した。團十郎の藝の継承者のひとりで、『勧進帳』の弁慶、『助六』などを特に得意とした。

幸四郎には三人の男子が生まれ、長男（一九〇九～六五）は市川團十郎家の養子となり、九代目市川海老蔵（六二年に十一代目團十郎）を名乗っていた。次男・五代目市川染五郎（一九一〇～八二、八代目松本幸四郎、初代白鸚）は吉右衛門の弟子となりその娘と結婚、三

男（一九一三〜八九）は菊五郎の藝養子となり、一九三五年に二代目尾上松緑を襲名した。

幸四郎の三人の息子は團十郎家の養子になった海老蔵だけが幸四郎一座の一員で、染五郎は吉右衛門一座、松緑は菊五郎一座に入っていた。その海老蔵は十月に続いて十一月も新宿第一劇場に出ていたので、東劇の座組にはいない。

東劇の十一月興行は、昼の部・夜の部の二部制となった。

昼の部最初は『佐倉義民伝』で、主人公の木内宗五に吉右衛門、妻・おさんに時蔵、松平伊豆守に幸四郎、二番目の『義経千本櫻／道行初音旅』では、忠信に幸四郎、静御前に芝翫、早見藤太に染五郎という配役だった。

夜の部は『菅原伝授手習鑑』で、「筆法伝授」の場は、菅丞相に幸四郎、武部源蔵に吉右衛門、戸浪にもしほ、園生の前に芝翫、松王丸に染五郎。続いて「寺子屋」の場で、松王丸に幸四郎、武部源蔵に吉右衛門、千代に時蔵、園生の前に芝翫、春藤玄蕃（しゅんどうげんば）に染五郎。最後が『双面惹姿繪（隅田川續俤）』で、野分姫・法界坊の霊に時蔵、松若に五代目澤村田之助、お組にもしほ、女船頭に芝翫という配役である。

出演者のひとり、中村芝翫（歌右衛門）は『私の履歴書』に〈このひのき舞台でまた歌舞伎が復活したかと思うと、それこそ天にも昇る気持ちでした。〉と記している。

しかし、その幸福な時間は長くは続かない。

歌舞伎の危機

東劇の歌舞伎公演が開幕して数日後、松竹、東宝、吉本等の興行会社に対し、ＣＩＥは、演劇の上演に際して次のような指示を出した。

一、今後上演さるべき演劇脚本は、過般発表された連合軍の映画製作指導方針通りとする。
二、脚本は上演一週間前に英文による筋書一部、和英両文の台本各二部を米軍民間情報教育局に提出する。
三、検閲を受けた脚本の筋書変更は許されない。変更する場合はリース大尉の許可を受け、許可なくして変更した場合はその上演を停止することがある。
四、東京における合格脚本は東京以外の土地でも有効。
五、十二月一日から各劇団は上演番組の三〇％以上を新作とすること。

内閣情報局の検閲はなくなっても、ＣＩＥによる検閲が演劇でも始まったのだ。しかし、このときは、単なる形式的なものと思われた。状況が劇変するのは十五日である。東劇の

『菅原伝授手習鑑』に対し「封建時代の忠義をモチーフとする好ましからざる作品に該当する」との注意があった。問題になったのは『寺子屋』の場で、「菅原道真の息子を助けるために、松王丸が自分の子を身代わりにして、殺させる話」だ。

これに松竹は慌てた。CIEは「注意」しただけで「禁止」はしていないのだが、戦中に忖度することに慣れていたので、二十一日から『菅原伝授手習鑑』は止めて、昼の『佐倉義民伝』と『道行初音旅』を夜の部でも上演することにして二十九日の千穐楽まで乗り切った。

CIEが初日から二週間以上が過ぎてから「注意」したのは、「こういうものを上演していいのか」と投書が届いたためだった。コロナ禍での「自粛警察」のようなことが起きていたのだ。

河竹繁俊『日本演劇文化史話』の「太平洋戦争と芸能文化」によると、この事件があって間もなく、松竹や東宝はGHQからのより詳しい文書を受け取った。

一、松竹、東宝、吉本（興行部）は、各自手持の全脚本にして上演希望の向は簡単なる梗概を附して提出する事。

一、各狂言にして左記項目の何れかに表示さると思わるものに善悪を附する事。

一、尚此後の作品は以下の内容のものは当然除外され、上演を許さず。

1 其主旨に仇討復讐のあるもの。
2 国家主義的、好戦的、もしくは排他的のもの。
3 歴史的事実を曲解せるもの。
4 人種或は宗教の差別待遇を取扱えるもの。
5 「封建的忠誠」を連想させるもの、或は希望、名誉の生活を侮辱せるもの。
6 過去、現在、未来の軍国主義精神を謳歌せるもの。
7 如何なる形式にしろ、直接間接を問わず、自殺を是認せるものを取扱ったもの。
8 婦人の服従或は貶下を取扱ったもの、或はこれを是認せるもの。
9 死、残虐或は悪の栄えるものを描きしもの。
10 反民主主義のもの。
11 子供の不法私用を是認せるもの。
12 州、国家、人種、天皇或は皇室に対し、個人の奉仕を謳歌讃美せるもの。
13 ポツダム宣言の主旨或は連合軍最高司令部よりの軍令に違反せるもの。

これでは、歌舞伎の大半の演目は上演できなくなってしまう。

「歌舞伎の危機」だった。

GHQの方針で、役者として最も打撃を受けたのが、「時代もの」を得意とする吉右衛門だった。大半が忠義のために犠牲になる話だ。一方、菊五郎は庶民の恋愛劇や人情話が大半の「世話もの」を得意としていたので、ダメージは少ない。

明朗新劇『新風』での菊田一夫と土方与志

邦楽座では十一月、菊田一夫の新作『新風』が「明朗新劇座」によって上演された。金貝省三作・演出の『歌い出した町』と、舞踊詩『歌麿外幻想曲』との三本立てだ。

明朗新劇座は新劇というよりは新派で、村田嘉久子(一八九三~一九六九)を中心に、花柳小菊、小堀誠、桑野通子らが主力メンバーの松竹傘下の劇団だった。菊田は一時、この劇団の座付き作家のような形で台本を書いていた。

ある日の公演を土方与志が見に来ていて、菊田と廊下で会った。菊田の『敗戦日記』には「十月十八日」の出来事となっているが、この日記は当日書かれたのではなく、当時を思い出して後に書かれたものなので、記憶違いだろう。『新風』の上演は十一月だ。日付はともかく、菊田一夫という商業演劇の巨人となる人物と、土方与志という新劇の巨人との出会いだった。『敗戦日記』には土方がこう言ったとある。

〈あなたのお芝居拝見しましたよ。明るいのがいいですね。大変面白かった。私はかねがねあなたを尊敬していたのですが、今後もひとつ、しっかりやって下さい、時々GHQへいって、いろいろ話をするのですが、これからの芝居は明るくなくてはいけません。〉

この土方の言葉を菊田は〈褒められているのではなく試されているような気持〉としている。挨拶もそこそこに楽屋に向かったそうだ。

伯爵家に生まれ私財を投じて劇場を建て、新劇運動のリーダーとなり、左翼活動家でもあり、ソ連へ亡命し、帰国して投獄された土方と、捨て子で極貧のなかで育ち、独学と実地で演劇を学び、時局に迎合する芝居を書いて戦中をしのいできた菊田という、まったく相反する二人の、ほんの一瞬の出会いだった。

『新風』は『そよかぜ』の佐々木康監督によって映画化され、「トーカカンセイ」の監督だけあって、早くも十二月十三日に封切られる。

『新風』の次に世に出た菊田一夫の仕事はラジオドラマだった。

ラジオドラマ『山から来た男』

菊田一夫の『敗戦日記』十一月二十日に〈NHKの連続ラジオ放送劇『山から来た男』アタる。〉とある。

戦後初のラジオドラマで、菊田一夫が脚本と演出、音楽を担当したのが古関裕而だった。菊田のもとにＮＨＫの独活山万司から依頼があったのは九月末で、最初に書いたシノプシスは「暗い」と突き返され、それならと書いたものだった。

古関裕而は八月十五日に内幸町の放送会館へ行き、入れてもらえなかったので妻子が疎開している福島の飯坂温泉にいた。独活山から連絡が届いたのは十月初めで、さっそく東京へ向かった。

独活山の依頼はラジオドラマの音楽だった。台本は、いま菊田一夫が書いていて、もうすぐできるという。

古関と菊田は、一九三七年、古関の『露営の歌』がヒットしていた頃に初めて組んだ。村上浪六の大衆小説『当世五人男』のラジオドラマ化で、古川ロッパの一座が出演した。これが成功し、徳富蘆花原作『思い出の記』、村上浪六原作『八軒長屋』などが、菊田の脚本、古関の音楽で作られた。以後、古関はロッパ一座や、菊田の演劇の音楽を書くようになる。

菊田一夫のラジオドラマ戦後第一作『山から来た男』は、ＮＨＫとしても戦後初のラジオドラマだった。その題名の通り、田舎に疎開していた男が、山から帰って会社を再建していくストーリーだ。人びとは現在進行形の自分の物語として、これを楽しんだ。古関は自伝に〈長く戦争の暗鬱に閉ざされていた大衆は、久々にドラマを聞き、また内容が建設的な意欲のあるものだったため、かなりの好評を得て大成功だった。〉と記している。

古関はまだ飯坂で暮らすつもりだったので、菊田の台本を送ってもらい、作曲し、その楽譜を持って放送当日に上京して、演奏するという段取りだ。当時は生放送だった。

それまでのラジオドラマでは、主役や準主役は外部の俳優を声優として招聘し、専属の東京放送劇団の団員は通行人のような役しかもらえなかったが、『山から来た男』は初めて団員たちだけで演じた。

『山から来た男』は「週一回毎回四十五分で全九回」と菊田は書いているが、古関は「二週間に一回の放送で年内いっぱい」と異なる。

新聞のラジオ欄を調べると、最初に出てくるのは十一月二十五日の日曜日で、次は十二月五日水曜日、以後、十二日、十九日、二十六日と放送されているのが確認できた。

『山から来た男』は菊田によって小説も書かれ、一九四七年五月に松竹出版部から出されている。菊田は演劇のために書いた脚本を映画にしたり、このようにラジオドラマを小説にするなど、ひとつの作品を自分ひとりでメディアミックスしていた。

ともあれ、『山から来た男』は成功した。しかし、菊田・古関コンビの成功はこんなものでは終わらない。一九四七年七月から五〇年十二月までの『鐘の鳴る丘』、五二年四月から五四年四月までの『君の名は』という大ヒット作が生まれる。
『君の名は』はＮＨＫのラジオドラマとして書かれ、一九五三年から五四年にかけて松竹が三部作の映画にし、一九五四年に菊田の脚色・演出で宝塚歌劇にもなり、菊田による小説もある。これまでに四回テレビドラマにもなっており、ひとりの劇作家のメディアミックスとして最大の成功作だ。

映画への指示

演劇だけでなく映画に対しても、十一月十九日、ＣＩＥは十三項目の禁止令を出した。すでに戦時中に製作された映画の公開は禁じられていたが、今後作るものに対して以下のような内容の物語は禁止された。

1　軍国主義を鼓吹するもの。
2　仇討に関するもの。
3　国家主義的なもの。
4　愛国主義ないし排外的なもの。
5　歴史の事実を歪曲するもの。

6　人種的または宗教的差別を是認したもの。
7　封建的忠誠心または生命の軽視を好ましきこと、または名誉あることとしたもの。
8　直接間接を問わず自殺を是認したもの。
9　婦人に対する圧制または婦人の堕落を取り扱ったり、これを是認したもの。
10　残忍非道暴力を謳歌したもの。
11　民主主義に反するもの。
12　児童搾取を是認したもの。
13　ポツダム宣言または連合軍総司令部の指令に反するもの。

演劇に対するものとほぼ同じだ。日本語への翻訳の違いで元の英文は同じとも思われる。歌舞伎では吉右衛門がそのレパートリーの大半を喪ったが、映画会社で打撃が大きいのは、時代劇四大スターを擁していた大映だった。

阪妻の新境地『狐の呉れた赤ん坊』

大映が戦後に封切った『花婿太閤記』『別れも愉し』『海の呼ぶ聲』はいずれも戦中に作られたものだ。戦後に作られた第一作は、十一月八日封切りの『狐の呉れた赤ん坊』となる。阪東妻三郎主演の人情時代劇で、丸根賛太郎が脚本を書いて監督した。丸根は嵐寛寿郎の『花婿太閤記』を撮ってすぐに、阪東妻三郎の映画を撮ったことになる。

十一月八日封切りは紅系が『狐の呉れた赤ん坊』で、日比谷映画、銀座全線座、銀座松竹、富士館、浅草松竹、本所映画、白系は一九三九年の『金語楼の大番頭』の再映で、帝都座、新宿東宝、渋谷公会堂、東横映画、上野日活、神田日活で上映された。十五日に紅系・白系で番組が入れ替わる。

GHQの方針では今後、時代劇は作りにくい。封建主義の時代を描くのが時代劇なのだから、民主的時代劇は矛盾するのである。大映にとって財産であった時代劇四大スターはお荷物になっていき、専属契約を破棄し、嵐寛寿郎は新東宝、片岡千恵蔵、市川右太衛門らは新興の東映へ行く。占領が終わり、時代劇が復活すると、大映は長谷川一夫を呼び寄せ、市川雷蔵と勝新太郎の時代までをつないでもらうが、それらはまた別の話だ。

この本が扱う一九四五年、四大スターはそれぞれの道を模索していた。

『狐の呉れた赤ん坊』の監督、丸根賛太郎(一九一四〜九四)はこの年三十一歳だった。丸根は映画好きな青年で、京都帝国大学在学中に日活撮影所に助監督として入り、大学は中退した。一九三九年に片岡千恵蔵主演『春秋一刀流』で監督デビューし、「山中貞雄の再来」と評された。本名は赤祖父富雄で、マルレーネ・ディートリッヒが好きだったので、その名を日本風にして「丸根」、阿部次郎の『三太郎の日記』を愛読していたので「三太郎」と名乗った。他にもいくつもの筆名で仕事をした。

一九四四年の丸根は片岡千恵蔵主演『土俵祭』、水谷八重子主演『小太刀を使ふ女』、四大スターが出た大作『かくて神風は吹く』を撮り、四五年も嵐寛寿郎主演『花婿太閤記』を撮り、阪東妻三郎の『狐の呉れた赤ん坊』を準備していたところに、敗戦を迎えた。

『狐の呉れた赤ん坊』の企画は六月に、「次は阪妻で一本作れ」と言われたところから始まったものだった。まだ戦時下である。阪妻とは陸・海軍後援の『かくて神風は吹く』で組んだばかりで、今度はもう戦争とは関係のない映画を撮りたいと考え、「日本人の心の美しさをテーマにしたい」と大映に提案した。

大映は丸根と脚本家の谷口善太郎を呼び、シノプシスを作り提出するように指示した。二人はそれぞれ書いて、丸根がチャップリンの『キッド』(一九二一年)をヒントにして作った「褌大名」というシノプシスが採用された。

丸根がシノプシスに基づいてシナリオを書き上げたとき、敗戦となった。

大映が準備していた企画の大半が、戦争に便乗するか忠義を謳い上げるものだったので、すべて中止となった。丸根の「褌大名」だけが、時代劇だが武士の忠義の話でも仇討ちの話でもないので、生き残った。しかしタイトルがよくないというので、社長の菊池寛が自ら『狐の呉れた赤ん坊』と付けた。

阪妻が演じる「寅八」は、大井川の川越し人足で乱暴者で知られている。街道筋に狐が出ると聞いて退治に行くが、狐ではなく捨て子がいて、その子を育てる羽目になる。七年が過ぎて、実の父子のようにして暮らしていたが、その子がある大名の妾の子だと分かる——という人情噺である。剣戟の名手である阪東妻三郎の新境地であり、殺陣の派手なシーンがなくても時代劇が成り立つと示したと評価された。一九八一年に阪妻の長男・田村高廣主演でテレビドラマにもなる。

阪妻は『狐の呉れた赤ん坊』に続いて、十二月二十七日封切りの『犯罪者は誰か』では、戦時中に戦争反対を訴えて投獄された自由主義者の代議士という、これまでには考えられない人物を演じる。

大映の四大スターたちは戦前・戦中から途切れることなく、戦後もスクリーンに出続けたが、その役のキャラクターは一変するのだ。嵐寛寿郎は十二月二十日封切りの『最後の攘夷党』、片岡千恵蔵は一九四六年一月三十一日封切りの『明治の兄弟』、市川右太衛門は四六年三月二十一日封切りの『殴られたお殿様』が、それぞれの戦後第一作となる。

十一月二十六日の「朝日新聞」には、「新春の大映映画」として、タイトルだけだが、『最後の攘夷党』『犯罪者は誰か』『明治の兄弟』の三本の広告が出た。

黒澤明VS検閲官

黒澤明の『虎の尾を踏む男達』は八月二十日に本読みがあり、これで製作にゴーサインが出て、準備に入った。二十二日に「台本作成」で、この日から「撮影日誌」にあるタイトルが『勧進帳』から『虎の尾を踏む男達』に変わる。二十四日に「スタッフの本読み」、二十六日に「近郊へロケハン」、二十九日に「俳優読み合わせ」、ロケハンと並行して衣裳、小道具を調べ、九月四日に撮影が開始された。

短期間で撮影されたと伝説になっているが、十月十三日までかかっており、「打ち合わせ試写」が二十日で、ダビングなどがあって、完成試写は十一月二日である。山本嘉次郎の『快男児』は製作中から新聞広告が出ていたが、この映画のは見当たらない。

すでにGHQが「日本政府による映画統制組織はすべて解散する」との方針を出した後なので、東宝の森岩雄や黒澤は情報局による検閲はなくなったはずだ、いままでさんざん難癖をつけてきた検閲官も解任されるのだろうと思っていた。

ところが、黒澤に対し検閲官から『虎の尾を踏む男達』について異議があるので来るようにと呼び出しがかかった。『蝦蟇の油』によると、これには森も呆れて、黒澤に「いまや、検閲官連中にはとやかく言う権限はないから、乗り込んで、思う存分やっつけてこい」と言った。

自伝に日付はないが、映画が完成した後でなければおかしいので、十一月三日以降だろう。

黒澤はこれまでも検閲官とは言い争いになったことがあり、そのたびに森は「おだやかに、おだやかに」と宥めていたのに、その森が「やっつけてこい」と言うのだ。この呼び出しがよほど腹に据えかねたのだろうと、黒澤は思った。

森から「思う存分やっつけてこい」と言われ、黒澤は喜び勇んで出かけた。

〈さすがに検閲官は内務省を引払って、別の場所に集っていたが、書類をブリキ缶で燃やし、椅子の足を鋸で切って薪をつくっているその有様は、尾羽打ち枯らした権力者の、見るも哀れな末路の眺めであった。〉

ところが、権限を喪ったはずの検閲官は黒澤に対し、以前と同じ高飛車な態度で詰問してきた。

『虎の尾を踏む男達』は、鎌倉の頼朝政権から追われている源義経と武蔵坊弁慶の主従が辿り着いた安宅の関での物語で、歌舞伎の『勧進帳』が原作だ。しかし『勧進帳』そのものが、史実をベースにした能の『安宅』を歌舞伎にアレンジしたものだった。黒澤はその歌舞伎の『勧進帳』をさらに脚色して、原作にはない強力を出し、それを榎本健一が演じて、能とも歌舞伎とも異なる映画に仕立てていた。

検閲官は「日本の古典藝能である歌舞伎の『勧進帳』の改悪で、愚弄するものだ」と黒澤を詰問した。黒澤は、『勧進帳』が能の『安宅』の改悪であると反論し、さらに「歌舞伎を愚弄する意思はない。どこが愚弄に当たるのか、具体的に指摘していただきたい」と言った。検閲官のひとりが、「エノケン（榎本健一）を出すこと自体、歌舞伎を愚弄するものだ」と言った。黒澤はさらに反論する。

「エノケンは立派な喜劇役者である。それが出演しただけで、歌舞伎を愚弄したことになる、という言葉こそ、立派な喜劇役者であるエノケンを愚弄するものである」

反論しながら黒澤はエスカレートしていく。

「喜劇は悲劇に劣るのですか。喜劇俳優は悲劇俳優に劣るのですか」と言い、「ドン・キホーテのお供にサンチョ・パンサという喜劇的な人物がついているが、義経主従にエノケンの強力という喜劇的な人物がついていて、何故、悪いのですか」と、まくしたてた。

黒澤がエスカレートしているので、若い検閲官も対抗してくる。しかし、もはや理屈ではない。

「とにかく、この作品はくだらんよ。こんなつまらないものを作って、どうする気だ」と黒澤に噛み付いた。

黒澤は〈溜りに溜った忿懣を、その若僧に叩きつけた。／「くだらん奴が、くだらんという事は、くだらんものではない証拠で、つまらん奴がつまらんという事は、大変面白いという事でしょう」／その検閲官の若僧の顔色は、青、赤、黄の三原色に変化した。〉

黒澤は席を立った。どうせ検閲官たちには何の権限もないと思っていたので、言いたいことを言ってきたのだ。

ところが、『虎の尾を踏む男達』は公開許可が下りない。原作の『勧進帳』は、弁慶の義経への忠義と、その忠義を認めた義経の慈悲が描かれている。忠君愛国が礼賛された戦中も歌舞伎として上演されていたものだ。それゆえに、『虎の尾を踏む男達』も忠君愛国ものとして、GHQが許可しなかった――という説もあるが、黒澤によると、違うらしい。

検閲官がGHQに提出した作品リストに『虎の尾を踏む男達』を載せなかったため、GHQは『虎の尾を踏む男達』の存在を知らず、検閲もしなかったので、いつまで待っても公開許可が下りなかった――というのが黒澤の説明である。

『蝦蟇の油』には〈しかし、三年後、G・H・Qの映画部門の担当官が「虎の尾――」を見て、大変面白がって、その上映禁止を解除してくれた。〉とある。つまり、『虎の尾を踏む男達』は民主主義下においても何の問題もない映画だと、黒澤は暗に言いたいのだろう。上映できなかったのは検閲官のいやがらせのためで、映画に問題があったわけではないと。

しかし『蝦蟇の油』にある「三年後」は間違いで、この映画が上映されたのは、七年後の一九五二年四月二十四日である。日本の占領が終わるのは、法的にはサンフランシスコ平和条約が効力を発生する同年四月二十八日なので、厳密には「占領中に公開」されたことになり、GHQが許可した映画となる。

山本嘉次郎の『快男児』は九月二十七日に上映延期が決まっているが、これも、CIEの検閲が始まる前なので、情報局レベルでの判断か、忖度した東宝が引っ込めたのかもしれない。

混乱期でもあるので、不明な点が多いのである。

こうして――『虎の尾を踏む男達』は一九五二年の公開になったため、黒澤明の戦後第一作は四六年十月二十九日封切りの『わが青春に悔なし』となる。

しかし、その間、黒澤が何もしていなかったわけではない。まず映画ではなく新派のために『喋る』という戯曲を書き、十二月に有楽座で新生新派によって上演される。

その次に一九四六年五月封切りの『明日を創る人々』を山本嘉次郎、関川秀雄と共同監督しているが、「自分の作品のような気がしない」として自作リストから削除した。敗戦直後に作られた二作のうち、『虎の尾を踏む男達』は検閲官によって、『明日を創る人々』は黒澤自身によって封印されたのだ。

『歌へ！太陽』

十一月二十二日封切りの映画は、白系で東宝『歌へ！太陽』、紅系は日活の一九三七年製作の『限りなき前進』の再映だった。後者は小津安二郎原作・内田吐夢監督で、戦争映画のようなタイトルだが、勤務先が定年制を実施して失業する男が精神に異常をきたす話を喜劇タッチで描いた作品だ。

『歌へ！太陽』は菊田一夫の原作を、八住利雄が脚色し、阿部豊が監督した。映画館での上映に加えて、日本劇場（日劇）での、東宝舞踊団公演でも上映された。

前述したように、八月以前から企画されていた娯楽音楽映画で、劇場で「微笑少女」と呼ばれている若い歌手を中心としたドラマという点で、『そよかぜ』に似ている。

微笑少女こと「梢」を轟夕起子、彼女の恋人の男性歌手「幸雄」を灰田勝彦、梢に付き合っている人がいると知らずに、片思いをしている一座の歌手「浩一」を川田義雄（川田晴久）、梢の兄「修吉」を榎本健一が演じた。

榎本健一は『虎の尾を踏む男達』が封印されたので、これが戦後第一作になる。

監督の阿部豊（一八九五～一九七七）は宮城県生まれで、叔父がロサンゼルスにいたので渡米してサイレント時代のハリウッド映画に出演していた。映画の演出術も学び、一九二五年に帰国して日活大将軍撮影所に入り、『母校の為めに』で監督デビューした。その後、東京発声映画で作っていたが、同社が東宝に買い取られた後は、『燃ゆる大空』(一九四〇)、『南海の花束』(一九四二)、『あの旗を撃て』(一九四四)という国策戦争映画の大作を撮っていた。いずれも円谷英二が特撮を担当している。

阿部の戦時中最後の映画は、一九四四年二月十日封切りのフィリピンでの日本軍の戦いを描いた『あの旗を撃て』だった。比島派遣軍報道部の協力でマニラ市街に長期ロケした大作である。それから一転して、エノケンが出る音楽映画を撮ったのだ。大映の丸根賛太郎が『かくて神風は吹く』の次に人情噺を撮ったのと似た心情だったのかもしれない。

『天国の花嫁』と野村浩将

十一月九日、松竹の大船撮影所に従業員組合が結成された。

十月にGHQの将校が撮影所を見学に訪れ、スタジオや機材、設備などを見て、所長室を訪れた。そして係長以下の従業員を集めるように求め、「ここは撮影所として申し分ないが、ただ一つ欠けている。それは従業員の組合だ」と言った。将校は日本の民主化のためには組合が必要だと説き、これを受けて結成されたのだ。委員長に脚本家の野田高梧(こうご)が就任し、不当馘首反対、生活権擁護を訴える運動が始まった。

十一月二十九日封切りの松竹の『天国の花嫁』は、映画公社による一元的な配給が終わり、自主配給となった第一作だった。松竹の社史には〈幸先良いスタートを切った〉とある。新聞広告から「赤系」「白系」の文字は消えた。『天国の花嫁』の上映館は、浅草松竹、浅草電気館、銀座松竹、人形町松竹、新宿武蔵野館、渋谷公会堂、神田日活、上野日活となった。

一方、東宝は『歌へ！太陽』を続映し、日比谷映画、新宿東宝、東横映画、本所映画、横浜宝塚、浅草富士館で上映している。

『天国の花嫁』は「朝日新聞」の十月二十五日付に最初の広告が出て、〈新人・空あけみが創ったアタラシイ魅力境〉〈松竹映画浪漫喜劇〉とあった。十一月六日の広告は、〈天国の花嫁と地上の花嫁が結婚問題に就いて大論議を致しました！〉と内容紹介がある。

出演は、上原謙、佐野周二、斎藤達雄、三浦光子、空あけみ、川崎弘子らで、典型的な松竹ホームドラマだ。斎藤達雄演じる老歯科医は十五年前に妻を失っている。佐野周二演じる息子はサラリーマンで、空あけみが演じる娘は、家事を切り盛りしている。隣家の夫婦が斎藤に後妻を世話しようとしているが、空は父の再婚には反対で、兄（佐野）が結婚したら、自分は兄の親友で北海道にいる上原謙のもとに嫁ごうとしている。だが、佐野が九州へ転勤することになり――という話だ。広告から、空あけみを売り出したかったように見えるが、残念ながらスター女優にはならなかった。

監督の野村浩将（一九〇五～七九）はこの年、四十歳。京都生まれで、一九二四年に松竹蒲田撮影所に助監督として入り、三〇年に田中絹代主演『鉄拳制裁』で監督デビュー、三八年に田中絹代と上原謙の『愛染かつら』を撮り、大ヒットさせた。

戦時中の野村の作品は国に翻弄されている映画界の象徴のようだ。一九四一年十二月封切りの『蘇州の夜』は、李香蘭（山口淑子）を起用した恋愛映画だ。佐野周二演じる医師が上海の病院に赴任して、李香蘭演じる孤児院の保母と出会う。彼女は日本人を嫌っていたが、やがて佐野の真摯な姿を見て、恋に落ちる。

一九四二年十二月封切りの『京洛の舞』は初の時代劇で、京都の下加茂撮影所に高峰三枝子を連れて行き、坂東好太郎、さらに大映京都の月形龍之介、上方歌舞伎の阪東壽三郎を招聘して作った、幕末を舞台にした娯楽大作だった。

一九四三年四月一日封切りの『敵機空襲』は、国民は敵の空襲に備えなければならないというプロパガンダ映画ではあるが、庶民の群像劇でもある。監督は野村と渋谷実、吉村公三郎の三人で、河村黎吉、田中絹代、山路義人、若水絹子、雨宮一、信千代、徳大寺伸、高峰三枝子、飯田蝶子、上原謙、斎藤達雄、笠智衆と松竹大船撮影所の主な俳優が総出演している。空襲時の避難方法を教える映画でもある。実際の空襲が激しくなる前に作られたものだ。東宝の円谷英二の下にいたスタッフが松竹へ移籍して特撮を担った。

野村の戦中最後の映画は一九四四年七月六日封切りの『三太郎頑張る』で、飛行機工場で働く少年工の生活を描いたものだった。

メロドラマ、ホームドラマを得意とする野村は、戦意昂揚映画の枠組みのなかでの、メロドラマとホームドラマを模索していたとも言える。その枠がなくなり、自由に作れるようになって最初の映画が『天国の花嫁』だった。

二十日、二百三十六本の日本映画が封建的として上映禁止となった。

『わが青春に悔なし』の始まり

十一月二十一日の「朝日新聞」に、「瀧川教授ら復帰へ　京大、受入れ態勢整ふ」との見出しの記事がある。

「瀧川教授」は京都帝国大学法学部の瀧川幸辰（ゆきとき）教授で、翌年封切られる黒澤明『わが青春に悔なし』のモデルとなる。一九三三年（昭和八年）に彼が罷免されたことから始まった思想弾圧事件を「瀧川事件」という。内務省が瀧川の『刑法講義』『刑法読本』にある内乱罪や姦通罪に関する見解を理由に発売禁止処分とし、鳩山一郎文部大臣が小西重直京大総長に瀧川の罷免を要求した。瀧川はマルクス主義者ではなかった。自由主義者でも弾圧される時代になっていたのだ。小西総長と同大教授会は罷免要求を拒絶したが、文部省は文官分限令により瀧川を休職処分とした。これに抗議して、法学部の教授三十一名以下、全教官が辞表を出し、小西総長は辞職に追い込まれた。

だが後任の松井元興総長は教授たちの分断工作に出た。松井は辞表を出した教授のうち瀧川を含む六名のみを免官とし、他の教官の辞表は却下し、文部大臣に「教授の進退は文部省に対する総長の具状によるものとする」と確約させた。教授の中にはこれを評価して辞表を撤回して大学に残った者と、それでも辞職した者とに、さらに分かれた。学生は教授会を支持し、他の帝国大学の学生も、それに続いた。「中央公論」「改造」などのリベラルな雑誌も文部省を批判した。

その瀧川教授が京大へ復帰する。もちろん、GHQの方針に京大が従ったものだった。これを知った東宝のプロデューサー松崎啓次は、瀧川事件を題材にした映画を作ろうと思い立った。民主主義啓蒙映画の題材として、これほどふさわしいものはない。

松崎啓次（一九〇五〜七四）はロシア文学の翻訳家で、一九二九年には共生閣という左翼系出版社から『ゴルキー全集』、『プロレタリア移動劇場脚本集』などを出した。同年に、日本プロレタリア映画同盟（略称「プロキノ」）結成に参加し、映画界に入り、脚本を書くようになる。PCLの文藝課長を経て東宝文化映画部長となり、記録映画の『南京』『北京』『戦友の歌』『揚子江艦隊』などを作り国策に協力し、三九年には上海に設立された中華電影公司の製作部長となった。四三年の東宝の大作『阿片戦争』では原作と製作総指揮を担う。監督はマキノ正博で、市川猿之助、原節子、高峰秀子らが出演した。脚本は小国英雄だけしかクレジットにはないが、黒澤明も手伝った。そして松崎は黒澤の監督デビュー作『姿三四郎』をプロデュースする。

一九四五年二月二十二日封切りの衣笠貞之助監督『間諜海の薔薇』は女性スパイの物語で、国民に防諜の必要性を訴える国策映画だったが、これの脚本を書いたのが久板栄二郎で、プロデュースしたのが松崎だった。『間諜海の薔薇』は、二人の元社会主義者が敗戦半年前に作った国策映画という、ねじくれた映画だったのだ。この映画には杉村春子も出演している。

松崎は、瀧川事件の映画を思いつくと、久板栄二郎に脚本を書かせようと、すぐに決めた。松崎の「わが青春に悔なし　製作覚書」によれば、さっそく会って依頼すると、久板は「大学教授の家庭を、いやもっとも、未亡人の家庭の話だけれど、ちょうど書いたところだから……同じ材料を、もう一度書くのは……」と最初は渋った。

その大学教授の未亡人の家庭の話が、木下惠介のために書き、杉村春子が主演する『大曾根家の朝』だった。

松崎は、久板が書いたシナリオを知らないので、自分が作ろうとしている映画の概要を久板に語り、似ているのかどうか判断してもらうことにした。語りだして、数分が過ぎると〈彼（久板）の蒼白い顔に血の気が昇って来た。／「それは好い、好い材料だ。書きたい。書かせろ」——と云うのだ。私はホッとした。何と云っても彼と私は打てば響く仲であった。〉

こうして久板の快諾を得ると、松崎は黒澤明と会った。当時の黒澤は東条英機をテーマにした「星一号」の脚本に夢中になっていた。瀧川事件の映画について話すと、「面白いテーマだな」と言い、「久板君のシナリオができて、この仕事と、うまくぶつからないならやるかな」との答えだった。この時期に作る東条英機の映画とは、当然、批判的に描くものだろう。

黒澤と久板が組むのは二度目だった。『姿三四郎』に次ぐ第二作として企画された『国際大放送』を久板が書くはずだったが、まだ映画のシナリオに慣れないためか完成させられず、黒澤が書いて『サンパギタの花』と改題した。放送協会国際局の活躍を描く国策映画だった。ところが誕生日を祝うシーンが米英的だとして検閲で落とされ、製作できなかった。戦後を考えれば、黒澤にとって撮らなくてよかった映画だ。

黒澤明は『虎の尾を踏む男達』が上映禁止になった後、筈見恒夫がエノケン主演『検察官』のシナリオを打診したが、十一月二十六日に自分には向かないと断った。

黒澤は新生新派のための一幕の喜劇『喋る』を書き上げており、十二月一日から有楽座で上演される。筈見との間で、この『喋る』をエノケン主演で来年二月の映画にしようという話が出た。しかしこれは実現しない。

東京藝術劇場

久保栄は日本文化中央連盟の会議室での懇談会には出ていなかったが、合同公演『櫻の園』、「新劇人クラブ」の結成などの動きは、薄田研二を通じて知っていた。

久保が内幸町にある大阪ビルでの新劇人懇談会に出るのは、十一月十二日が最初だった。久保の日記には、〈公演実行委員、協会幹事、新劇クラブ発起人から、遠藤を落とすよう事を運び〉とあり、四日後の十六日の日記には、〈新劇クラブのことその他を討議。発起人連盟から、遠藤を除くことに成功〉とある。

十二日なのか十六日なのか、久保が遠藤慎吾に対し、「君は大政翼賛会の文化部で働いていたんだから、この会合に出るのは遠慮してほしい」と言ったことを、八田元夫は覚えている。この時期、新劇人は戦争責任問題を議論していたのだ。

八田元夫（一九〇三～七六）は丸山定夫の盟友で櫻隊の一員だった。東京大学文学部美学科を一九二六年に卒業し、演出家を目指し小山内薫に師事した。三二年から三五年は新築地劇団で演出を担当し、新派の井上正夫演劇道場、新生新派、歌舞伎の猿之助一座の仕事もした。櫻隊に同行して広島へ行ったが、体調を崩した丸山の代役の俳優を探しに東京へ戻っていたため、原爆の落ちた六日は広島にいなかった。「新型爆弾」が落ちて壊滅的だと知った八田は、すぐに広島へ行き、丸山を探し当てた。この後も、丸山たちの死を背負いながら生きる。

新劇のなかで立場が微妙なのが、文学座だった。新劇のなかで唯一、戦中も活動していたため、戦犯視されていたのである。

八田はさらにこう書いている。

〈久保栄が戦争責任の問題を提出した。私などもその尻馬にのつて二三発言したが、ちょっと重苦しい沈黙がきた。それを破るように、杉村春子が「じゃ、私みたいに、荒鷲の母なんて映画に出た人間はどうしたらいいの!」と叫んだ。それは腹の底からひびく悲痛な叫びであつた。私たちはぐッと言葉につまつた、それをとりなすように千田是也が「僕だって皇軍艦のようなものをやっているのだから」といつたことで、その場はこの問題が発展されずに終つてしまつた。〉

「荒鷲の母」とあるが、杉村か八田の勘違いで、一九四四年に杉村が出た『雛鷲の母』

（吉村廉監督）のことだろう。少年航空兵志願の少年とその母の物語で、大映が情報局国民映画として製作し四四年一月に公開した。千田が挙げた『皇軍艦』は、四四年の俳優座の第一回試演会で上演されたものだ。

久保は、会議室を貸している山田肇も新劇人クラブの発起人から外した。その場にいなかった毎日新聞の久住が遠藤から聞いた話では、久保は外交辞令的に、「今は昔の新劇人が集まって、新しく出発する時だから、君は外れてほしい」と言ったという。

久保には山田を許せない事情があった。山田の属する日本文化中央連盟は、保護観察所と連携した仕事をしており、演劇人にとっては恨み骨髄の組織だったのだ。山田にはそういう認識が欠けていたようだ。

遠藤や山田の排除に反対意見が出なかったのは、二人に対して誰もが内心では反感を抱いていたからかもしれない。食べていくために意に沿わぬ戦意昂揚ものに関わったのと、演劇を管理・弾圧する政府側の組織で働くのとは、本質的に違うのだ。その一線は譲れない。

久保はどうやら新劇人クラブの主導権を握ったようだ。並行して、久保、滝沢、薄田の三人で作る新劇団の話も進んでいる。劇団には資金が必要だが、東宝が支援してくれることになった。

滝沢修は一九四〇年の検挙後、釈放はされたが演劇活動は禁止されていた。それを助けたのが、東宝だった。東宝傘下の長谷川一夫の新演伎座の公演で、舞台には出なかったが、『姿三四郎』に和尚の声だけで出たり、匿名で演出も担っていた。商業演劇の大スター長谷川一夫と新劇の巨匠は密かに提携していたのだ。

そして戦後、GHQの方針で演劇では新劇が主流となりそうなので、機を見るに敏な東宝は改めて滝沢に接近し、さらに合同公演『櫻の園』では有楽座を貸すことになる。

久保栄、滝沢修、薄田研二の三人は、十一月十五日に滝沢邸に集まり、新劇団の構想を練った。劇団名は「東京藝術劇場」(略称「東藝」)と決め、〈過去の新劇は藝術上の純粋度を守るために、やむを得ず、狭い範囲にとじこもったが、今後は基準を崩さずに、企画の自由を保ちながら、興行企業の枠内で働けるのではないかという予想を立て、その方向に沿って劇団と附属研究所の形態を考える〉ことにした。

こうして新しい劇団が生まれようとしていた。それは裏返せば、土方与志を中心にして新劇が大同団結することは不可能になったことを意味していた。

それでもまだどの劇団も、単独で公演を打てる態勢にはないので、合同公演『櫻の園』に向かっての準備が進む。

大相撲秋場所

大相撲秋場所の初日が近づくと、土俵の直径問題が浮上した。

大相撲の土俵は十五尺（約四・五五メートル）と決まっている。それを広げようという案が出たのだ。

秋場所の前の十一月十四日に「進駐軍慰問相撲」を開催し、兵士やその家族など関係者を招待することになっていた。初めて相撲を見る人びとだ。協会としては、アメリカ人が楽しめるよう、土俵を十六尺に広げたいと、力士の集まりである力士会に通告していた。

だが、力士会は紛糾した。押し相撲を得意とする者には狭いほうがいいし、投げやひねり技を得意とする者には広いほうが有利だった。体格や得意技によって利害が対立したのである。

力士会の会長は双葉山だった。引退を決意していたとも思われるが、その真意は分からない。力士会での十六尺問題でも沈黙を守った。力士会の会合は十日に始まったが、十二日になっても結論が出ない。十三日も夜まで議論したが、結論は出なかった。多数決ではなく、全員が納得するまで話し合うことになっていたようだ。

ここで決めなければ土俵が作れない。動いたのは笠置山だった。早稲田を出ているので、相撲界きってのインテリとして、力士たちも一目置いていた。番付に名は載っているが、引退すると決めており、それも周知の事実だった。つまり、土俵が十五尺だろうが十六尺だろうが、笠置山には関係がなく、第三者的立場でものを言えた。

笠置山は双葉山に耳打ちし了解を得ると「この際、協会の意向を立てて、与えられた土俵で全力を尽くそうじゃないか」という趣旨のことを言った。議論に疲れ果てていたので、この一言で決まった。双葉山も異を唱えなかった。

小島貞二『本日晴天興行なり　焼け跡の大相撲視』によると、双葉山は笠置山と二人だけになると、こう言ったという。

〈昔の相撲は土俵がなくって、広い場所で取っていたのが、だんだん狭い中で取るように変わってきて、相撲技が飛躍したと聞いている。な、そうだろう。だから、土俵を広くすることは、相撲の進歩ということから考えると、間違った道に進むことになると、私は思う。〉しかし、〈この際、相撲道を守るためには、協会の苦悩を察して、従うべきだ〉とも言った。それは笠置山の思いとも同じだった。

協会はなぜ十六尺に従ったのか。GHQからの指示があったのだろうか。「我々も楽しめるようにしてくれ」とGHQの誰かが言ったのを、アメリカ人は体格が大きいから土俵も広くしたほうがいいのではないかと忖度したのかもしれない。

十四日、国技館に慰問相撲を見にやって来た進駐軍関係者は、わずか百人ほどだった。まったくの不入りである。何のための十六尺の土俵だったのか。

十六日、いよいよ「晴天十日間」の秋場所のスタートだ。土俵は十六尺のままだ。今度は十時の取り組み開始と同時に七割ほどは埋まった。正面前列が十円、三方は八円、四階席でも一円五十銭とけっして安いとは言えない。さらに、二十割という税金がかかるので、実際に払うのは三倍の金額だ。

戦後最初の本場所の土俵に、戦中の大横綱、双葉山の姿はなかった。初日から休んだのだ。記者たちには「体重も減り、稽古も十分ではなく、横綱として見苦しい土俵を人様に見せられない」とその理由を語った。すでに引退を決意していたはずだが、それには触れなかった。十六尺への抗議の休場だったのかもしれないが、そう言うはずもなかった。

横綱土俵入りは、安藝ノ海、羽黒山、照國の三人となり、それぞれの型で土俵入りした。力士たちには特別に米が配給されており、一般国民より恵まれていたが、それでも横綱たちは痩せていた。太刀持ちの持つ刀は、真剣を進駐軍に取られたので竹光だった。

時間短縮のため、仕切り時間は幕下三分、十両四分、幕内五分と制限されていた。

七日目になる二十三日の新嘗祭(にいなめさい)は好天だったため、十両の取組半ばとなる午後一時には、初の「満員御礼」となった。全勝は羽黒山と照國の二横綱と、新大関の東富士、新入幕の千代ノ山の四人だった。

九日目には、全勝は羽黒山と千代ノ山の二人だけになった。

資料② 晴天十日の大相撲

「アサヒグラフ」十二月五日号

終戰後、初の大相撲が秋場所と銘打って十一月十六日蓋を開けた。場所は戰災を一時的に修復した國技館であるが、晴天十日間といふいはゞ小屋掛けと同じ事だ。然し日本固有のスポーツとして、健全娯樂として大衆待望の大相撲本場所である。しかも敗戰後の國民が意氣消沈の折柄、また日本再出發の門出にあたつて鬱氣を拂ひ、大に士氣を鼓舞させる面からいつて好適の催物である事はいふまでもない。

廿日前半五日目を終へて土俵の熱戰は更に烈しさを加へんとする時の中間報告ではあるが、この五日目までの國技館土俵場の點描を拾つてみよう。

副總帥双葉山の休場によるか西方は至つて揮はない。東方は正副横綱二大關以下總勢出場に及んで連日勝越しを續けて前半早くも六十二對四十四點と十八點を開いて優勢を示して居る。五日目まで土のつかぬ顔振れをあげてみると東に照國、東富士、千代ノ山があり、西羽黑山と双見山の二人が居る。出場の三横綱の中、一番元氣で危氣のないのは矢張り羽黑山であるが、安藝の海と照國は相當目立つ体重の減量で何となく安定感が失はれ、安藝の海は早くも二日目柏戸にしてやられて土がついた。照國の体重は十一貫といふ恐ろしい目減りで一番あやぶまれたが連日の健闘は苦戦ながらもどうやら体面を保つて居る。大關では前田山と佐賀の花、五日目まで何れも既に二勝三敗で負越しの頽勢にあるが、獨り新大關の東富士は堂々たる強味を發揮して勝放し東軍の新入幕千代ノ山と西軍の闘将双見山と共に氣を吐いて居る。前場所の優勝者備州山は關脇に昇進し頗る好調を持續しその相撲振にも大に進況が認められるけれども四日目海山に喰はれ、五日目佐賀の花のために退けられて惜敗を重ねた。名寄岩は全く快調に復して連日力相撲ながら四勝を重ねたが五日目東富士に鋭鋒を抑へられた。西軍の新小結であり双葉山の愛弟子である不動岩もまたしつかりした強みとまではいへない。柏戸と海山は連日大相撲を見せて人氣をあつめて居るが何といつても今場所は新大關東富士と新入幕千代ノ山の場所といつた感じで、彼等兩人の土俵は興味の殆ど全部をさらつて居るといつても過言であるまい。ともあれ、力士の体重異變と土俵の擴大がどの勝負にも多少の影響を與へて居ることは否めない。あと五日間の後半戰に晴天の續く事を祈ると共に初日、二日目と淋しかつた客足が日を追ふてしげくなつて來た事は結構な事である。

そして迎えた二十五日の千穐楽、まずは千代ノ山が勝って全勝を守り、結びの一番で羽黒山も安藝ノ海を寄り切って全勝で並んだ。いまならばこれで優勝決定戦となるが、戦前からのルールでは同点の場合は番付が上のものが優勝と決められていたので、戦後初の優勝は横綱・羽黒山だった。

千穐楽の二十五日、横綱・双葉山は引退を表明した。秋場所ではついに一度も土俵に上がらなかったので、六月七日の夏場所初日が最後の土俵となった。六十九連勝という記録は、いまも破られていない。

「朝日新聞」十一月二十六日付には、引退の理由等についてこう解説されている。

〈引退を決意した表面の理由は既に青年期をすぎた現在の体力では、現役横綱の名誉と権威を維持することに自信が持てないという点にある。しかし直接の動機となり引退の時期を早めたものは土俵拡張問題をめぐる相撲民主化について、協会側と意見を異にし、〝純正相撲道の擁護〟を主張する立場と、どこまでも興業第一主義を強調する協会側の立場に意見の対立をきたしたことにある。現役引退後は横綱一代年寄りの恩典を辞退、年寄時津風を襲名し、九州太宰府にある双葉山道場を本拠として後進指導に専念する。〉

双葉山は戦後も三カ月にわたり横綱の座にはあったが、一度も土俵に上がらなかったのである。

職業野球東西対抗

大学野球は十月二十八日に、神宮球場で東京六大学OB紅白試合が行なわれ、復活しようとしていた。十一月四日には明治大学が現役の野球部員と同大OBの駿河台倶楽部と対戦した。セネタースの横沢が大下を見た試合だ。さらに十八日には早稲田と慶應の野球部がOBを交えたオール早慶戦を行ない、盛り上がっていた。

小西得郎が鈴木龍二に、「早慶戦が成功したので我々もやろう」と提案したという説があるが、それだと遅すぎるので、十月の六大学OB戦の直後であろう。藤本の自伝では、東西対抗戦をやることも九月下旬の田村邸で出た話としているが、それだと早すぎる。いずれにしろ、大学野球が先行し、プロ野球が後を追った。

十一月六日、阪神の冨樫興一代表、南海（近畿日本）の松浦竹松代表、朝日の田中勝雄の三人が上京し、連盟の鈴木龍二と会った。十月二十五日の阪急を含めた四球団での会合の報告に来たのだ。

鈴木は歓迎した。産業軍の赤嶺昌志も加わり、日本野球報国会を「日本野球連盟」として復活することを正式に決議した。巨人の名が鈴木の『回顧録』には出てこないが、当然、了解は取っているだろう。

産業軍の代表として出席していた赤嶺昌志は、「産業軍は中部日本新聞が持つしかないので説得してほしい」と言った。鈴木は中日新聞の大島一郎社長に手紙を書き、赤嶺を代表にすることと、連盟への参加を決めた。

さらにセネタースも入れることが六日に内定した。

こうして新しい連盟の陣容ができてきたころ、鈴木の事務所に小西得郎がやって来て、雑談のなかで「東西対抗戦をやらないか」と言い出した。

〈復活しようと話し合っているだけでは事は進展しない。まず狼煙（のろし）をあげることだ。それには実際にゲームをやるのが一番だ。ゲームをやることによって選手も集まってくるだろう。〉鈴木はこう考えた。

小西との会話は続く。「球場はどうする」と鈴木は言った。後楽園と神宮球場は占領軍に接収されている。「神宮がいいでしょう。六大学に開放してくれたんだから、プロがやると言えば、進駐軍も否応はないでしょう」

鈴木龍二は肚をくくった。関西の各球団にも連絡し、やろうと呼びかけた。神宮球場の使用許可は英語が得意な鈴木惣太郎に任せた。道具は、朝日軍の選手の面倒を見ている、奈良県の軍需工場にあるという。西宮球場も軍需工場になっていたが、そこにも用具が保管されていると分かった。道具の運搬のため、鈴木が自ら関西へ出向いた。

東西対抗戦は十一月二十二日と二十三日に神宮球場、二十四日に群馬県桐生市の新川球場、十二月一日と二日に西宮球場と決まった。桐生は連盟の鈴木龍二の出身地で、戦災を受けなかったので食糧が豊富だというので選ばれ、鈴木が球場の使用を交渉した。

東西の編成は、東軍が巨人、名古屋、セネタース、朝日。西軍が阪神、近畿日本、阪急から選ばれた選手だった。「選ばれた」といっても、後のオールスターのような意味ではない。どのチームもまだ人数が揃ってなく、このとき神宮へ来られる者たちによって編成された東軍・西軍だった。

東軍の監督には横沢三郎、西軍は朝日の藤本定義が就いた。

七球団のなかでセネタースは新人ばかりを集め、すでにチームが編成されていた。横沢は東西対抗試合で自軍の選手を試せる機会を得て、大下と、慶應のエースだった白木義一郎、慶應で四番を打っていた飯島滋弥の三人を選んだ。白木、飯島は神宮のスター選手だった。

二十二日は雨だったので中止となり、二十三日が戦後初のプロの野球選手による公式戦となった。正式名称は「日本職業野球連盟復興記念東西対抗戦」である。

十一月二十三日は敗戦からちょうど一〇〇日目でもあった。正式なリーグ戦が始まるのは翌年からとしても、短期間での再開と言えるだろう。

第一戦の先発メンバー

東軍

打順	守備	選手
1	[中]	古川清蔵（名古屋）
2	[遊]	金山次郎（名古屋）
3	[二]	千葉茂（巨人）
4	[左]	加藤正二（名古屋）
5	[右]	大下弘（セネタ）
6	[捕]	楠安夫（巨人）
7	[一]	飯島滋弥（セネタ）
8	[三]	三好主（ちから）（巨人）
9	[投]	藤本英雄（巨人）

西軍

打順	守備	選手
1	[中]	呉昌征（阪神）
2	[遊]	上田藤夫（阪急）
3	[二]	藤村富美男（阪神）
4	[三]	鶴岡一人（近畿日本）
5	[一]	野口明（阪急）
6	[捕]	土井垣武（阪神）
7	[右]	岡村俊昭（近畿日本）
8	[左]	下社（しもやしろ） 邦男（阪急）
9	[投]	笠松実（阪急）

入場料は六円、そのうちの四円が税金だった。つまりチケット代は二円で二〇〇パーセントの課税率となる。これは劇場なども同じだった。

第一日の神宮球場の観客は五八七八人だった。

大下はこの試合で六打席三安打（三塁打含む）、五打点と打ちまくり、監督の横沢も驚いた。第一戦は東軍が十三対九で勝った。

翌二十四日の桐生での第二戦は、大下は七回から出ただけで一打数ノーヒットに終わった。試合は西軍が十四対九で勝った。

長時間の列車の旅で一行は兵庫県へ向かい、十二月一日、西宮球場での第三戦、大下は三番ファーストを任された。三回表一死満塁のチャンスに大下は二塁打を放ち三打点、さらに第三打席でもヒットを打った。一方、西軍は八回までに九点を入れていた。九回表、一死二塁で大下にまわってきた。その打球は右翼スタンドに入るホームランとなった。試合は九対六で西軍が勝ったが、東軍の六点はすべて大下の打点だった。

第四戦は日曜日で好天だったので約八千人の観客が入った。大下の活躍ぶりが伝わり、野球ファンがやってきたのだ。大下は三番ライトで出た。初打席で二塁打、八回表にもランナー二人を置いて三遊間に打った。試合は東軍の白木が完封して、四対〇で勝った。

四試合での大下の成績は、十五打数八安打十二打点、二塁打が二、三塁打が一、本塁打が一で、打率五割三分三厘、最優秀選手賞、殊勲賞、ホームラン賞と独占した。最優秀選手賞の賞金は百円だった。

スターの交代

こうして——軍と密接な関係を維持して戦時中も優遇されていた大相撲で、大横綱が土俵を去ったのと同時期、敵性スポーツとして虐げられていた野球が、戦勝国アメリカの国技として復活し、新しいスターが誕生したのだ。

十一月三十日、秋場所を乗り切った相撲協会の幹部、藤島理事長以下四人は、海軍大将だった竹下会長のもとを訪ね、揃って辞任願を提出した。協会も新体制にしなければならないというのが理由だが、本音は、竹下に辞任を迫る意図だった。竹下も軍人である自分がいたのでは協会運営に支障をきたすことは分かっていたので、藤島たちを慰留し、自分が辞めると言った。

相撲協会から軍人は消えた。以後、協会は軍人のみならず、力士出身者以外は排除する体制となった。その閉鎖性が問題となるのは、後の話だ。

相撲協会は、ある意味ではしたたかだった。軍の力が強い時代は軍関係者を会長に置き、その威光を利用して国技として優遇され、戦争に負けると軍との関係をなかったことにして、連合国軍の支配下で「格闘技スポーツ」として生き残る。

映画公社解散

十一月三十日をもって、社団法人映画公社は解散した。

専務理事の城戸四郎が陣頭に立っての解散・精算だった。

敗戦時、公社は銀行などに対し数百万円の債務があり、一方、軍に依頼されての南方工作のための映画製作費用の建て替えが一千二百万円ほどあり、その支払いを求めたが、軍は当事者能力を失っていたので、回収できなかった。城戸は公社所有の不動産や備品を売りに出し、資金を作り、社員や復員してきた社員の退職金に充てることができた。

精算は一九四六年八月までかかった。その間に、城戸は松竹に副社長として復帰した。

第五章　十二月『櫻の園』に集う新劇人

杉村春子（右）と森雅之

新劇合同公演・『櫻の園』の稽古場。
有楽座に新劇スターが勢揃いした
（「アサヒグラフ」1946年1月15日号より）

東山千栄子（右端）と三島雅夫（中央右）、薄田研二（中央左）

映画『檜舞台』——長谷川一夫の戦後第一作

東宝の『檜舞台』の撮影は難航していた。劇中の『鏡獅子』の稽古のシーンが十二月六日に終わる予定が十二日までかかる。菊五郎は京都・南座へ行っているので撮影には立ち会っていないが、その弟子が撮影に参加し、助言していた。

『檜舞台』は二十五日に撮影が終わり、公開は翌年一月十七日である。

長谷川一夫も戦前・戦中・戦後を間断なく俳優として生きた。

まず藝能大会でステージに復帰し舞踊を披露し、次に映画に出て、舞台も再開する。

『檜舞台』はある劇団の物語で、長谷川と山田五十鈴が劇団員だ。劇中、『一本の脚』という現代劇と、歌舞伎舞踊『鏡獅子』の二つを、長谷川は演じる。『一本の脚』はこの映画の劇中劇として書かれたもので、豊田四郎のイメージでは前進座の芝居だという。戦争で片足を喪った男が復員し、妻との関係がうまくいかない話だ。長谷川一夫と山田五十鈴がその夫婦を劇中で演じる。一方、この二人は互いに好意があるのだが、口喧嘩のあげく、舞台以外では絶交している。そこに志村喬演じる村長が、長谷川の実の父だという物語がからむ。志村はそれを知っているが名乗れない。長谷川がそれを知るのは物語の後半となる。圧巻は後半の『鏡獅子』だ。稽古場でのシーン、そして本番と数十分にわたって演じられる。

黒澤明の新派『喋る』

十二月一日、有楽座の新生新派の公演で、黒澤明が書き下ろした『喋る』が上演された。川口松太郎が原案を書き、それをもとにして黒澤が書いたが、結果として、原案からは離れたものになったと黒澤は説明している。

その原案は戦争中の話で、夫は軍国主義者、妻は自由主義者で反軍国主義者という夫婦が主人公だ。戦中、妻は「この戦争は負ける」と言い、夫は「絶対に勝つ」と言い、夫婦喧嘩になって別れてしまう。敗戦となり、夫は反省して妻に復縁を求めるが、そう簡単には元に戻れない。しかし夫婦の間の子が、二人を元に戻す——戦争反省プロパガンダと人情噺がまざったような話だ。

黒澤はこの原案をもとに書いたが、こんな理屈っぽい夫婦がいるわけがないと話を変えてしまったと、山本嘉次郎との「東宝」(一九四六年復刊三号)での対談で説明しているが、出来上がった黒澤の台本を読むと、だいたいこの通りの話になっている。

物語はすでに戦後となってから始まり、息子が復員してくると、父は掘っ立て小屋でひとり暮らしをしており、母と妹とも一年近く会っていない。その理由を説明していくという形だ。ある小料理屋の二階の一室だけで、会話劇として展開していく。台本は「平凡」一九四六年一月号に掲載され、『大系　黒澤明』第一巻にも収録されている。

黒澤は『喋る』の意図として、〈議論すべき問題は充分検討され議論しつくされなきゃいかんという自由主義の根本原則を、お客が漠然とでも感じてくれればいいと思ったんです。つまり、亭主に向ってもいいたいことはいう。そしてその結果は決して悪くはないということを感じてくれればいいと思ったんです。〉と語る。

十二月三日に有楽座に見に行った筈見恒夫は日記に〈無気力極りなし。場内ガラガラなり。〉と書いている。実際、客の入りは悪かったようだ。それもあってか、筈見のプロデュースで映画化する話は消えている。

『リンゴの唄』ラジオで

並木路子がラジオで『リンゴの唄』を初めて歌ったのは、十二月二日放送の『歌と軽音楽』だった。その二日前の十一月三十日の同番組にも出ているが、『ペニーセレナード』『恋人よ我にかえれ』など、ジャズやポップスを歌った。

十二月二日は森山久（森山良子の父）と出演し、二人で九曲を歌ったと記録にある。どちらがどの曲なのかまでは記録にはないが、そのなかに『そよかぜ』と『リンゴの唄』があるので、これは並木が歌ったはずだ。

十二月十日、並木路子は田村町にあった飛行館スタジオでのＮＨＫの公開録音番組『希望音楽会』に出た。彼女が歌うのは、もちろん『リンゴの唄』である。客席にいる観客について並木は自伝でこう振り返る。

〈たくさんの人たちが参加しました。それこそ、ものの乏しい、燃料もないこの冬をどうやって過ごそうかという、敗戦国そのものの生活でしたが、皆さん、眼をキラキラさせて私の歌を聴き、大きな拍手を送ってくださいました。〉

このとき並木はステージから客席通路に下り、リンゴを籠に入れて配りながら歌った。当時のリンゴはひとつ五円はした。大卒銀行員の初任給が八十円の時代の五円だから、いまでいえば千疋屋の高級メロンのようなものだろう。青森の農業会が二箱を手配してくれ、それを配ったが、全員には行きわたらない。奪い合いとなって大変な騒ぎになったという。

並木は『リンゴの唄』と『そよかぜ』を歌い、他に、市丸、波岡惣一郎も出演した。

その次に並木が出たラジオ番組は十六日の『歌と軽音楽』で、この日も『リンゴの唄』を歌う。これで確認できるだけで三回、ラジオから並木が歌う『リンゴの唄』が流れたことになる。十月に映画が公開されたが、大ヒットしたわけではないので、主題歌『リンゴの唄』を聞いた人は、数万人と思われるが、ラジオで放送されたことで数十万人にまで広まっただろう。

それでも、まだ「流行歌」とは言えない。翌年、レコードとして発売されたことで、この歌は一気に拡散していくのだ。

新劇人クラブ結成

十二月四日、新劇人クラブが正式に発足した。「新劇の諸問題を自由に心おきなく懇談しつつ将来の新劇運動の母体」となる会だった。発起人に名を連ねたのは、青山杉作、北村喜八、久保栄、杉村春子、薄田研二、滝沢修、千田是也、東野英治郎、中村伸郎、八田元夫、三島雅夫、山本安英だった。

滝沢修、薄田研二、久保栄の三人を中心にした新しい劇団、東京藝術劇場も、いよいよ正式な結成へ向けて最終段階にあった。新劇でありながら、大資本の興行会社である東宝が後援する、新しい形態の劇団だった。さらに東宝と提携して映画も製作することになっていた。旗揚げ公演はイプセンの『人形の家』で、土方与志に演出を頼もうと、十二月一日に久保と薄田が西那須野まで訪ね、依頼した。土方は承諾した。

八日に東宝本社の担当者と、久保、滝沢、薄田は、放送会館内にあるGHQのCIEに出向いて英訳した劇団設立の報告書を提出した。報告書では土方と提携していくことが強調されていた。

十三日に、久保は東宝の担当者と新聞社をまわり、設立趣意書を配り、劇団創立の挨拶と宣伝をして歩いた。

GHQが望む新劇の最初の劇団がこうして誕生した。

東京藝術劇場は一九四六年三月に『人形の家』で旗揚げするが、一年後の四七年三月、久保が書いた『林檎園日記』初演後に解体する。同年七月に滝沢修は宇野重吉らと第一次民衆藝術劇場（第一次民藝）を結成し、この劇団が五〇年に劇団民藝になる（宇野は四三年に応召してボルネオで敗戦を迎え、復員は四六年三月の『人形の家』の稽古中だった）。

歌舞伎は二度殺される

歌舞伎は空襲によって劇場を失い、そして戦後は自由に芝居がやれると思ったのも束の間で、GHQによって忠義もの・仇討ちものが禁止されレパートリーの多くを失った。アメリカ軍によって二重に殺されかけたのである。

十一月の『寺子屋』中止、CIEからの十三項目の通達を受けて、松竹では演劇評論家の遠藤為春（いしゅん）、川尻清潭（せいたん）、脇屋光伸らが十三項目に従い、上演を可とするもの・不可とするものとを区別して、CIEに提出した。しかし、松竹が社内で決めたものは信用できないと思われたのか、CIEは外部の演劇関係者も加わった懇談会を開くよう示唆してきた。松竹は河竹繁俊、久保田万太郎、渥美清太郎に声をかけ、十二月四日、放送会館内にあるCIE演劇課で懇談会（検討会）が開かれた。その様子を河竹繁俊が『日本演劇文化史話』収録の「太平洋戦と藝能文化」に詳しく述べているので、それに基づいて記していく。

CIE側の出席者はボラフ大尉、エーンスト、日系二世が二人と通訳たちで、彼らは飯塚友一郎著『歌舞伎細見』を持参していた。この本は一九二六年（大正十五）刊行の、四百数十の歌舞伎演目を紹介した本だった。これを翻訳し、松竹が提出したリストと照合し、その可・不可の判断が適切かどうかを確認していたのだ。

懇談会では、「可」としたものについては、改めて論じることはなく、「不可」が妥当かどうかの検討が多かった。遠藤為春と渥美清太郎が粗筋を説明し、久保田万太郎と河竹繁俊が意見を述べるという形で進んだ。河竹は、日本の軍部だったら無条件降伏した国に対してもっと高飛車な態度になっていただろうが、ボラフ大尉らは紳士的な態度で懇切丁寧だったと振り返っている。

いくつかの芝居についてのやりとりも紹介されている。たとえば『助六』は主人公・助六が曾我兄弟の五郎で親の仇討ちをしようとしている設定なので、松竹は「不可」のリストに入れていた。ところが「舞台の吉原は、いまでいうカフェのようなもので、誰でも自由に入れる四民平等の別世界である。助六はその店のナンバーワンの揚巻と恋愛関係にある。そこへ、意休というカネと権力のある男が現れ、揚巻を横取りしようとする。揚巻も助六もこれを拒み、恋愛を成就させる。そして意休が悪人であることを発見して殺すという芝居である」と説明すると、「民主的でいい」ということになって、上演可のリストに入れられた。

『新皿屋舗月雨暈』通称『魚屋宗五郎』は、「お蔦という女性が殿様に愛されていたが、家来の悪巧みで、無実の罪を着せられて殿様に殺される。それを知った兄の宗五郎が悔しさのあまり、断(た)っていた酒を呑んで、殿様の家へ殴り込みに行く話である」と説明すると、「前半のお蔦を殺すところは女性虐待でよくないが、平民である宗五郎が武家屋敷へ怒鳴り込むところは特権階級の非を咎めるものでよろしい」として、前半はカットして、後半の宗五郎が酒を呑んで怒鳴り込みに行く場は「上演可」となった。

このようにして、ひとつひとつの演目の確認が三日にわたって続き、約五百とされる歌舞伎演目のうち、百七十四演目が許可された。約三分の一である。

この場では、歴史上の人物では、日蓮、楠正成、北条時宗、織田信長、豊臣秀吉、徳川家康などは侵略的・帝国主義的な人物とみなされ、彼らを主人公にしたものは「不可」と伝えられた。盗賊が出てくるものは不可だが『鼠小僧』は義賊ものなので可とされた。女性を虐待するものは不可だが、女性が仇討ちをする話は可だという。切腹により英雄になる話は不可なので『仮名手本忠臣蔵』は上演できない。

こうして時代物の大半が不可となり、許可されたのは九演目――『壇浦兜軍記（阿古屋）』『鵜山姫捨松（中将姫）』『義経腰越状（五斗三番叟）』『双蝶々曲輪日記（引窓）』『倭仮名在原系図（蘭平物狂）』『北条九代名家功（高時）』『義経千本櫻』『新薄雪物語』『楼門五三桐』だけだった。さらに、この基準は東京に限らず日本全国であること、歌舞伎以外も含めた演劇全般に及ぶことが確認された。

ボラフは、GHQとしては、日本の伝統演劇を破壊しようとしているのではなく、四年か五年で開放されるだろうと説明した。ところが「歌舞伎はいずれにしろ問題の多い演劇なので、五年ほど全面中止にしてもらえないか」とも言う。これには松竹側が驚き、反論した。「五年もできなかったら、歌舞伎は滅んでしまう」「歌舞伎の藝は一朝一夕にできるものではない」と説明した。

「五年の全面中止」よりは、百七十四演目に限定されるほうがましである。松竹は「歌舞伎は十分に自粛します」と約束することで、全面禁止を免れた。

しかしこの場はそれで収まったが、年が改まると事態は混迷していく。一月二十四日の毎日新聞にGHQと松竹が合意した上演可能作品リストがあるので、参考までに別掲する。

資料③ 上演可能な歌舞伎劇

歌舞伎劇＝『阿古屋』『明烏』『弁天小僧』『縮屋新助』『堀川』『石川五右衛門』『中将姫』『岩倉宗玄』『乳貰い』『雁の便り』『吃又』『玉菊』『お祭佐七』『延命院』『五斗三番』『双蝶々』『小狐礼三』『白石噺』『一ツ家』『市原野』『十六夜清心』『因果小僧』『鋳掛松』『伊勢音頭』『小磯ヶ原』『桂川』『苅萱』『河内山』『直侍』『慶安太平記』『五大力』『小猿七之助』『湯殿の長兵衛』『葛の葉』『毛剃』『盲兵助』『め組の喧嘩』『村井長庵』『加賀鳶』『唐人話』『お染久松妹背門松』『塩原多助』『四千両』『関取千両幟』『野晒悟助』『鼠小僧』『鳴神』『夏祭』『助六』『新薄雪物語』『八百屋お七』『心中宵庚申』『楼門』『心中天網島』『髪結新三』『宇都谷峠』『天一坊』『魚屋の茶碗』『遠山桜天保日記』『四谷怪談』『高時』『高野長英』『封印切』『腕の喜三郎』『切られ与三』『矢口渡』『吉田屋』『千本桜・鳥居前』『千本桜・吉野山』『四の切』『鰻谷』『蘭平物狂』『酒屋』『佐倉義民伝』『三人吉三』『鞘当』『暫』『島千鳥』『野崎村』『筆屋幸兵衛』『魚屋宗五郎』

東宝労組委員長・山本嘉次郎

十二月六日、松竹に続いて東宝でも労働組合が結成された。

その初代委員長に推されたのは、山本嘉次郎だった。軍部と一体となっての戦意昂揚映画を撮ってきた山本が委員長でいいのか、という声が当然ながら出た。

撮影の宮島義勇が、「映画における戦争責任をどう考えるか」と質問したのだ。

山本は顔面蒼白となった。助けたのは、関川秀雄だった。「そういうことを言い出すと、戦争中、みんな何らかの形で、大なり小なり戦争に加担した。だから互いに攻撃し合わないで、これからの民主社会を作るために協力し合えばいい」という趣旨の発言をした。

山本は「私は戦争に対して間違った態度を取ったことを反省しています」と発言した。

宮島もそれ以上は追及しなかった。宮島も戦争映画の撮影を担当してきたのだ。

こうして新劇同様、映画でも戦意昂揚映画に対する責任は考えないことになった。

京都・南座、菊五郎初の顔見世

東京でCIEと松竹が歌舞伎演目を選別している頃、京都の南座では尾上菊五郎劇団による顔見世興行が打たれていた。初日は十二月一日だった。

伝統ある南座の顔見世は、戦時下でも規模は縮小されたものの続いていた。前年（一九四四年）は、東京から十五代目市村羽左衛門が来て、関西歌舞伎の三代目中村梅玉が加わる座組で大入りだった。羽左衛門と梅玉は『二月堂』で羽左衛門が良弁、梅玉が渚の方で顔を合わせるだけだったが、羽左衛門はこのほかに『与話情浮名横櫛／源氏店』の与三郎と、『辨天娘男白波／浜松屋』の弁天小僧を演じた。いずれも生涯の当たり役だ。しかし、この顔見世が、結果として明治から活躍した羽左衛門の最後の舞台となってしまった。

それから一年が過ぎ、羽左衛門の親戚（血の繋がりはない）である菊五郎が、その生涯で最初の顔見世に出るために京都へやって来たのだ。

これまで菊五郎が顔見世に出なかったのは、幹部勢揃いの大一座となり、役者たちが自分の得意なものを出すので一幕ものがずらりと並ぶ、その興行形態が気に入らなかったからだ。菊五郎は「芝居のデパートじゃねえか」と批判していた。それがこの年は、どういう心境の変化か、出ることにしたのだ。十月に吉右衛門が南座に出て京都を沸かせたと伝えられて、対抗心が燃え上がったのかもしれない。

菊五郎は自分の一座を率いて京都へ来た。それを関西歌舞伎の中村梅玉（一八七五～一九四八）が迎えて、特別出演した。梅玉は関西歌舞伎の中心で、女形の名優である。生後すぐに二代目梅玉の養子となり、初代中村鴈治郎のもとで修業しその相手役となった。鴈治郎が亡くなった後は関西歌舞伎の主軸となったが、東京へも出て菊五郎や吉右衛門と共演していた。この年七十歳だ。

昼の部の最初は、前月（十一月）に新宿第一劇場で初演された『いわし雲』で、澤村訥子が漁師、尾上多賀之丞がその妻、尾上松緑が弟を演じた。演目に新作を入れるようにとのCIE通達に従ったのだろう。

二番目は『傾城反魂香』で又平を菊五郎、その女房おとくを梅玉、三番目の『素襖落』は太郎冠者を菊五郎、次郎冠者を坂東光伸（九代目三津五郎）、大名を松緑がつとめた。

夜の部の『人情噺文七元結』では左官長兵衛を菊五郎、女房おかねを多賀之丞、娘お久を家橘、角海老女房お駒を梅玉、和泉屋手代文七を松緑、和泉屋清兵衛を訥子という配役だった。次に梅玉が重の井で『戀女房染分手綱／重の井子別れ』を出し、最後は帝劇に続いて菊五郎が『鏡獅子』を舞った。

菊五郎が『吃又』『文七元結』『素襖落』『鏡獅子』と四演目に出た「奮闘公演」となった。ところが十五日の公演の後、菊五郎は腎臓病からくる高血圧症で倒れてしまい、十六日の舞台は休演した。腎臓を病んでいたのに、十・十一月は帝劇で昼夜二回という慣れないことを五十日も続け（歌舞伎公演は、通常は「昼の部」「夜の部」と異なるものを上演する）、ゆっくり静養する間もなく京都へ来たので、疲労が溜まってもいたのだろう。一日休んだので、二十五日が千穐楽だったのを延ばして、二十六日に打ち上げた。

前年の羽左衛門が出た顔見世の料金は一等二円五十銭に税金が十割で合計五円だったが、この年は八円に値上がりし、さらに税金が二十割になったので十六円かかり、合計二十四円と前年の四・八倍になった。税金を除いても二円五十銭が八円になったのだから三・二倍だ。「戦後のインフレ」が、いかにすさまじいかを物語る。

当時の大卒銀行員の初任給が八十円だったというから、二十四円はその三分の一ほどになる。こんな高額で、十月に吉右衛門一座が来たばかりなのに、初の「菊五郎の顔見世」だったこともあってか大入りとなった。

しかし劇評はさんざんだった。雑誌「幕間」には〈舞台は一向顔見世らしい情緒盛り上がらず、菊五郎の演技の如く、至極淡々たるものだった。〉とある。

演目がどれも、〈平凡の上寂しい出し物揃い〉と評するのは三宅周太郎だ。梅玉が出た『重の井子別れ』については〈子供を無理に使って安価な涙をしぼるこんな芝居こそ、新日本の劇壇から締め出しを喰わせたい〉と厳しい。

三宅はさらに〈今度の顔見世は出し物が不良だ。顔見世というだけで満足するおとなしい京都人も、今年だけは見た後で何となく物たりないらしい。甘みの乏しいおはぎを食ったような気持でいるから面白い。〉(『演劇手帳』より)

菊五郎が倒れるほどに奮闘した割には、厳しい。

結局、菊五郎が南座の顔見世に出たのはこのときが最初で最後だった。そして、『鏡獅子』もこれが最後となる。一九四九年七月十日にこの名優は六十三歳で亡くなるのだ。

東京劇場、仁左衛門の阿古屋

十二月の東京の歌舞伎公演は東劇で、市川猿之助一座の九月以来の登場となり、他に片岡仁左衛門、七代目澤村宗十郎(一八七五~一九四九)、中村芳子(一九二〇~八七)が参加した。

宗十郎は四代目助高屋高助の養子で、東山本願寺法主の落胤(らくいん)という説があるが実の両親は分かっていない。一九〇八年(明治四十一)に七代目澤村宗十郎を襲名したが、一一年に帝劇が開場した際に専属となったため、歌舞伎座には出なくなった。帝劇が経営不振で松竹の傘下に入ってからは、その藝が古風だったこともあり、不遇だった。だが、その古風さが戦後はかえって評価される。

中村芳子は初代鴈治郎の娘で、女優になった。四代目中村富十郎と結婚し、初代中村亀鶴(一九四八~九四)を産む。

昼の部最初の郷田悳(とく)作『土の人』では、四郎七郎に猿之助、おすがに芳子、次の『良弁杉由来／二月堂』は渚の方に宗十郎、良弁に仁左衛門、『三人片輪』は太郎助に猿之助、半之丞に十四代目守田勘彌、おまきに四代目尾上菊次郎という配役だった。

夜の部は仁左衛門の当たり役『壇浦兜軍記／阿古屋』で、秩父庄司重忠に宗十郎、岩永左衛門に段四郎、続いて岡本綺堂が一九一三年に二代目左團次のために書いた『佐々木高綱』を猿之助が主演し、おみのに仁左衛門、子之介に守田勘彌、最後に猿之助・段四郎の父子で『連獅子』を舞った。

仁左衛門は十月に新宿第一劇場で戦後初の舞台を踏んでから、十一月も同劇場、十二月は東劇と連続して出て、さらに翌年（一九四六年）一月も南座に出る。一九四五年八月以降、歌舞伎の幹部役者で最も多く舞台に出た人だ。しかし、二月に予定されていた新宿第一劇場が公演中止となり、三月、この役者の人生は唐突に終わる。

仁左衛門は三月十六日に、住み込みで働いていた青年に薪割り用の斧で殴り殺されてしまうのだ。妻と二歳の子、そして女性使用人二人、あわせて五人が殺されるという猟奇的事件だった。しかも女性使用人のひとりは犯人の妹だった。

犯行の動機は、食糧難だったため青年に与えられる食事が仁左衛門よりも少なく、その恨みと思われた。だが精神鑑定の結果、一時的な意識障害を起こしていたとされ、自分の妹まで殺しているので、恨みによる犯行ではないとされた。栄養不足で精神が不安定になったのかもしれず、いずれにしろ食糧難が招いた悲劇だった。

映画『新風』――高峰三枝子、封建的な校長と闘う

十二月六日、戦後初の洋画として『ユーコンの叫び』が日劇で上映された。

十二月十四日、映画『新風』が封切られた。菊田一夫が明朗新劇座のために書き、邦楽座で十一月に上演された同題の演劇が早くも映画になったのだ。監督は「トーカカンセイ」の佐々木康監督で、『そよかぜ』に次ぐ戦後二作目、高峰三枝子の戦後第一作である。

高峰は女性教師の役で、封建的な学校長と闘う。校長が古い日本、軍国主義そのものとして描かれ、それと闘う若い女性という、分かりやすい構図の軍国主義反省プロパガンダ映画だった。高峰は自伝『人生は花いろ女いろ』でこう振り返っている。

〈ついこの間までは内務省情報局から禁止されていたことを、今度はＧＨＱ（占領軍総司令部）から奨励され、これまで奨励されていた軍国ものや忠義ものはダメということになってしまったわけですから、善悪の価値観が完全に逆転したようなものです。

「決戦」や「必勝歌」「米英撃滅の歌」に出演していた私に、戦後真っ先にきた役は、田舎の女学校の英語の先生役でした。私はその台本「新風」を読みながら、いよいよ自由な時代が始まることを実感しました。〉

高峰三枝子は名実ともに自由になる。一九四六年一月公開の『グランドショウ１９４６』と『待ちぼうけの女』（二作ともマキノ正博監督）が最後の松竹専属としての出演で、フリーになると、東宝の『今ひとたびの』（五所平之助監督）と、大映京都製作、市川右太衛門主演の『お夏清十郎』（木村恵吾監督）に、自分の意思で出演した。さらに、京都での『お夏清十郎』撮影中に、英文雑誌を発行している出版社の社長・鈴木健之と知り合うと、母の反対を押し切って四六年十月に電撃結婚するのだ。

高峰は民主主義啓蒙映画『新風』に、戸惑いつつも楽しそうだが、この映画は評論家からは、いかにもＧＨＱの言いなりに作ったように思われ、酷評された。

監督の佐々木は日本人評論家からは貶（けな）され、ＣＩＥのコンデからも叱られた。

ＧＨＱの検閲はシナリオを英訳してなされるＣＩＥによる事前のものと、参謀本部第二部の民間検閲支隊（ＣＣＤ）によって完成後に行なわれるものとの二段階で行なわれる。『新風』はＣＩＥに英訳したシナリオを提出して製作許可をもらい、撮影した。完成した映画はＣＣＤが検閲し、ＧＨＱの政策に反するものではないので、上映許可が下りた。

しかしＣＩＥのコンデは試写で激怒していた。コンデも最初は笑いながら見ていたのだが、自分が記憶しているシナリオとは異なる展開をしていくのに気づき、「日本国民は約束を守らない。嘘つきの人種だから、あんな戦争を引き起こしたのだ」と騒ぎ出したのだ。

佐々木としてはGHQを欺く気はなかった。映画の歴史において、シナリオを一文字も変更しないで作られた映画は、おそらく存在しない。佐々木によると、津路嘉郎が書いたシナリオが良い出来ではなく、撮影しながら津路の師にあたる池田忠雄に頼み、手直しして撮ったという。日本映画では当たり前の撮り方だった。だがコンデはそれを、自分を騙そうとしていると受け取ったのだ。以後、コンデは撮影現場にまで来て、シナリオ通りかどうか確認するなど、映画への介入を強めていく。

佐々木が次に撮り、一九四六年五月に公開される『はたちの青春』は、大坂志郎と幾野道子のキスシーンがあり「接吻映画第一号」とされるが、もともとのシナリオには「抱き合う」としかなかった。佐々木はコンデに呼ばれ、「この場面では、接吻させてもらいたい」と強く指示された。なんでも、その前に別の監督にキスシーンを作れと命じ、約束させたのに撮らなかったのだという。佐々木の『新風』もシナリオと異なる映画になっており、コンデの日本人への不信感が募っていた。佐々木は現場にまで来るコンデの言いなりになるしかなかった。

こうして『はたちの青春』は日本初のキスシーンのある映画となる（異説もある）のだが、その伏線が『新風』にあったのだ。佐々木は〈まるでGHQの検閲に愛の作法を手ほどきされるような格好〉だったと書いている。

映画『最後の攘夷党』──アラカン、刀を置く

十二月二十日、大映の『最後の攘夷党』が封切られた。稲垣浩の戦後第一作である。前作は七月公開の、阪東妻三郎、片岡千恵蔵、市川右太衛門の三大スターが揃った『東海水滸傳』で、その次が嵐寛寿郎主演の『最後の攘夷党』だった。敗戦をはさんで大映四大スター全員の映画を撮ったことになる。稲垣はさらに遡れば四四年十二月二十八日封切り、つまり四五年の正月映画として、阪妻主演の日中合作『狼煙は上海に揚る』という国策プロパガンダ映画も撮っていた。その映画の監督が一年後に撮るのは民主主義啓蒙映画だった。

大映社長の菊池寛は、九月二十二日に映画会社幹部がCIEに呼び出されて今後の映画作りの方針を聞かされると、チャンバラ時代劇の製作ができなくなると認識し、時代劇スターを使っての新しい時代劇を考えた。そこで思いついたのが、自身が書いた小説『最後の攘夷党』の映画化で、九月三十日に稲垣浩のもとへ、この小説の映画化を考えるよう指示した。稲垣はこれを受諾し、二カ月ちょっとの間に完成させたのだ。

原作の小説『最後の攘夷党』は、一八七六年（明治九）に熊本で起きた明治新政府に対する士族の叛乱「神風連の乱」の残党が主人公だ。神風連は攘夷を叫んでおり、主人公は

アメリカ人神父一家を襲撃するが、逆に助けられて、明治の新思想、西洋文明の偉大さに目覚める――というストーリーである。

まるで、敵だったはずのアメリカから民主主義という新思想を与えられた一九四五年の日本人の心情を、明治維新後の武士に置き換えて書かれたかのような、タイムリーというか時局に迎合した小説である。しかし菊池寛がこの小説を書いたのは一九四五年の敗戦直後ではなく、盧溝橋事件（一九三七年七月七日）の翌年だった（「講談倶楽部」一九三八年春の増刊号に掲載）。敗戦という時局に迎合して書かれたのではないのだ。菊池は西洋文明の優位性を戦前から認識していた。

映画会社社長としての菊池は、このストーリーならばGHQも認めるだろうし、戦争に負けたばかりの日本人も、「現在のアメリカ人との和解の物語」には抵抗があっても、歴史劇としてならば受け入れるとの読みもあったのではないか。

そしてもうひとつの目論見は、チャンバラを喪った剣戟スターをどう使うかという課題の解決だった。それゆえに、主人公には嵐寛寿郎が起用されたのだ。

嵐寛寿郎演じる攘夷党の元武士は、幸福そうなアメリカ人神父の一家を襲撃するが、銃で足を撃たれてしまう。そして神父一家は彼を治療し、松葉杖を与え、リハビリを励ます。アラカンは西洋文明に敗北し、受け入れていくのだ。映画のラストで、アラカンは刀で髷を切り落とし、刀を置く。このシーンが敗戦による日本軍の武装解除のメタファーであることは言うまでもない。さらに念を押すかのように、その一年後、アラカン演じる元武士は洋装となっていて、これからアメリカへ留学するところで終わる。

ラストで洋装になることで、時代劇スターも今後は現代劇に出ることを予告している。

嵐は、竹中労が聞き書きした『鞍馬天狗のおじさんは』では、この映画については何も語っていない。

〈ようやく戦争は終りました。せやけどチャンバラとれしまへんのや。戦争映画と時代劇、進駐軍がフィルム燃やせといいよる。映画法廃止や、そら結構やけど、こんどはアメリカさんの検閲や。こら同じこっちゃ（笑）。さて何をやりましたかいな、敗戦直後撮った作品は、うすらぼんやりしとるんダ。『飛ぶ唄』『恋三味線』、せいぜい二、三本でっしゃろ。〉

アラカンが挙げた二作は一九四六年の作品で、その前に『最後の攘夷党』があったのだが、記憶に残るほどの映画ではなかったのか、語りたくないのか。

稲垣浩のメモが残っている。〈会社の命令に従って仕方なく、渋々造った作品だった。そのわけは――、日本が戦争に負けて米軍の占領下に置かれた。大映としては、戦争中、『かくて神風は吹く』とか『大楠公』とか、『菊池千本槍』といった帝国陸軍にオベッカを使った映画を作ってきた。大映というのは、大日本映画制作会社という会社で、情報局の肝入りで誕生した映画会社であったから〉というところで、メモは途切れている。

剣戟スターたちの民主主義映画

嵐寛寿郎の『最後の攘夷党』に続いて、大映では、阪東妻三郎、片岡千恵蔵、市川右太衛門ら剣戟スターたちも、民主主義啓蒙映画に出ることになる。

当初、大映の正月映画として企画されたのは伊丹万作が依田義賢の原作を脚色した『東海道膝栗毛』だったが（七月に撮影が予定されていたとの説もある）、ＣＩＥに落とされ、製作できなかった。

病床にあった伊丹万作は翌一九四六年九月二十一日に四十六歳で亡くなる。このシナリオは伊丹の最後の作品となり、一九五二年、東映で中川信夫が『恋風五十三次』と改題して映画にした。

十二月二十七日、四六年の正月映画として阪東妻三郎主演『犯罪者は誰か』（田中重雄監督）が封切られた。

田中重雄監督にとっては、戦中に撮り、戦後に公開された『別れも愉し』の次の作品だ。阪妻にとっても『狐の呉れた赤ん坊』に次ぐ戦後第二作となる。前作は人情時代劇だったが、『犯罪者は誰か』で阪妻が演じるのは、戦時中に戦争反対を訴えていた自由主義思想の代議士だ。

阪妻演じる代議士・植森隆平と、見明凡太朗演じる中江儀介陸軍少将は親友だった。植森の娘みどり（鈴木美智子）と、中江の息子皎太郎（若原雅夫）は婚約していた。皎太郎も軍人で、出征を前に、生きて帰れるか分からないので婚約解消を申し出るが、みどりは同意しない。植森と中江は親友だが思想は正反対だ。戦線から帰還した中江の歓迎会の席上、植森は和平を主張して口論となった。中江は憲兵隊に告発し、植森は逮捕、投獄される。戦況は厳しくなり、植森が獄中にある間に空襲で妻は死んだ。それでも植森は自説を曲げず、非転向を貫き、八月十五日を迎えた。中江は敗戦を受け、責任を感じて自決した。植森は釈放され、みどりと皎太郎は結ばれる。

戦中は阪妻演じる代議士が犯罪者だったが、果たして真の犯罪者は誰だったのかという意味のタイトルで、時代劇が大半を占める阪妻のフィルモグラフィのなかでは異質だ。監督の田中重雄は、一年前にはガダルカナル島の戦いを英雄的に描いた『肉弾挺身隊』を情報局国民映画として撮っている。

片岡千恵蔵の戦後第一作は、一九四六年一月十一日封切りの『明治の兄弟』だ。菊池寛原作で伊藤大輔が脚本、松田定次が監督した明治もので、月形龍之介が相手役となった。

明治維新後、兄は藩閥政府打倒の道を歩み、弟は兄に対立して官吏の道を歩む。二つの陣営に別れた兄弟に二人の女性がからみ、愛と苦悩が描かれる。

監督の松田定次（一九〇六〜二〇〇三）は「日本映画の父」にしてマキノ・プロダクション創設者・牧野省三の子（先妻の子なので松田姓）で、父のマキノ・プロダクションに入って監督となり、嵐寛寿郎の『鞍馬天狗』シリーズをはじめ多くの時代劇を撮った。戦中最後の作品は嵐寛寿郎主演、一九四四年八月封切りの『河童大将』で、戦国時代を舞台にした「水泳時代劇」だった。水泳の得意な足軽頭が奇襲戦法で勝つという話だ。奇襲でもなんでも、あらゆる戦法を駆使して最後は勝利するのだという時代劇を、敗戦一年前に作っていた。

市川右太衛門は、一九四六年三月二十一日封切りの『殴られたお殿様』で戦後のスクリーンに登場する。阪妻の『狐の呉れた赤ん坊』を撮った丸根賛太郎が監督した風刺劇で、ゴーゴリの『検察官』にヒントを得たとされる。

十九世紀ロシアの大文学者のひとり、ニコライ・ゴーゴリの戯曲『検察官』は、小さな地方都市の市長以下の「名士」たちが、都からやってきたペテン師にしてやられる風刺喜劇で、東宝の筈見恒夫が、榎本健一主演で映画にしようと黒澤明にシナリオを依頼したが断られたものだ。考えることはみな同じで、大映も『検察官』に目をつけたのだ。

映画『陽気な女』――高峰秀子、アパートの住民たちを目覚めさせる

『海軍いかづち部隊』のロケ先で敗戦を迎えた高峰秀子の戦後最初の仕事は、東京宝塚劇場での東宝藝能大会というステージだった。

高峰秀子の映画での戦後第一作は一九四六年二月十四日封切りの『陽気な女』で、以後、三月に『浦島太郎の後裔』、五月に『明日を創る人々』、七月に『或る夜の殿様』、十月に『東宝ショウボート』とこの年だけで五本の映画に出る。これらのなかで印象に残っているのは成瀬の『浦島太郎の後裔』だけだと、高峰は『私の渡世日記』に記している。

二月封切りの『陽気な女』は、『北の三人』と同じ佐伯清監督で、十一月二十六日に都内のロケハンを始めている。高峰秀子の他に、灰田勝彦、轟夕起子らが出た。都会にある焼け残ったアパートが舞台で、灰田は経済新聞記者だったが失業し、同じ階に住む恋人の轟も失業中だ。そのアパートへ、運輸会社で秘書をしている高峰が引っ越してくる。アパートの住民たちは闇屋の横暴に屈しているので、高峰はみんなを目覚めさせるという、民主主義啓蒙映画だ。

高峰が記憶している成瀬巳喜男監督『浦島太郎の後裔』は、十二月にようやくシナリオの打ち合わせが、プロデューサーの筈見恒夫と脚本家の八木隆一郎との間でなされ、執筆

が始まるところだった。

映画『緑の故郷』『麗人』――原節子の民主主義啓蒙路線の始まり

原節子は敗戦直後は食糧の買い出しに忙しい日々を送っていた。ときには福島まで出かけていた。最初は「原節子」と気づかれないように、わざとみすぼらしい格好で行っていたが、かえってバレてしまい、それなりのメイクをして行くほうが気づかれないことを学んだ。

そんな生活も終わり、原の戦後第一作『緑の故郷』は十二月二十日にスタッフ打ち合わせが行なわれ、製作が始まった。監督は渡辺邦男で、これぞ、典型的な民主主義啓蒙映画だった。

戦後民主主義の象徴としての原節子を送り出した渡辺邦男（一八九九〜一九八一）の戦中最後の映画は、ガダルカナル島の戦いで戦死した若林東一中隊長を描いた『後に続くを信ず』で、長谷川一夫が若林を演じた。タイトルは、若林が負傷しても治療を断り、再び前線へ向かうときの言葉、「私は神国日本の天壌無窮を信じます。私は大東亜戦争の必勝を信じます。私は後に続くものを信じます」から取られている。

若林が戦死したのは一九四三年一月で、同年九月にラジオ番組で最後の様子が報じられ、広く知られるようになった。映画は四五年三月八日、東京大空襲の直前に封切られた。

渡辺邦男は映画界へ入る前は左翼運動家で、早稲田大学商学部在学中は、後の日本社会党委員長・浅沼稲次郎らと建設者同盟を結成して活動した。大学を卒業すると朝日新聞社の営業部に入るが、コネ入社だったことを指摘されると退社し、劇団に加わった。

渡辺は一九二四年に日活大将軍撮影所に、最初は俳優として入り、二八年に『剣乱の森』で監督デビューした。三六年に二・二六事件で暗殺された高橋是清を描く前・後篇の大作『高橋是清自伝』で評判を呼んだ。三九年には長谷川一夫と李香蘭の『白蘭の歌』を満州ロケを敢行して撮り、大ヒットさせた。早撮りでも知られ、ジャンルを問わず撮っていた。

そして戦後、CIEのコンデが主導する民主主義啓蒙映画の演出を委ねられたのだ。

コンデは松竹の『そよかぜ』や東宝の『歌へ！太陽』のような音楽映画や、大映の『狐が呉れた赤ん坊』のような人情映画ばかりが企画として届けられるので、このまま日本人に任せていたら、日本の民主化は進まないと判断した。そこで提出される企画を検閲して、指導するのではなく、こちらから民主主義啓蒙映画を企画して作らせなければならないと方針転換したのだ。自由を求めて戦った女性や革命運動家の生涯を描いたもの、軍国主義批判、財閥や資本家が労働者を搾取してきたことの告発など、具体的な題材、テーマを挙げて、こういう映画を作るよう強く求めた。人物では、小林多喜二、松井須磨子、柳原白蓮などの名が出された。

これを受けて、東宝があわてて作ったのが、原節子主演の一九四六年二月二十八日封切りの『緑の故郷』と、同年五月十六日封切りの『麗人』だった。

『緑の故郷』では「捕虜」が物語の中心にある。原節子が演じる栗山マキは教員で、彼女の兄は出征して北支で捕虜となり二年が過ぎている。その村を訪れた復員兵岩井（黒川弥太郎）は、戦死した親友・北原の家を訪ねた。だが、北原の両親に会っても、岩井は親友の死を伝えることができないまま、しばらく滞在していた。マキは岩井に「事実を隠すのは卑怯だ」となじり、たまたまそれを聞いた北原の父（進藤英太郎）は、息子の死を知った。村の「土地問題村民大会」で、マキの兄が捕虜となっていることが侮辱的に話題になると、岩井は日本軍隊の玉砕精神、捕虜になるくらいなら自決しろという教育を批判した。実は岩井は傷ついた戦友・北原誠を敵の手に渡すまいとして、自らの手で殺したのだった。そのことを北原の両親に告げようとした岩井に、マキは「いまさらそんなことを知らせるのは、残酷だ」と反対する。岩井は亡くなった北原の代わりにこの村のために尽くすと誓った。

ＧＨＱとしては日本兵のなかには捕虜だった者も多いから、そういう人たちやその家族が、復員してから地域で肩身の狭い思いをしなくていいように、事前に「捕虜になるのは恥ずかしいことではない」という考えを広めなければならない。日本型軍国主義の否定が込められた映画だった。

渡辺邦男は、負傷の治療を拒んで前線へ戻って死んで英雄となった若林中隊長を美しく描いた映画の次に、こういう反軍国主義映画を撮った。どちらも、心からその精神に共鳴していたのではなく、そういう映画を要請されたから撮ったのだろう。

渡辺だけではない。ほとんどの映画人が同じだった。そして映画人だけでなく、新劇の演劇人もその多くが戦中は戦意昂揚演劇を作り、映画にも出た。音楽も美術も文学も、みな同じだった。GHQはそういう人びとを戦争犯罪人として捕らえて処罰するのではなく、彼らを転向させて民主主義啓蒙のために働かせる戦略を取ったのである。戦争に協力した映画関係者を捕らえていったら、全員がその対象となってしまう。新たな若い作り手が育つのに何年もかかる。それならば、脛に傷を持つ者たちを脅しながら、民主主義啓蒙映画を作らせたほうがいい。

翌年になると、戦争協力者たちを「公職追放」すべくリストアップの作業に入るが、その対象は映画会社の場合でも経営陣に限られ、監督や俳優で対象となるものはいない。

原節子の戦後二作目『麗人』は、またしても渡辺邦男が監督する。コンデが自由のために戦った女性の例として挙げた柳原白蓮をモデルにした映画だ。

白蓮も関係者も存命だったので、実際とは異なる名前となっており、かなり脚色してはいるが、基本的なストーリーは史実がベースになっている。原節子は没落華族の娘・菊小路圭子、その恋人の学生・田澤進一を藤田進が演じている。進一は東京市電労働争議の首謀者として検挙されてしまう。圭子はそうと知らぬまま、没落した家の経済的困窮を救うために、進藤英太郎演じる九州の成金・井坂伝助のもとへ嫁ぐが、幸福にはなれない。井坂の会社で労働争議が起き、その代弁者として進一が現れる。圭子は井坂のもとにいるのが耐えられず家を出て、争議の闘争資金募集を求め街頭に立つ。圭子と進一が再会し誤解も解けたとき、またも進一は検挙されてしまう。しかし、彼女はひとりではなかった。その周囲には民衆がいたのだ。

男女同権、婚姻は両性の合意のみに基づくこと、労働三権の樹立が書かれた日本国憲法の、GHQが作成した草案、通称「マッカーサー草案」が日本政府に提示されるのが一九四六年二月なので、『麗人』はそれに基づいて作られたと推察できる。憲法が帝国議会で審議され、公布されるのは十一月三日である。

民主主義啓蒙映画は「アイデア・ピクチャー」とも呼ばれる。

今井正の戦後第一作『民衆の敵』

ＣＩＥのコンデが望んでいるアイデア・ピクチャーの題材のひとつ、財閥の腐敗を暴く映画は、今井正に割り当てられた。東宝砧撮影所の「撮影日誌」にこの映画が登場するのは一九四六年一月十九日からなので、年内にシナリオを作っていたのだろう。

今井正は『戦争占領時代の回想』で当時について、こう語っている。

〈コンデという、日本に来るまでは弁護士だか、新聞記者だかをしていたというでっぷりした男がやってきた。そいつが、いま必要な企画として、天皇を批判した映画とか、財閥を批判した映画とか、日本の革命家の伝記とか、たしか六つぐらいをあげると、引き揚げてった。

会社は大変だったらしいよ。天皇を批判したりして、あとで世の中がどうひっくりかえるかわからない、まあ財閥をたたくくらいならいいだろうってことになったんじゃないかな。監督も会社にとって余り重要じゃないのにやらせようっていうんで、僕が呼ばれて、脚本の八住利雄さんと熱海の温泉に行った。

そのころは映画を撮りはじめる前の段階で検閲が何回もあってね、盛んにクレームがついた。ファースト・シーンは脚本では、正義感の強い息子が、資本家の父親の死にかけつけるところから始まっていたんだけど、向こうはそんなんじゃだめで、この青年に街を歩かせる、そして電信柱に「悪徳資本家を打倒しろ！」という貼紙がしてあって、その青年が貼紙を見るように変えろっていうようなのが、二五、六カ所もあったんだよ。〉

この映画で財閥と闘う工員を演じるのは藤田進だった。時代設定は一九四四年で、志村喬演じる財閥の理事長は強引な手口で、戦時生産力拡充の名目で中小企業を吸収合併していた。豪奢なクラブでは財閥の専務が豪遊している。河野秋武演じる息子は父のやり方に疑問を抱き、藤田進演じる工員とともに財閥と闘うために立ち上がるのだ。

溝口健二も民主主義啓蒙映画

溝口健二もそろそろ動き出す。松竹大船撮影所へ出向いて撮った、一九四六年四月封切りの『女性の勝利』が戦後第一作で、田中絹代の戦後第一作でもあった。

タイトルからして、民主主義啓蒙映画っぽい。自由主義者で戦時中は獄中にあった評論家の出獄から物語は始まる。これだけでも「またか」となるが、田中絹代が演じるのは女性弁護士で、この評論家とはかつて愛人関係にあった。出獄でその恋愛が再燃する。

田中が弁護するのは、貧困にあって夫に死なれ、精神錯乱を起こして子供を殺してしまった女性だ。田中演じる弁護士は、日本の女性は男性に依存せざるを得ない社会構造になっているから、夫が亡くなると苦境に陥り、こういう事件が起きる、罪があるのは日本社会だと論を展開する。司法制度への批判もあり、かなり社会派だ。当然、溝口の作風には合わなかった。

映画『東京五人男』——ロッパ一座、映画で年越し

古川ロッパ一座の『東京五人男』は撮影開始は『檜舞台』の後だったが、完成と封切りは『檜舞台』より早く、東宝の正月映画として十二月二十七日に封切られた。正月にふさわしい単純明朗な喜劇である。

斎藤寅次郎が監督し、タイトルの「五人男」とは、横山エンタツ、花菱アチャコ、古川ロッパ、柳家権太楼、石田一松だ。五人は徴用工として地方の軍需工場で働いていたが、敗戦と同時に、焦土と化した東京へ帰って来た。すると五人の葬式が行なわれていた——と書くと深刻だが、風刺喜劇である。五人の家も罹災し、家族は防空壕跡などで壕舎生活をしていた。五人は自分たちの力で日本を復興させようと決意し、それぞれの元の職場へ復帰する。

エンタツ、アチャコは都電の運転手と車掌で、満員電車の乗客たちのふるまいに翻弄される。石田は配給所で働くが、お役所仕事にうんざりする。ロッパは薬屋だったが売るべ

き薬がなく、疎開した子供のための買い出しに行くが、うまくいかない。権太楼は酒場で働き、燃料アルコールを水で割って売っている。酒場には金持ちが集まり、金儲けの悪だくみをしていた。その金持ちを五人がやっつけるという痛快劇だ。劇中では五人がそれぞれ歌うシーンもあり、ラストは新しい社会を作るための組合運動が始まるという、民主主義プロパガンダも忘れていない。

監督の斎藤寅次郎（一九〇五〜八二）は「日本の喜劇王」と称される。秋田県で町役場の収入役の子として生まれ、高等小学校卒業直前に東京の親戚の医院の書生となり、明治薬学校に通った。叔父が美術家で、その紹介で松竹蒲田撮影所に一九二二年（大正十一）に入り、大久保忠素監督の助監督になる。小津安二郎の一年先輩だ。監督デビューは二六年の『桂小五郎と幾松』で、以後、時代劇やメロドラマを得意とし、二八年の『浮気征伐』から喜劇映画を撮るようになった。三七年（昭和十二）に東宝へ移籍し、翌三八年、東宝での第一作『エノケンの法界坊』を撮り、大ヒットさせた。

喜劇王も戦時中は笑ってばかりはいられない、一九四〇年に作った『明朗五人男』は、村上浪六の原作を山本嘉次郎が脚色した、柳家金語楼、エンタツ、アチャコらの出る喜劇だったが、五人男の一人の名が偶然にも内閣情報局の検閲官と同名だったため、あれこれと難癖を付けられた。たとえば、食事で飯をこぼすシーンがあると、「非常時に米を粗末にするとは何事だ」とカットを命じられた。そんな具合に、全体の半分がカットされてしまい、映画作品として成り立たなくなったので、東宝は公開を中止、お蔵入りとした。ところが陸軍がそれを知って、見せろと言う。慰問用になると思ったのだ。カットされたフィルムを探し、どうにかつないで、軍に売った。

内閣情報局と軍とは大きな目的は同じでも反目する部分があり、軍が兵士たちに慰問として見せるものは情報局の検閲が必要ない、一種の治外法権でもあった。これは出版物でも同じで、軍が前線の慰問用に、一般では発行できなくなっていた娯楽小説などを大量に購入しており、それによって生計を立てていた作家もいる。

その後はだんだんと喜劇は作りにくくなっていった。一九四四年八月三十一日封切りの『敵は幾万ありとても』、四五年三月二十九日封切りの『突貫駅長』の二作について、斎藤は〈どちらも戦争協力映画です。そのほかには何もありません。〉としか語らない。

この二作もロッパが主演した。『敵は幾万ありとても』では、ロッパ扮する国民学校長が学童に対する航空兵の素地育成に尽力し、息子が戦死したとの報せを受けると、決意を新たにする。『突貫駅長』でのロッパは、非常時輸送に挺身している駅長だった。

そして敗戦となって、最初の正月映画で斎藤寅次郎は喜劇王に戻るのだ。

この映画について斎藤は、ＣＩＥのコンデを「検閲官」として、〈実にうるさくて、何やかやと一つ一つ文句をつけてくるのです。そのために、翌日撮影する分のコンテを毎日持って行って見て貰うというような事をやらされました。これはアメリカへも輸出されて好評でしたが、グランプリを貰った訳でもなければ、名画でもないが、戦後アメリカへ行った最初の日本映画です。〉と語っている（自伝『日本の喜劇王』）。複雑な思いがある映画だったとうかがえる。

斎藤寅次郎が、横浜の劇場で歌っている少女を見出し、『のど自慢狂時代』の出演者のひとりに起用するのは一九四九年だった。

横浜、杉田劇場開場

斎藤寅次郎が横浜で発見する少女とは、言うまでもなく、美空ひばりである。

父が作った楽団で歌っていた加藤和枝が横浜の杉田劇場で初めて歌ったのは、一九四五年十二月とする説がある。「美空ひばり公式ウェブサイト」プロフィールには、四五年十二月に杉田劇場で「初舞台」とあり、さらに四六年四月十日に同劇場に出演ともある。

一般に美空ひばり・デビューとして語られるのは、一九四六年九月一日、横浜の映画館・アテネ劇場での三日にわたる「スタア美空楽団演奏会　豆歌手美空和枝出演」だったとされている。

この少女が戦後日本を象徴する人物になろうとは誰も思っていないので、当時の記録、記憶が曖昧で、諸説あるのだ。没後三十年が過ぎて研究が進み、アテネ劇場の前に、杉田劇場に出ていたことが確認された。西川昭幸著『美空ひばり　最後の真実』に杉田劇場のことが詳しく載っている。

杉田劇場は加藤家の魚屋からも市電で通える距離にあった。建てたのは長野県出身の材木商で、高田菊弥といった。深川で材木商を営んでいたが、戦争が始まり、従業員が徴兵でどんどん減ってしまい、商売ができなくなった。そこで始めたのが陸軍航空部隊の飛行機の部品製造で、磯子に工場を作った。ところが軌道に乗る前に敗戦となり、仕事がなくなった。

高田はその工場を芝居小屋にすることを思いついた。深川で材木商をやっていた時も、高田は芝居好きだったので小さな小屋を持っていたのだ。材木商だったことから、建設資材の調達は得意なもので、三百二十名が収容できる劇場が年内に建った。高田は以前から知り合いだった脚本家でプロデューサーでもあった鈴村義二に協力を依頼した。鈴村は東京の劇場の多くが焼けてしまい、活躍の場がなかったので、この新しい劇場の総合演出を引き受けた。

杉田劇場の柿落しは一九四六年一月一日だった。したがって、ひばりの公式ウェブサイトにある、四五年十二月に「初舞台」は、あり得ない。情報が錯綜しているのだろう。

杉田劇場は開場と同時に連日満員で、二月には大衆演劇の「大高ヨシヲ」劇団が座付きとなった。近所の劇場の評判を聞いて、加藤喜美枝が娘を連れてやって来たのは三月中旬で、この娘を舞台で歌わせてほしいと売り込んだ。ギャラなんかいらないとも言う。

鈴村は「こんな小さな子が歌えるのか」と半信半疑だったが、試しに歌わせてみた。和枝の歌声に、何かを感じた。そこで休憩時間に幕間でならと、歌うことを許した。もちろんノーギャラだ。

幕間はステージでは次の準備があり、客はトイレや売店に行くか談笑している。歌を聞かせるにはいい条件ではなかった。伴奏もない。それでも加藤母娘は何日も通って、和枝は歌い続けた。

鈴村はそれを舞台袖から聞いていて決断した。本舞台で歌わせよう。

こうして一九四六年三月に杉田劇場の舞台に「ミソラ楽団」が登場し、和枝は「加藤一枝」として歌う。

「加藤一枝」が「美空和枝」を経て「美空ひばり」となってからの長い長い話は、また別の「戦後」という物語だ。

『共産党宣言』初の合法出版

戦前から戦中、出版への規制で最も厳しいものが、社会主義に関する本だった。規制が廃止されることは、社会主義関連の書籍の出版が可能になったことを意味した。

その先陣を切って、十二月二十日を発行日として、マルクス・エンゲルス著、幸徳秋水・堺利彦訳『共産党宣言』が刊行された。

版元は彰考書院といい、一九四三年の出版統合で六社が合併したものだった。四四年になると五十名いた社員の大半が出征し、実質的に休業状態となった。他の役員が手を引いてしまったため、設立時に専務だった藤岡淳吉（一九〇二〜七五）だけが、敗戦時に残っていた。

藤岡は高知県安芸郡安田村（現・安田町）で網元の子として生まれたが、九歳の年に父が急死した。母はすぐに再婚し、父の遺産は親戚に奪われ、人生が激変した。成績はよかったが進学できず、呉服店へ丁稚奉公に出された。それを不憫（ふびん）に思った親戚の紹介で神戸の総合商社・鈴木商店に入社し、大連支店に配属された。ロシア革命翌年の一九一八年、同社が米騒動で焼き討ちにあうと、藤岡は社会主義に目覚め、同社を辞めて社会主義運動のリーダーである堺利彦の門を叩き、書生となった。二二年七月に日本共産党が結党されると藤岡も入党し、二三年の関東大震災後の共産党への弾圧では長春にまで逃れたが、九月末に逮捕された。翌二四年二月に出所したが、党は壊滅状態だった。藤岡は「潮流」という雑誌を創刊し、出版で革命を起こすと決意した。

一九二六年、藤岡は共生閣を興し、レーニンの『国家と革命』を出版した。この共生閣が一九二九年に出した『ゴルキー全集』の翻訳者が、黒澤の『わが青春に悔なし』のプロデューサーの松崎啓次である。同時期に改造社から立派な装幀の『ゴルキー全集』が出たため、共生閣版は全十五巻の予定が三巻で中止となり、大きな負債を抱えた。共産党は再建されたが、党内抗争に疲れ、藤岡は党から離れ、出版人として生きることにした。

一九三三年一月、藤岡の師であり、日本の社会主義運動のリーダーであった堺利彦が亡くなった。堺が幸徳秋水との共訳としてマルクス・エンゲルスの『共産党宣言』を公にしたのは一九〇四年（明治三十七）十一月で、「平民新聞」創刊一周年の号だったが、たちまち発売禁止となり、「平民新聞」は翌年一月に廃刊となった（〇七年に再出発するが三カ月で廃刊）。幸徳は一〇年に大逆事件で死刑となる。

同志・幸徳秋水の死後も、堺利彦は「平民新聞」紙上に載せた『共産党宣言』の訳稿を推敲し続けており、いつか来るであろう合法出版が可能となる日のために、大学ノートに書き写していた。藤岡は堺からそれを託され、「その日」を待っていた。

時局はますます社会主義者たちに不利となっていた。堺が亡くなった一九三三年五月、藤岡の共生閣は、それまでに出版した二百点のうち六十七点を警察に納本していなかったことが発覚した。藤岡は特高課に呼び出され、全出版物が発売禁止となり、共生閣は倒産した。

藤岡は新たに聖紀書房を興し、石原莞爾の本など民族主義の本を出した。社会主義者の荒畑寒村、向坂逸郎らが生活に困っていると、民族学の翻訳の仕事をまわした。軍関係からの翻訳の仕事も得て、荒畑らにまわした。

その聖紀書房が一九四三年に彰考書院として統合されると、藤岡は専務となった。知り合いが保険会社の代理店をやっていたので、社屋から自宅から倉庫まで関係する建物全てに保険を掛けると、空襲で焼ければ焼けるほど保険金が入り、それを社員の退職金にし、実質的には休業した。

一九四五年になり東京も頻繁に空襲されるようになると、藤岡は社員のひとりで社会主義運動家でもあった佐和慶太郎と、空襲時に避難するための地図を作った。いまの防災マップみたいなものだが、実際には何の役にも立たない、お守りのようなものだった。しかし原価二銭のものが五十銭でも売れに売れたので、三十万円の利益が出た。

そんなことをやりながら、一九四五年八月、藤岡淳吉は四十三歳で敗戦を迎えた。駿河台のニコライ堂の近くにあった倉庫を買い、事務所に建て直し、社員も雇い、彰考書院の戦後最初の本と決めたのが、堺から預かっていた『共産党宣言』だった。

佐和慶太郎は空襲避難地図の利益三十万円のうち二十五万円を分けてもらい、人民社を興した。同社は雑誌「真相」を創刊し、戦後のスキャンダルジャーナリズムの先頭を走る。

彰考書院の『共産党宣言』は何度も版を改めて出されるが、一九四五年十二月二十日発行の最初のものは、四六判八四ページで定価十円だった。『日米会話手帳』の三六〇万部にはかなわないが、藤岡が言うには累計一〇〇万部と売れに売れ、同社は次々とマルクスやエンゲルスなどの社会主義の基礎文献を出版していく。

さらに藤岡は日本出版協会の設立にも関わり、一九四六年になると、佐和とともに、出版界の戦犯追及の先頭に立つ。

東京宝塚劇場、接収

十二月二十四日、GHQは、日比谷の東京宝塚劇場を接収し、アメリカ兵の慰問のための専用劇場とした。名称もアニー・パイル劇場となり、一九五五年一月まで、日本人は客席には入れない、「日本にあるアメリカの劇場」となる。「アニー・パイル」は沖縄戦で殉職したアメリカ人従軍記者の名だ。

東京宝塚劇場は一九四四年二月の決戦非常措置要綱で閉鎖され、風船爆弾工場となり、敗戦後の九月から東宝藝能大会で再開したが、またも使えなくなったのだ。

アニー・パイル劇場ではアメリカ兵向けのミュージカルや、クラシックのコンサートも上演されていた。日本人は観客としては入れなかったが、裏方は日本人が担っていたし、高峰秀子など日本人スターも舞台に立っていた。

宝塚少女歌劇の本拠地、宝塚市の宝塚大劇場も一九四四年三月で公演ができなくなり、五月からは海軍に接収されていた。少女歌劇は移動演劇のひとつとなり、各地へ慰問し、挺身隊として工場奉仕もしていた。梅田の大阪梅田映画劇場で公演することもあったが、五月に宝塚での公演が許可され、大劇場ではなく、宝塚映画劇場（後、宝塚小劇場）で定期公演をするようになったところで、敗戦を迎えた。

大劇場は敗戦後、海軍に替わって占領軍が接収していたが、接収解除嘆願の署名を集めたのが認められ、一九四六年四月に返還され、同月二十二日に雪組公演で再開する。

『櫻の園』の配役決定まで

十二月二十六日、新劇合同公演『櫻の園』の幕が開いた。

母体となったのは新劇人クラブで、毎日新聞社が主催し、東宝が協賛して有楽座を提供した。二十八日までの三日間で、正午と十五時半の二回公演、入場料は税込みで十三円五十銭と四円だった。

演出は俳優座の青山杉作、舞台監督は文学座の戌井市郎（いぬいいちろう）で、配役は以下の通りだ。

ラネーフスカヤ（女地主）　東山千栄子（俳優座）
アーニャ（その娘）　丹阿彌谷津子（たんあみやつこ）（文学座）
ワーリャ（その養女）　村瀬幸子（俳優座）
ガーエフ（その兄）　薄田研二（東藝）
ロパーヒン（商人）三島雅夫（井上演劇道場）
トロフィーモフ（大学生）　千田是也（俳優座）
ピーシチク（近郊の地主）　三津田健（文学座）
シャルロッタ（アーニャの家庭教師）　岸輝子（俳優座）
エピホードフ（事務員、屋敷の執事）　滝沢修（東藝）
ドゥニャーシャ（小間使い）　杉村春子（文学座）
フィルス（老僕）　中村伸郎（文学座）
ヤーシャ（ラネーフスカヤの若い召使い）　森雅之（東藝）
郵便局長　宮口精二（文学座）

複数の劇団の合同公演は歌舞伎の顔見世と同じで、配役が難しい。絶対権力を持つプロデューサーがいて独裁で決められればいいが、合同公演なのだから、みな対等である。本人が納得しなければ役が決まらない。劇団としての思惑、個人としての思惑が入り乱れていく。

俳優座の千田是也が配役決定の経緯を書き記しているので、それに基づいて記そう（『千田是也演劇論集Ⅰ』収録「解説的追想」）。

千田としては、演出は俳優座の青山杉作なので、公演をうまくやっていくには文学座を立てる必要があった。俳優座は前年に結成されたばかりだが、文学座は戦時中もずっと活動していたので、それも考慮しなければならない。中村伸郎のフィルスはすんなりと決まったが、杉村春子をどうするかが問題となった。

文学座公演ならば杉村でいいのだろうが、千田としては〈ラネーフスカヤを杉村さんにもってゆくのは、演出の根本方針に関わること〉なので、築地小劇場時代からラネーフスカヤを演じている東山千栄子を譲れない。そこで、〈文学座の若い女優さんをアーニャに抜擢するのを条件に、杉村さんにはシャルロッタかドゥニャーシャのどっちかを選んでもらう〉ことになった。

杉村春子は一九〇六年生まれで、築地小劇場の研究生になったのは一九二七年だった。東山千栄子は一八九〇年生まれで、築地小劇場の研究生になったのは一九二五年で、二七年にラネーフスカヤを演じ、当たり役としている。

杉村はまだラネーフスカヤは演じたことがなく、十六も年長で、この役を当たり役としている東山が相手では譲るしかない。

選ばれた「文学座の若い女優」が丹阿彌谷津子（一九二四〜）だった。この年、二十一歳だ。三月の空襲後、家族と長野県下伊那に疎開していたので、四月の『女の一生』の初演には出ていない。下伊那では村の旧家の医院の離れを借りていた。

杉村は提示された二つの役では、「せっかく岸さんがいるのに私がシャルロッタをやることはないわよ」と言って、ドゥニャーシャを選んだ。こういう場合、シャルロッタを選ぶと、完全に「東山の次の二番手」のポジションになってしまうので、役不足のドゥニャーシャのほうが同情も買えて得することを、この大女優はよく分かっていた。

シャルロッタは俳優座の岸輝子に決まり、ワーリャも俳優座の村瀬幸子に決まる。

男性陣では、誰もがロパーヒンは滝沢修だと考えていたが、当人がどうしてもエピホードフをやりたいと言い張った。その結果、千田たちが〈無類のエピホードフだと思っていた文学座の宮口精二〉は郵便局長しか役がなかった。

滝沢が断ったロパーヒンには、復員してきたばかりの小沢栄太郎が候補となったが、本人が「戦争ボケしていてとてもやる気がしない」と言うので、当初はピーシチクの候補だった井上演劇道場にいる三島雅夫が起用され、ピーシチクは文学座の三津田健となる。

薄田研二のガーエフは当人もまわりの者も異論なく決まった。

千田はこのように経緯を書いているが、俳優座の東山千栄子と公演の主催者である毎日新聞社の担当だった久住良三の記憶は、それぞれ異なるようだ。

東山の理解では、千田は最初からロパーヒンには小沢栄太郎をと考え、復員するのを待って空けておき、滝沢には「すまないけど、小沢さんを待ちたいので、軽い役をお願いした」と言っていたという。ところが、小沢は復員したが、「まだ頭が芝居のほうに向かない、休ませてくれ」と言うので、三島雅夫が呼ばれた。三島を呼びに行ったのが、仲のよかった久住だ。久住は三島を口説いて引き受けてもらった。東山によれば、三島は二日か三日の稽古しかできず、セリフもやっと覚えた状態で舞台に出たという（戸板康二『対談戦後新劇史』）。

久住は〈この役もめは、くわしくいうのはいやですけれども、役者だからむりもないのですがね。〉と知っていることの多くを語ろうとしない。推察すれば、千田から「小沢に譲ってくれ」と言われたので、滝沢はエピホードフにまわった。ところが、小沢が出なくなって「やっぱり、君がロパーヒンだ」と言われたので、いまさらイヤだよと、固辞したのではないか。千田はそれを曖昧にしている。

大学生のトロフィーモフを四十一歳の千田是也が演じることになった。若い森雅之をと思っていたが、「ヤーシャのほうが気が楽でいい」と言うので千田が引き受けたという。

この公演には、築地小劇場のメンバーだった山本安英は出ていない。山本がワーリャをやれば興行的にもいいのだが、呼ばれなかった。千田は、〈割り振りの都合でも、山本さんが疎開中だったためでもなく、一九三七年三月に新築地が上演した青山演出の『櫻の園』以来、「ワーリャは泣き虫の馬鹿な女です」というチェーホフさんの云い草どおり、この役をあまり悲劇的人物として扱わぬことが私たちの常識になっていたせいであろう。〉と説明している。山本だと悲劇的になってしまうと危惧したようだが、はたしてそういう演出上の理由だけだったのか。

久住は、〈結局俳優座と文学座が、無理のあるところは、昔やった人が引き受けた形ですね〉とまとめ、千田に感謝している。

こうして、それぞれの本心がどうであったかは別として、配役が決まった。

『櫻の園』を演じた人、見た人

杉村春子には二冊の聞き書きの自伝があるが、『女優の一生』でも『女優杉村春子』でもこの『櫻の園』については、自分の役についてを語らない。アーニャをやる人がいないので、丹阿彌谷津子を疎開先の信州から呼び戻したと語るのみだ。

公演が決まったことについては〈それはとてもうれしかったわ。とにかく、芝居をやることにみんな一所懸命だったから〉(『女優の一生』)、〈合同公演です。青山(杉作)先生の演出だったでしょ。それが新劇の一つの、またスタートするきっかけとなったんじゃないですか〉(『女優杉村春子』)と語る。

〈生きていたことを、生き残ったことをたしかめ合うように、みなさんが集まって、有楽座の上の稽古場で稽古したんです。〉(『女優の一生』)

〈有楽座の二階だかどこだか、裏の方でお稽古していたときに、東山さんの妹さんの旦那さんかな、毎日新聞の論説やってらした方が、戦地から帰ってらしたんです、復員服着て。お稽古場に入ってらしたら、東山さんが「あなた、生きてらしたの!」って飛びついてらしたの、よーく覚えているんです、あたし。そういう時代だったんです。〉(『女優杉村春子』)

東山千栄子はこう振り返る（戸板康二『対談　戦後新劇史』）。

〈青山先生は、合同公演というのはおもしろくないと、はじめからいってらっしゃいましたよ。芝居としてはね。先生もたいへん遠慮がありましてね。もう滝沢さんとか杉村さんとか、立派なスターでしょう。劇団が違うから、いき方も気分も違ってきているでしょう。昔はみんなお教えになった方々ですけれども。だからもう、それ以上おっしゃいませんしね。だめだと叱られるのは、俳優座の人だけ。私が一番叱られました。〉

新劇のまとめ役をGHQから期待されていた土方与志は、『櫻の園』の舞台にも、舞台裏にもいなかった。彼は客席にいた。そして三十一日付の「朝日新聞」に「『櫻の園』随感」と題した劇評を書いた。

〈十三年振りに初めて見ることの出来た新劇の舞台に、前半生の苦楽を共にして来た友人達が円熟した藝を見せている。〉と、土方ならではの、個人的な万感の思いを綴り、師であり同志でもあった小山内薫の名を挙げて、〈今日の『櫻の園』こそ先生のこの功績の果実であり、それの発展され、より完成した姿である。〉と新劇史上に位置づけた。演出や演技については、注文を付けている。そして〈新劇界の戦争犠牲者友田、丸山両君に此の拙稿を捧ぐ。〉と結んだ。（全文は資料④）

土方が名を挙げた「友田」は友田恭助（一八九九～一九三七）のことだ。早稲田大学在学中に本格的に演劇にのめり込み、水谷八重子の第二次藝術座に俳優として出た後、土方の築地小劇場の創立同人のひとりになった。分裂後の一九三二年に妻の田村秋子と築地座を旗揚げしたが、三六年に解散し、三七年の文学座創立に加わった。しかし召集令状を受け、文学座結成発表会が友田の戦地への歓送会となった。赤羽工兵隊に入隊すると、十月に上海郊外の呉淞で戦没した。

「丸山」は櫻隊の代表で広島で亡くなった丸山定夫だ。

土方与志は戦後、自分の劇団を結成することはない。演劇活動は続けるが、年齢のせいもあったのか、精力的ではなかった。日本共産党に入党したため、組織としての縛りもあり、演劇界全体をまとめることもなかった。戦後の土方が演劇へ情熱を込められなくなった最大の理由は、同志・丸山定夫の不在だったかもしれない。

資料④「櫻の園」随感　土方與志

朝日新聞十二月三十一日付

日本の観客にとつて人を殺さない芝居、血の流れない芝居、死ぬ人は一人ゐる、しかし生命を終らなければならない立場の人間のみが死んで行く芝居を見る事は珍しいことなのではないのだらうか。

土地法をめぐつて今、日本の社會は悲喜様々な場面が多くの家庭に演じられてゐよう。

こゝでは土地所有、地主の沒落、勃興する資本家をめぐつて農村に人々が語り、動く。

超満員の有樂座における「櫻の園」の初日の舞台を見ながら、先づ感じたのは此の様な事だった。

十三年振りに初めて見ることの出來た新劇の舞台に、前半生の苦樂を共にして來た友人達が円熟した藝を見せてゐる。

私はふと思ひ出した。最近のある座談會で全新劇人が集つて小山内薫先生の追悼公演をやつたらといふ説が出た時、これに反対したものだ。佛様の力を借りて集るキッカケをつくるのは余りにさびしい。生きてゐるものが自分達の意思で、力で集つて立派なものをやつて佛様に見てもらひ、捧げようではないかと、こんな意味のことをその時考へたからであつた。

しかし私も故小山内先生に対する追慕と、その功績を尊ぶ事において人後に落ちるものでないと信じる。

先生の数々の功績の中最も大きなものの一つは、日本の新劇の黎明期に、その発展に寄興する為に最も謙虚な藝術家の態度をもつて、外國の、特にモスクワ藝術座の諸演出を実に克明に日本の舞台に移植されたことである。

今日の「櫻の園」こそ先生のこの功績の果実であり、それの発展され、より完成された姿である。

明るい前途を約束された新劇人は團結して地下の先生に見てもらふものを創つた。

この上演を通じて私の感じたことは、解放のロシアへ向ふ歴史の一時期に、思想も感情も生活も統一することが出來ず、各個人々々自ら、どうにも出來ない矛盾に生きてゐる。

そして、地主の邸宅に集る多数の様々な階層に属する人々の中、より古い階層の人々はより悲しみをより新しい階層の人々はより明るい喜びを持つて生きてゐる。演技の上からいつてもこの姿を明確に表はした俳優は成功し、それを不明瞭にしたものは失敗したと云へると思ふ。

今度の演出において、成功した点は、このことが今日まで行はれた数回の「櫻の園」の上演に比較して最も明瞭に感得し得さしめられた事にあるのではなからうか。

此の点に関して、合同公演の演出スタッフの労を多としたい。それにもう一つ、ツアール・ロシアの暴虐な検閲によつて、作者チエホフが、削除を命ぜられ、改作を余儀なくされた台詞を復元して上演する努力をされた事だ。

これも、過去の暗黒時代の幕が閉ぢて、自由に演劇することの出來る時代の賜物である。

全体についての私の印象からの望みは幾つかある。

もつと作者のユーモアが生かされると、翻訳劇上演に今後もあることと思ふが、或る演技者に見られたこととして、外國人の科を採り入れる時、それが演技創造の必然から生れたものでない場合が見られた。それにセリフのツマとしてこれが用ひられながら、必然的な科となると日本的になると云ふ奇異な現象を見た。

演出では起伏の幅が足りない憾み、例へば第三幕目に櫻の園が買はれた噂をきいてラーネフスカヤ夫人が嘆いて後ピースチクと踊る所、特にワルツといつてゐるやうだが、ワルツのあの急速調の踊り方がとらるべきではないだらうか。

俳優がもつと相手の役柄を研究することと及び特に大切なことは持役の人間の現在の立場心境のみならず過去の、そして未來の生活豫想をも演技創造の素材とされる事等が望ましかつた。

演劇界の戰爭犧牲者友田、丸山両君に此の拙稿を捧ぐ。(二六、一二、一九四五)

櫻隊追悼

久しぶりの新劇の本格的な公演、有名な『櫻の園』ということで、客の入りはよく、利益が出た。

有楽座には新劇関係者、ファンが押し寄せ、互いの再会を喜んだ。一種の同窓会でもあった。少なくとも、一九四〇年の一斉検挙と新築地劇団解散後、こんなにも華やかな新劇公演はなかったのだ。

櫻隊の一員でありながら、あの日、広島にいなかったために助かった八田元夫にとっては、この公演は櫻隊の追悼公演だった。八田は亡くなった九人の遺族をまわり、その遺影を集め、同じ大きさにプリントし、有楽座の廊下の左右の壁に並べて掲げた。

亡くなった九人は、丸山定夫、舞台監督の高山象三、俳優の園井恵子・森下彰子・羽原京子・島木つや子、仲みどり、裏方の笠絅子・小室喜代である。

そして、遺影のそばに櫻隊の「殉難碑」建設のための募金を入れる箱も置いた。

映画『大曾根家の朝』での新劇の名優対決——杉村春子と小沢栄太郎

東宝のプロデューサー松崎啓次は、十二月末に久板栄二郎と京都へ行き、瀧川事件の関係者に会い、資料を集めるつもりだった。しかし久板が体調を崩し、取材旅行は松崎一人となった。

松崎は瀧川本人にはあえて会わず、多くの関係者からさまざまな材料を得て、一月中旬に東京へ戻る。久板に取材旅行で得た材料を渡し、シナリオの執筆に入ってもらうと、二月になって黒澤から、東条英機の「星一号」は延期するから、瀧川事件の映画に専念するとの申し出があった。

こうして久板を交えた三人で、ストーリーの練り直しが始まった——この映画、『わが青春に悔なし』は一九四六年十月二十九日に封切られる。大学教授は大河内傳次郎、その娘に原節子、教授の教え子の学生に藤田進という東宝戦争映画の常連が、民主主義のプロパガンダ映画に出た。

一方、久板栄二郎が十一月に松崎啓次に会ったとき、ちょうど書き上げたところだと言ったシナリオ『大曾根家の朝（あした）』は、ＣＩＥの検閲も通り、新劇合同公演『櫻の園』の後、十二月下旬から撮影が始まった。封切りは一九四六年二月二十一日なので、二カ月弱で撮影・編集などをしたことになる。

主演は杉村春子で、四五年暮れから撮影したと語っているので、『櫻の園』の数日後から大船撮影所に通ったのだろう。杉村の敵役（かたき）となるのが小沢栄太郎だ。『櫻の園』の稽古中に復員したが、出演を断ったので、戦後の初仕事がこの映画のはずだ。

『大曾根家の朝』は、セットは舞台となる大曾根家だけでロケもない、舞台劇のような作りだ。物語の中では、一九四三年十二月から四五年の敗戦までの二年弱の時間が流れる。

大曾根家は大学教授の当主が数年前に亡くなり、杉村春子演じる妻と、息子三人、娘一人が暮らしている。教授は自由主義者だったので、リベラルなインテリ一家の、クリスマスの幸福そうな夜から映画は始まる。

学者となっている長男は雑誌に書いた論文が問題となり検挙される。画家志望の次男は出征し、やがて戦病死し、三男は海軍に入る。娘の婚約者も出征する。

母と娘だけになった大曾根家に、教授の弟、陸軍の本部機構に勤務する大佐が、空襲で家が焼けたので、妻と押しかけて住みついてしまう。この軍部官僚を小沢栄太郎が演じた。小沢の役は傲慢で粗野で無神経という、軍人と役人の悪いところの見本のような男だ。

敗戦前夜、杉村は三男の夢を見て、息子の死を悟る。三男は特攻隊で八月十四日に出撃して果てていた。小沢は戦後もまだ威張っていた。しかし娘の婚約者も復員してくると、状況が変わってくる。政治犯の釈放が決まり、長男も近いうちに帰ってきそうだ。

文学座の杉村春子と、俳優座の小沢栄太郎の対決が、この映画の演技面での見どころとなる。杉村は、最初は小沢の言いなりになる「日本の耐える女」だが、物語の終盤、戦後になると小沢の言動を批判し、口論の末に家からの立ち退きを要求する「強い女」になる。終盤の、小沢が戦争責任は全国民にあると嘯き、杉村がそれを論破していく対決シーンは、おそらく当時の人びとには衝撃であったろう。女が男に論戦を挑み、正義が女の側にあるのだ。杉村春子は後年、「大変な評判になった」と振り返っている。

ＣＩＥのコンデは「日本で初めて映画らしい映画に出会った」と激賞した。単に、ＧＨＱの方針に従った内容だったからではない。映画として優れていたのだろう。

戦時中の一九四〇年十二月で終刊となった映画専門誌「キネマ旬報」は四六年三月号で再出発するが、戦後最初の「キネマ旬報ベストテン」では、一位が『大曾根家の朝』、二位が『わが青春に悔なし』と久板の脚本がトップ二作を独占する。

それは黒澤明と木下惠介の時代の始まりでもあった。

シンガポール

小津安二郎はシンガポールで収容所に入れられ、抑留生活を送っていた。軍のはからいで、軍人ではなく一般市民になっていた。収容所には二百人近い日本人がいた。

小津は俳句に興じる毎日だった。

十二月になって、最初の引き揚げ船が来た。しかし、全員を乗せる収容力がないので、くじ引きとなった。小津の撮影隊は十五人前後だったが、そのうち三人が外れてしまった。小津は当たりくじを引いていたが、「おれはあとでいいよ」と言って、他の者に譲った。

小津の帰国は一九四六年二月十一日になる。戦後第一作『長屋紳士録』の封切りは一九四七年五月二十日だ。

国技館接収

十二月二十六日、国技館が接収された。接収そのものは前から通告されていたが、この日だとは何の予告もなかった。朝、いきなり数台のジープで進駐軍将兵がやって来て、正午までに明け渡せと命じた。

責任者の武蔵川は抵抗したが、問答無用だった。将兵たちは協会の事務室に押し入り、手当たりしだいに書類などを窓から放り出した。この日は雨だったので、外に散らばった書類はずぶ濡れになった。

書類のなかには貴重なものもあったが、戦時中の軍との関係を示す証拠となる文書も大量にあった。将兵たちのおかげで、相撲協会は戦争協力容疑の証拠物件を自分たちで処分することなく隠蔽できた。

NHKの二大長寿音楽番組

十二月三十一日夜十時二十分、『紅白音楽試合』が放送された。『紅白歌合戦』の前身にあたるもので、いわば第〇回となる。二〇一九年の『紅白歌合戦』は第七十回だったが、逆算すれば一九五〇年が第一回となる。しかし、回数が付けられるのは、五三年十二月三十一日からで、これを第四回とした。第三回は同じ五三年の一月三日、第二回は五二年の一月三日、第一回は五一年の一月三日になる。最初の三回は正月の特別番組として放送された、その年限りの企画だったのだ。これを大晦日に移して劇場を借りて観客も入れて放送するようになったのが、第四回からとなる。

一九四五年の『紅白音楽試合』は「歌」ではなく「音楽」で、「合戦」ではなく「試合」であり、五一年までの間に空白もあるので、「第一回」とはされなかったようだ。

それでも今日まで続く『紅白』の基本コンセプトである「男女同数の歌手が出演」は、一九四五年の『音楽試合』で確立されたものだ。GHQが求める日本の民主化のなかでも最も単純にして、最も困難でいまだ実現したとは言えない「男女平等」思想が、この番組の根底にあった。

NHK音楽部の三枝健剛（一九一〇～九七、本名・三枝嘉雄）と近藤積（つもる）（一九一六～八九）

は、「新機軸の音楽番組」を企画するよう指示された。「新機軸」なのだからこれまでにないものだ。それは民主主義の時代にふさわしい番組でなければならない。三枝は誰もが参加できるというコンセプトの『のど自慢素人演藝会』を企画し、近藤は男女同数の歌手がスポーツのように競う『紅白歌合戦』を思いついた。

三枝の「のど自慢」は軍隊時代に経験した余興大会がヒントで、近藤の「紅白」は剣道の紅白戦からの思いつきだった。

「のど自慢」は一九四六年一月十九日に『のど自慢素人音楽会』として放送され、現在の『NHKのど自慢』の前身となるので、一九四五年秋に二つの長寿番組が同時に誕生したことになる。

横浜在住の加藤和枝が『のど自慢素人音楽会』に出場し、予選で『悲しき竹笛』(『リンゴの唄』という説もある)を歌って落選したのは、一年後の一九四六年十二月のことだ。審査員は「うまいが子供らしくない」「非教育的だ」「真っ赤なドレスもよくない」という理由で合格にしなかったという。これも「ひばり伝説」のひとつだ。

近藤が後に明かすところでは、『紅白歌合戦』のコンセプトは当時のアメリカ文化が持つ「3S」——スポーツ、セックス、スリルにあった。スポーツの対抗戦形式で男女の性別を強調し、スリルとサスペンスを重視した演出——これを基本にして企画書を作り、C

IEへ提出した。ところが翻訳者が「合戦」を「Battle」と訳したため、制作許可が下りなかった。「軍国主義思想を煽る反動番組」と誤解されたのだ。

あわてて「Battle」は誤訳でスポーツの団体試合のようなもので、「Match」であると説明して、誤解のないよう日本語での番組名を「合戦」ではなく「試合」にすることで、制作許可が下りた。この際に、「歌試合」ではなく「音楽試合」にしたことで、歌のない音楽も演奏されることになる。

『紅白音楽試合』

古川ロッパが大晦日の音楽番組の司会を頼まれたのは十二月十五日だった。当日の日記にこうある。〈音楽部で大晦日の夜の大さわぎの企画をきく、僕の司会で、音楽人総動員の紅白試合といふ案、夜十時から十二時迄ださうだから、自動車で送って呉れるんでなくちゃ出ないと言ってやる。〉
この一九四五年の『紅白音楽試合』の録音はなく、出て歌った人、聴いた人の記憶の中にしか存在しない。放送台本も残ってなく、正式な記録もない。NHKが関係者の記憶をもとに再構成した出演者と演奏した曲は次のようになる（二〇一〇年刊行の『NHK紅白60回』）。歌手のアイウエオ順で、歌った順ではない。

紅組
司会 水の江瀧子　ポエマタンゴ
葦原邦子　すみれの花咲く頃
市丸　天竜下れば
川崎弘子　六段の調べ（箏）
川田正子　汽車ポッポ

近藤泉　ユーモレスク
（ヴァイオリン）
小夜福子　小雨の丘
長門美保　松島音頭
並木路子　リンゴの唄
比留間絹子四重奏団　サンタルチア
（マンドリン）

白組
司会 古川ロッパ　お風呂の歌
加賀美一郎　ペチカ
霧島昇　旅の夜風
（「誰か故郷を想わざる」説も）
楠木繁夫　緑の地平線
櫻井潔とその楽団　長崎物語
（バンド演奏）
下八川（しもやかわ）圭祐　ヴォルガの舟唄
波岡惣一郎　春雨小唄（？）
平岡養一　峠の我が家（木琴）
福田蘭堂　笛吹童子（尺八）
藤原義江　出船の港

二葉あき子　古き花園
松島詩子　マロニエの木蔭
松田トシ　村の娘
松原操　悲しき子守唄

松平晃　花言葉の唄
柳家三亀松（みきまつ）　新内流し

紅白同数だったとすれば白組二人が不明となる。合田道人『怪物番組　紅白歌合戦の真実』によると、松田トシは出ていないらしく、高峰秀子が『煙草屋の娘』を歌ったという説がある。松田ではなく高峰が出たのであれば数はそのままだ。白組の幻の二人は、伊藤武雄と永田絃次郎という説がある。

現在なら、『紅白歌合戦』初出場を当人が忘れることはないだろうが、この時点では、単なる大晦日のラジオ番組に過ぎない。出場が名誉なわけでも、それで地方公演のギャラが上がるシステムもないので、出演者も記憶していないのだ。並木路子も自伝には、飛行館での公開番組については書いているが、大晦日のこの番組については何も書いていない。

『「リンゴの唄」の真実』の著者・永嶺重敏が同書のために、NHK放送博物館が所蔵する『洋楽放送記録』と『放送番組確定表』を調べると、出演者と曲目は通説と若干異なるという。

演奏者は——小夜福子、葦原邦子、松原操、長門美保、並木路子、近藤泉、川崎弘子、水ノ江瀧子、坂元芳子、川田正子、比留間絹子四重奏団、市丸、東京ラジオシスターズ、楠木繁夫、櫻井潔とその楽団、藤原義江、霧島昇、柳家三亀松、東京ラジオフレンド、松平晃、加賀美一郎、波岡惣一郎、平岡養一、福田蘭堂、古川ロッパ、古賀政男。

曲目は——松島音頭、女の階級、小雨の丘、男の純情、ベニスの謝肉祭、ラ・クンパルシータ、女心の歌（リゴレットより）、岡のあなた、誰か故郷を想わざる、目ン無い千鳥、（空欄）、伊那節、愛の涙、リンゴの唄、花言葉の唄、（欠）、汽車ポッポ、平和なる村、すみれの花咲く頃。

ともあれ——敗戦からまだ四カ月、男女同権を定めた新しい憲法もなければ、婦人参政権も実現していない時期に、放送番組のなかでは男女同数が実現した。

出演者は歌謡曲（流行歌）の歌手だけでなく、オペラ歌手もいればヴァイオリニスト、琴や尺八の奏者もいて、「歌合戦」ではなく、文字通り「音楽試合」である。

ロッパが歌った『お風呂の歌』は、二十七日に封切られたばかりの『東京五人男』の中で歌われた曲だ。

並木路子は先輩の大歌手たちにまじって出演し『リンゴの唄』を歌った。レコードとして発売されるのはまだ先なので、この番組で多くの人が耳にしたことになる。

川田正子の『汽車ポッポ』はこの番組で初めて披露された。戦時歌謡『兵隊さんの汽車』の歌詞を、戦後にふさわしいものに書き換えて作ったものだ。作詞した富原薫に近藤が依頼したのだという。たとえば「兵隊さん　兵隊さん　万々歳」が「鉄橋だ　鉄橋だ　楽しいな」になり、この曲は戦後の平和と民主主義の時代にふさわしい童謡として生き残る。

『紅白50回』収録の「紅白誕生物語」には、『紅白音楽試合』放送時について〈番組がスタートするやいなや出場歌手に対する声援ややじの応酬となり、スタジオ内は大いに盛り上がった。熱狂したファンから応援電話が相次ぎ、「交換台がてんてこ舞いだ」というメモが演出の近藤氏の手もとに回るなど、聴取者から予想外の大反響を呼んだ。〉とある。声援や野次は出演者同士で掛け合っているわけで、聴取者が応援の電話をかけたということは、一対一での対戦方式が取られたのだろうか。審査員はなく、勝敗の判定はしていなかったともいうが、どういう演出だったのか。

　ロッパは、うまく歌えなかったので、〈終ったトタン、「あんまり勝つといけないから、わざとまづく歌ったんですよ」と言ってやった。〉と日記に書いているから、ひとりずつの「勝ち・負け」があったのではないか。

　聴いていた人びとは楽しんだようだが、司会のロッパには不満だらけの番組だった。日記に〈今夜の『紅白音楽試合』とかいふものは、佐伯孝夫の構成ださうで、男女紅白軍の野球試合になってゐるのだが、てんで成ってゐない。十時すぎから十二時迄やらされて、そのどん尻に男軍の司会者僕、女軍のターキーが一つ宛歌ふので、実にその間、ちょっと宛喋る馬鹿々々しさ。〉

拘束時間が長い割に、出番が少なくて不満だったのだろうか。

『紅白音楽試合』の構成演出は、ロッパは佐伯孝夫だと書いているが、菊田一夫だった。菊田が書いた台本では、最後に徳川夢声が次のように挨拶して、締めることになっていた。

「このようなバカ気たものを数々お耳に入れたのも、ただ一重に長い間の戦争の苦しみを耐えてこられた聴取者の皆様の、その心のしこりを少しでもほぐしていただきたいためでございます。昭和二十年、ほんとに苦しい年でございました。しかし、悲しみを忘れて下さい。この大晦日の夜を境に、くる年は元気で新しい気持で生きて参りましょう。では皆さんと共にこの年を送る蛍の光を……」

ところが、リハーサルで歌手ごとの歌の時間を計っていた局員が、伊藤久男の二分間を計算に入れるのを忘れていた。菊田が気づいたのは番組も終わりになるころで、何かをカットする時間もなく、徳川夢声の挨拶は放送できなかったのだ。「敗戦日記」にはこうある。

〈敗戦の苦しみに喘ぐ人、肉親を戦争で失った聴取者にとっては、まことに心ない馬鹿騒ぎの放送に終った。／終了後、夢声氏はただひとこと、「あれがなくなっては、どうにもなりませんですなあ」〉

菊田によると、馬鹿騒ぎの放送だったので、年が明けると、批難する投書が殺到したという。NHKの近藤の回想とはだいぶ雰囲気が違う。さらに菊田が挙げた出場歌手「伊藤久男」は前述の二つの資料にはない。この『紅白』は分からないことが多い。

一睡もできなかった青年

大晦日の夜、兵庫県宝塚に住むその青年は一睡もできなかった。明日、元日の新聞に彼が描いたマンガが掲載されることになっていたのだ。

朝になったら駅まで行って新聞を買おう――青年はそう考えていた。

青年は十一月に十七歳になったところだった。本来なら旧制中学五年生だったが、戦況が悪化し「戦時非常措置方策」により、この年の春に一年早く中学校を四年で卒業し、大阪帝国大学附属医学専門部に入学していた。医学専門部は軍医養成のために、帝国大学に医学部とは別に創設された学部だ。四月に入学のはずが、戦況悪化で七月一日に延期された。ようやく入学しても授業どころではなく、八月十五日を迎えた。

青年は医者になるための勉強をしていたが、マンガ家になりたいとも考えていた。出版のあてもなく何千枚ものマンガを描いており、友達に見せていた。それは従来の「漫画」とは異なる、映画にも小説にも匹敵するストーリー性のあるもので、友人たちのあいだでは好評だった。

秋になると空前の出版ブームが起きていた。戦争末期は用紙不足や印刷所が空襲に遭ったため刊行が止まっていた雑誌や新聞も、相次いで復刊した。

大阪毎日新聞社（後、毎日新聞大阪本社）が出していた「少国民新聞」（「大毎小学生新聞」が戦時中は改題されていた）は八月十五日をもって休刊していたが、十一月一日に復刊した。たまたま医学専門部の一年先輩の父親が編集局長だったので、青年は先輩に「お父さんにマンガを見せてくれませんか」と頼んだが、「公私混同はよくない。自分で手紙を添えて持ち込んだらいい」と言われた。

そこで青年は描きためた長篇マンガを社長宛ての手紙とともに大阪毎日新聞の本社に持参し、受付に預けた。手紙には「この荒廃と虚無感を払いのけるにはユーモアと笑いしかない。新聞には漫画が必要である。だが、現在の御用漫画家になにが求められようか。須（すべから）く新人にその任を与えるべきである。ところでさいわい、私には戦時中に描きためた作品があります」という趣旨を書いた。

しかし新聞社からは何の連絡もない。当時の新聞は用紙不足もあって、タブロイド判二ページで、マンガを載せるスペースもなかった。

青年の家の隣には毎日新聞印刷局に勤務している女性が暮らしており、ある日「あなたのことを学藝部の人に話したら、一度会ってみたいと言っているので、一緒に行きませんか」と声をかけられた。

毎日新聞社へ行くと、「少国民新聞」編集長が応対してくれ、「四コマものを描いてみないか」と持ちかけられた。青年はストーリーのある長編マンガばかり描いてきたので、四コマ漫画には自信がなかったが、「まあやってごらんなさいよ」と言われたので、「明日、持ってきます」と答えた。

青年はその夜のうちに五枚か六枚の四コマ漫画を描いて、翌日、毎日新聞社へ持って行った。編集長は気に入ってくれ、「暮れまでに二、三十枚持ってきてください」と言った。連載すると言う。当時の大阪毎日新聞の学藝部には、井上靖や山崎豊子がいた。

こうして一九四六年一月一日から、大阪毎日新聞社の「少国民新聞」で四コマ漫画の連載が始まることになり、大晦日の夜、青年は興奮して一睡もできなかったのだ。

夜が明けた。一九四六年一月一日である。

青年は六時半頃に宝塚駅まで行って、新聞が売店に届くのを待った。しかし「少国民新聞」はこの駅の売店には届かなかった。隣の駅まで電車で行ってみたが、そこにもない。仕方なく大阪まで行き、新聞社へ駆けこんで、三部買った。

載っていたのは、予告記事だった。次号から『マァチャンの日記帳』が連載されるとあり、編集部名義で作者の紹介文が載っていた。

〈みなさんと同じクリクリ坊主で、一九歳（原文ママ）のお兄さんです。毎日、大阪帝大醫學専門部に通學して、お醫者さんになる勉強をしてゐられますが、小さい時からまん畫が大好きで、國民學校二年生の時からいろいろのまん畫をかいて、たのしんでゐられました。あまり上手なので、みなさんのために、れんさいすることにしました。ほがらかなマァちゃんをかはいがつてあげてください。〉

「マンガの神様」手塚治虫のデビューである。

あとがき

こうして、戦後の映画や演劇、野球や大相撲は始まった。

一九四五年のうちに、世の中に出る準備をし終えていた手塚治虫と美空ひばりの二人は、四六年にデビューすると一気に頂点に達し、「神様」「女王」のまま、昭和が終わった一九八九年に、その短い生涯を閉じる。昭和・戦後史は、手塚時代・ひばり時代だった。

一九四五年から七十五年が過ぎた二〇二〇年、映画や演劇、プロ野球や大相撲は健在ではあるが、最大の危機に瀕している。

この間も、たとえば映画は一九五〇年代に黄金時代を迎えるも、テレビの普及で斜陽化するなど、それぞれの分野ごとに浮き沈みがあった。二〇二〇年のコロナ禍は、全ての文化・藝術・娯楽産業が同時に危機に瀕している点で、一九四五年との類似性がある。

一九四五年の危機を、人びとは連携して乗り切ったわけではない。みなが自分とその関係者のことだけを考えて突っ走った。全体主義が終わったと喜んだり、日本が負けたと悲しんだりしている暇などなかった。

大半の文化人・藝術家が積極的であるか消極的であるかは別として、何らかの形で戦争に協力した。そうしなければ食べていけなかったからで、「あのひとは国策映画を作った」「あのひとも戦争映画に出ていた」と言い出したら、罪に問われない人はなかった。「それを言い出したら切りがない」「みんな、生きていくためには仕方なかった」ということで、音楽や文学や美術を含め、筆を折った人は少数で、あとはみな、「反省する暇があったら新しいものを作ろう」と、駆け抜けていった。

観客もまた同じだったので、それでよかったのだ。

いまの文化人・藝術家に欠けているのは、そういうしたたかさだろう。すぐに反省し、謝罪してしまう。そうしないと、生きていけない息苦しさがある。それはコロナ禍で、さらに増幅されていると感じる。

文中でも紹介した東宝の一九四五年の「撮影日誌」は、東宝で助監督をされていた清水俊文氏（東京現像所営業本部営業部長）所蔵のものだ。助監督室に保存されていて、そこが閉鎖された際に清水氏が譲り受けたものだという。今回、それを閲覧させていただき、曖味だった点が解決した。

当たり前の話だが、その日、どの映画の撮影をしていたかだけを記した日誌は、記憶違いや隠蔽の意図のある自伝やインタビューよりも信頼度は高い。記録の重要性を改めて認識した。

この「撮影日誌」で、黒澤明の『虎の尾を踏む男達』が「戦中から撮影されていた」という、黒澤自身が広めていた説は否定された。黒澤がなぜそう言っていたのか、単なる記憶違いなのか、何かを隠すためだったのかは、もはや分からない。

映画史・黒澤研究において『虎の尾を踏む男達』そのものがそう重要な作品ではなく、これが戦中に決まっていた企画なのか、戦後にあわてて立てた企画なのかも、どうでもいいことなのかもしれないが、黒澤関係の本で曖昧になっていた問題に決着がつけられたと思う。これをどう解釈するかは専門家に委ねたい。


この本はいくつもの「戦後史」の序章を集めたようなものだ。結論とか、まとめといったものは、そもそも存在しない。

主要人物の「後日譚」を書こうかと準備もしたのだが、後日譚のほうがはるかに長いので、膨大な文字数を必要とすることから、やめることにした。

その代わりというわけではないが、何人かの人物については、それぞれの本を書いたので、それを紹介させていただく。

最後に登場した手塚治虫と、彼によって始まったマンガとアニメの歴史は『手塚治虫とトキワ荘』（集英社）と『アニメ大国建国紀　1963－1973』（イースト・プレス）、歌舞伎のその後は『十一代目團十郎と六代目歌右衛門』（幻冬舎新書）と『歌舞伎　家と血と藝』（講談社現代新書）、プロ野球については『阪神タイガース　1965－1978』（角川新書）がある。

また二十三年後の一九六八年に限定して、映画、音楽、マンガ、プロ野球について書いたのが『1968年』（朝日新書）で、その二年後のある一日を書いたのが『昭和45年11月25日』（幻冬舎新書）だ。

『昭和45年11月25日』は、三島由紀夫が自決した日に、作家や俳優、政治家など著名人約百二十名が、どこでこのニュースを知って何を思い、何を語ったかを集めた本だ。本書序章はそのスタイルで「八月十五日」を描いた。

『昭和45年11月25日』を書いた時から、このスタイルで「八月十五日」も書けるなと思い、漠然と当時を生きた人たちの伝記を集めていた。

今年の四月の連休前、コロナ対策でコンサートや演劇が自粛となり、映画館は営業していたものの客が激減していたのを見て、これは一九四五年以来の文化の危機だと感じた。同時に、一九四五年の人びとはどうやってあの危機を乗り越えたのだろうと思い、集めていた「一九四五年」関連の資料を見直していて、この本を思いついた。

在宅勤務をしていた朝日新書編集長の宇都宮健太朗氏にメールを出して提案すると、連休明けに企画が通った。担当していただいた福場昭弘氏には、朝日新聞社の資料室で縮刷版の閲覧や、「アサヒグラフ」に載った写真の発掘などで協力していただいた。

この本を思いついたのは七十五年前に東京が空襲で壊滅していた頃にあたり、八月十五日前後に書き上げた。この「おわりに」を書いている九月九日は、ちょうど猿之助が東劇で奮闘し、松竹大船撮影所で『そよかぜ』が撮影されている頃にあたる。

発売されるのは十月半ば、菊五郎が帝劇、吉右衛門が京都・南座で、戦後初の公演を始めている頃だ。新劇人も動き出し、大相撲やプロ野球の再開への動きも始まっている。この展開の速さには驚きだ。電話ですら、すべての事業所・家庭にはない時代なのに。

改めて、この本の登場人物たちの熱意としたたかさに敬服する。

二〇二〇年　九月

◇主な出来事〈本書関連〉◇

〔8月〕

8月15日　全国放送局、一般放送とりやめ、一週間、時報と報道のみに。
15日　全国の映画・演劇興行、一週間停止。
17日　東宝『どっこい！この槍』（監督・黒澤明）製作中止。
25日　東宝『海軍いかづち部隊』（監督・山本嘉次郎）製作中止。
30日　松竹『伊豆の娘たち』（監督・五所平之助、出演・佐分利信、桑野通子）封切。
30日　大映『花婿太閤記』（監督・丸根賛太郎、出演・嵐寛寿郎、山根寿子）封切。

〔9月〕

9月1日　東京劇場で市川猿之助一座の歌舞伎公演、初日。大阪歌舞伎座、京都南座なども開場。
13日　大映『別れも愉し』（監督・田中重雄、出演・若原雅夫、月丘夢路）封切。
15日　誠文堂新光社から『日米會話手帳』刊行。360万部のベストセラーに。
18日　東京宝塚劇場開場、「東宝藝能大会」（長谷川一夫、高峰秀子ら出演）。
22日　GHQ、映画各社に対し製作方針を指示。
23日　京都大学で、関西ラグビー倶楽部対三高の試合が開催。戦後初のスポーツの試合。
27日　東宝『快男児』（監督・山本嘉次郎、出演・藤田進、原節子）、検閲で公開保留に。
27日　GHQ、映画に対する従来の一切の統制の撤廃を発表。
28日　GHQ、戦争中禁止された野球、テニス、ラグビー、スキーなどの競技奨励を表明。剣道、柔道などは戦争目的の手段として普及されたか研究中で、文部省に対し資料を請求。

29日　文部省、大学などと戦後体育振興で協議会開催。銃剣術などの戦時訓練は禁止する方針。
30日　明大野球部、和泉グラウンドで初練習。

〔10月〕

10月1日　東京劇場で新生新派（喜多村緑郎）『母娘』『滝の白糸』初日。
2日　新宿第一劇場で片岡仁左衛門・市川壽美蔵一座に市川海老蔵参加で『沓掛時次郎』『弁天娘女男白浪』初日。
3日　帝国劇場で尾上菊五郎一座『銀座復興』『鏡獅子』初日（11月21日までのロングラン）。
6日　京都・南座で中村吉右衛門一座の歌舞伎公演『盛綱陣屋』『双面荵姿繪』『松浦の太鼓』『尼ヶ崎閑居』『京鹿子娘道成寺』『新口村』初日。
11日　松竹『そよかぜ』（監督・佐々木康、出演・並木路子、上原謙、佐野周二）封切、主題歌『リンゴの唄』。
25日　大映『海の呼ぶ聲』（監督・伊賀山正徳、出演・寿々木米若、杉村春子）封切。
25日　松竹『千日前附近』（監督・マキノ正博、出演・小杉勇、佐分利信、高田浩吉）封切。
28日　六大学OBの紅白チームによる戦後初の野球試合、神宮球場で開催。

〔11月〕

11月2日　新宿第一劇場で片岡仁左衛門・市川壽美蔵・市川海老蔵『いわし雲』『番町皿屋敷』『与話情浮名横櫛』初日。
5日　東京劇場で松本幸四郎・中村吉右衛門一座『佐倉義民伝』『道行初音旅』『菅原伝授手習鑑／筆法伝授、寺子屋』『双面荵姿繪』初日。
6日　日本野球報国会理事会で、「日本野球連盟」として再開する決議。

11月8日　大映『狐の呉れた赤ん坊』（監督・丸根賛太郎、出演・阪東妻三郎）封切。
9日　GHQ、上演狂言の三割以上を新作脚本にするよう指示。演劇統制を撤廃、脚本、演出に警察の許可は不要と発表。
15日　東劇上演中の『菅原伝授手習鑑／寺子屋』に中止命令。20日から上演中止。
16日　GHQ、非民主主義映画排除命令。19日に236本を上映禁止とし焼却命令。
16日　両国国技館で大相撲秋場所開幕。
18日　神宮球場で全早慶野球試合。
22日　東宝『歌へ！太陽』（監督・阿部豊、出演・榎本健一、轟夕起子、灰田勝彦）封切。
23日　神宮球場でプロ野球東西対抗試合。大下弘、デビュー。
26日　横綱・双葉山引退。
29日　松竹『天国の花嫁』（監督・野村浩将、出演・上原謙、佐野周二、三浦光子、空あけみ）封切。

〔12月〕

12月4日　新劇人クラブ結成。
12日　GHQ、芝居の仇討ち、心中ものの上演を禁止。
13日　滝沢修、薄田研二、久保栄ら東京藝術劇場結成発表。
14日　松竹『新風』（監督・佐々木康、出演・高峰三枝子、安部徹）封切。
20日　彰考書院、『共産党宣言』刊行。
20日　大映『最後の攘夷党』（監督・稲垣浩、出演・嵐寛寿郎）封切。
24日　GHQ、東京宝塚劇場を接収。「アーニー・パイル劇場」となる。
26日　有楽座で新劇合同公演『櫻の園』上演。

26日　映画法廃止を公布。
27日　東宝『東京五人男』（監督・斎藤寅次郎、出演・古川緑波、横山エンタツ、花菱アチャコ）封切。
27日　大映『犯罪者は誰か』（監督・田中重雄、出演・阪東妻三郎）封切。
31日　『紅白音楽試合』放送。

参考文献

■一九四五年

『朝日新聞　縮刷版』朝日新聞社、一九四六年
『復刻アサヒグラフ昭和二十年―日本の一番長い年』朝日新聞出版、二〇一五年
『日録20世紀　1945　昭和20年』講談社、一九九七年
『毎日ムック　シリーズ20世紀の記憶　1945年』毎日新聞社、一九九九年
藤原彰・吉田裕・粟屋憲太郎『昭和20年 1945年―最新資料をもとに徹底検証する』小学館、一九九五年

■映画史

『講座日本映画④戦争と日本映画』岩波書店、一九八六年
田中純一郎『日本映画発達史Ⅲ　戦後映画の解放』中公文庫、一九七六年
浜野保樹『偽りの民主主義―GHQ・映画・歌舞伎の戦後秘史』角川書店、二〇〇八年
平野共余子『天皇と接吻―アメリカ占領下の日本映画検閲』草思社、一九九八年
岩本憲児（編）『占領下の映画―解放と検閲』森話社、二〇〇九年
ピーターB・ハーイ『帝国の銀幕―十五年戦争と日本映画』名古屋大学出版会、一九九五年
児玉数夫・吉田智恵男『昭和映画世相史』社会思想社、一九八二年
佐藤忠男『映画で読み解く「世界の戦争」―昂揚、反戦から和解への道』ベスト新書、二〇〇一年
清水晶『戦争と映画―戦時中と占領下の日本映画史』社会思想社、一九九四年
北村洋『敗戦とハリウッド―占領下日本の文化再建』名古屋大学出版会、二〇一四年

塩澤幸登『昭和芸能界史―昭和二十年夏~昭和三十一年篇　戦後の芸能界は如何にして成立したか』河出書房新社、二〇二〇年
『京都の映画80年の歩み』京都新聞社、一九八〇年
プログラム『長谷川一夫　新演伎座公演』有楽座、一九四九年
「新映画」一九四六年一月号、映画出版社、一九四六年
「キネマ旬報」一九六〇年八月下旬号『八月十五日の日本映画』キネマ旬報社、一九六〇年

■映画会社、撮影所

『松竹百年史』松竹、一九九六年
『東宝三十年史』東宝、一九六三年
『大映十年史』大映、一九五一年
升本喜年『人物・松竹映画史　蒲田の時代』平凡社、一九八七年
升本喜年『松竹映画の栄光と崩壊』平凡社、一九八八年
升本喜年『小津も絹代も寅さんも―城戸四郎のキネマの天地』新潮社、二〇一三年
城戸四郎『日本映画傳　映画製作者の記録』文藝春秋新社、一九五六年
小林久三『日本映画を創った男　城戸四郎伝』新人物往来社、一九九九年
斎藤忠夫『東宝行進曲―私の撮影所宣伝部50年』平凡社、一九八七年
鈴木聡司『映画「ハワイ・マレー沖海戦」をめぐる人々―円谷英二と戦時東宝特撮の系譜』文芸社、二〇二〇年
高瀬昌弘『東宝砧撮影所物語』東宝、二〇〇三年
菊池夏樹『菊池寛と大映』白水社、二〇一一年

志村三代子『映画人・菊池寛』藤原書店、二〇一三年
鈴木晰也『ラッパと呼ばれた男　映画プロデューサー永田雅一』キネマ旬報社、一九九〇年
田中純一郎『永田雅一』時事通信社、一九六二年
永田雅一『映画道まっしぐら』駿河台書房、一九五三年
筈見恒夫『筈見恒夫』「筈見恒夫」刊行会、一九五九年
小川正『マッカーサーとチャンバラ―ある活動屋の思い出ばなし』恒文社、一九九五年
廣澤榮『私の昭和映画史』岩波新書、一九八九年
廣澤榮『日本映画の時代』岩波現代文庫、二〇〇二年
風間道太郎『キネマに生きる　評伝・岩崎昶』影書房、一九八七年
円尾敏郎（編）『狐の呉れた赤ん坊』ワイズ出版、一九九六年

■映画監督

マキノ雅弘『映画渡世　地の巻　マキノ雅弘自伝』平凡社、一九七七年
斎藤寅次郎『日本の喜劇王―斎藤寅次郎自伝』清流出版、二〇〇五年
五所平之助『わが青春』永田書房、一九七八年
山口猛（編）『別冊太陽　映画監督溝口健二―生誕百年記念』平凡社、一九九八年
山本嘉次郎『カツドウヤ水路』筑摩書房、一九六五年
佐々木康『楽天楽観　映画監督佐々木康』ワイズ出版、二〇〇三年
都築政昭『「小津安二郎日記」を読む　無常とたわむれた巨匠』ちくま文庫、二〇一五年
千葉伸夫『監督成瀬巳喜男―全作品と生涯』森話社、二〇二〇年

稲垣浩『ひげとちょんまげ―生きている映画史』中公文庫、一九八一年
稲垣浩『日本映画の若き日々』中公文庫、一九八三年
高瀬昌弘『我が心の稲垣浩』ワイズ出版、二〇〇〇年
黒澤明『蝦蟇の油』岩波書店、一九八四年
黒澤明『全集黒澤明　第一巻、第二巻』岩波書店、一九八七年
浜野保樹（編・解説）『大系黒澤明第一巻』講談社、二〇〇九年
鈴木義昭『「世界のクロサワ」をプロデュースした男 本木荘二郎』山川出版社、二〇一六年
指田文夫『黒澤明の十字架―戦争と円谷特撮と徴兵忌避』現代企画室、二〇一三年
長部日出雄『天才監督　木下恵介』新潮社、二〇〇五年
三国隆三『木下恵介伝―日本中を泣かせた映画監督』展望社、一九九九年
今井正監督を語り継ぐ会（編）『今井正映画読本』論創社、二〇一二年
吉村公三郎『わが映画黄金時代』ノーベル書房、一九九三年
吉村公三郎『映画監督 吉村公三郎 書く、語る』ワイズ出版、二〇一四年
久板栄二郎『わが青春に悔なし』中央社、一九四七年

■映画俳優

嵐寛寿郎・竹中労『鞍馬天狗のおじさんは　聞書・嵐寛寿郎一代』七つ森書館、二〇一六年
渡辺才二・嵐寛寿郎研究会（編）『剣戟王　嵐寛寿郎』三一書房、一九九七年
丸山敞平『剣戟王　阪東妻三郎』ワイズ出版、一九九八年
秋篠健太郎『阪東妻三郎』毎日新聞社、一九七七年

高橋治『小説　阪東妻三郎』文書文庫、二〇〇五年
田山力哉『千恵蔵一代』現代教養文庫、一九九二年
長谷川一夫『舞台・銀幕六十年』日本経済新聞社、一九七三年
旗一兵『花の春秋―長谷川一夫の歩んだ道』文陽社、一九五七年
矢野誠一『二枚目の疵―長谷川一夫の春夏秋冬』文藝春秋、二〇〇四年
古川薫『花も嵐も―女優・田中絹代の生涯』文春文庫、二〇〇四年
石井妙子『原節子の真実』新潮社、二〇一六年
山本嘉次郎『カツドウヤ自他伝』昭文社出版部、一九七二年
『原節子』キネマ旬報社、二〇一二年
貴田庄『原節子 あるがままに生きて』朝日文庫、二〇一〇年
四方田犬彦『李香蘭と原節子』岩波現代文庫、二〇一一年
高峰秀子『わたしの渡世日記　上・下』文春文庫、一九九八年
『高峰秀子』キネマ旬報社、二〇一〇年
野沢一馬『三羽烏一代記―佐分利信・上原謙・佐野周二』ワイズ出版、一九九九年
高峰三枝子『人生は花いろ女いろ―わたしの銀幕女優50年』主婦と生活社、一九八六年
並木路子『「リンゴの唄」の昭和史』主婦と生活社、一九八九年
永嶺重敏『「リンゴの唄」の真実　戦後初めての流行歌を追う』青弓社、二〇一八年

■演劇史

大笹吉雄『日本現代演劇史　昭和戦前篇』白水社、一九九〇年

大笹吉雄『日本現代演劇史　昭和戦後篇Ⅰ』白水社、一九九八年
秋庭太郎『日本新劇史』理想社、一九五五年
戸板康二（編）『対談日本新劇史』青蛙房、一九六一年
戸板康二『対談戦後新劇史』早川書房、一九八一年
菅孝行『戦後演劇　新劇は乗り越えられたか』社会評論社、二〇〇三年
『文学座五十年史』文学座、一九八七年
『俳優座史　1944〜1964』劇団俳優座、一九六五年
『帝劇の五十年』東宝、一九六六年

■演劇人
菊田一夫『芝居つくり四十年』日本図書センター、一九九九年
菊田一夫『山から来た男』宝文館、一九五四年
小幡欣治『評伝・菊田一夫』岩波新書、二〇〇八年
井上理恵『菊田一夫の仕事—浅草・日比谷・宝塚』社会評論社、二〇一一年
牛島秀彦『浅草の灯　エノケン』毎日新聞社、一九七九年
井崎博之『エノケンと呼ばれた男』講談社、一九八五年
矢野誠一『エノケン・ロッパの時代』岩波新書、二〇〇一年
山本一生『哀しすぎるぞ、ロッパ　古川緑波日記と消えた昭和』講談社、二〇一四年
古川ロッパ『古川ロッパ昭和日記　戦後篇　昭和20—昭和27年』晶文社、一九八八年
藤本恵子『築地にひびく銅鑼—小説 丸山定夫』TBSブリタニカ、二〇〇一年

土方与志『なすの夜ばなし』影書房、一九九八年
津上忠『評伝　演出家　土方与志』新日本出版社、二〇一四年
土方梅子『土方梅子自伝』ハヤカワ文庫NF、一九八六年
堀川惠子『戦禍に生きた演劇人たち―演出家・八田元夫と「桜隊」の悲劇』講談社文庫、二〇一九年
江津萩枝『櫻隊全滅　ある劇団の原爆殉難記』未来社、一九八〇年
濱田研吾『俳優と戦争と活字と』ちくま文庫、二〇二〇年
滝沢荘一『名優・滝沢修と激動昭和』新風舎文庫、二〇〇四年
杉村春子・小林祐士『女優の一生』白水社、一九七〇年
大笹吉雄『女優杉村春子』集英社、一九九五年
川良浩和『忘れられないひと、杉村春子』新潮社、二〇一七年
『女優の運命―私の履歴書　東山千栄子・杉村春子・田中絹代・ミヤコ蝶々・水谷八重子』日経ビジネス人文庫、二〇〇六年
如月小春『俳優の領分―中村伸郎と昭和の劇作家たち』新宿書房、二〇〇六年
悲劇喜劇編集部（編）『女優の証言』ハヤカワ文庫NF、一九八三年
大笹吉雄『花顔の人―花柳章太郎伝』講談社文庫、一九九四年
水上滝太郎『銀座復興　他三篇』岩波文庫、二〇一二年
久保田万太郎『銀座復興』演劇文化社、一九四七年

■歌舞伎

渥美清太郎『六代目菊五郎評傳』冨山房、一九五〇年

戸板康二『六代目菊五郎』講談社文庫、一九七九年
中村吉右衛門（初代）『吉右衛門自傳』啓明社、一九五一年
中村吉右衛門（初代）『吉右衛門日記』演劇出版社、一九五六年
小谷野敦『弁慶役者七代目幸四郎』青土社、二〇一六年
小谷野敦『猿之助三代』幻冬舎新書、二〇一一年
市川猿之助（三代目）編著『猿翁』東京書房、一九六四年
中村勘三郎（十七代目）『自伝・やっぱり役者』日本図書センター、一九九九年
中村歌右衛門・山川静夫『歌右衛門の六十年―ひとつの昭和歌舞伎史』岩波新書、一九八六年
岡本嗣郎『歌舞伎を救ったアメリカ人』集英社文庫、二〇〇一年
寺島千代『亡き人のこと』演劇出版社、一九五三年
藤井秀男『初代中村錦之助伝　上巻』エコール・セザム、二〇一三年

■相撲

「相撲」増刊『大横綱・双葉山』ベースボール・マガジン社、二〇一六年
『大相撲歴史新聞―角界の出来事まるごとスクープ！』日本文芸社、一九九九年
小島貞二『本日晴天興行なり―焼け跡の大相撲視』読売新聞社、一九九五年
工藤美代子『一人さみしき双葉山』ちくま文庫、一九九一年

■野球

『日本プロ野球60年史』ベースボール・マガジン社、一九九四年

『阪神タイガース　昭和のあゆみ』阪神タイガース、一九九一年
鈴木龍二『鈴木龍二回顧録』ベースボール・マガジン社、一九八〇年
藤本定義『藤本定義の実録プロ野球四十年史』恒文社、一九七七年
安西巧『歴史に学ぶ　プロ野球16球団拡大構想』日経BP、日本経済新聞出版本部、二〇二〇年
波多野勝『日米野球の架け橋―鈴木惣太郎の人生と正力松太郎』芙蓉書房出版、二〇一三年
鈴木明『日本プロ野球復活の日―昭和20年11月23日のプレイボール』集英社文庫、一九八七年
桑原稲敏『青バットのポンちゃん大下弘　伝説に彩られた天才打者の実像』ライブ出版、一九八九年
辺見じゅん『大下弘―虹の生涯』新潮社、一九九二年
山室寛之『プロ野球復興史―マッカーサーから長島4三振まで』中公新書、二〇一二年

■出版

宮守正男『ひとつの出版・文化界史話―敗戦直後の時代』中央大学出版部、一九七〇年
塩澤実信（著）、小田光雄（編）『戦後出版史―昭和の雑誌・作家・編集者』論創社、二〇一〇年
小川菊松『出版興亡五十年』誠文堂新光社、一九五三年
朝日新聞社（編）『「日米会話手帳」はなぜ売れたか』朝日文庫、一九九五年
澤村修治『ベストセラー全史　現代篇』筑摩選書、二〇一九年
日本ジャーナリスト会議出版支部（編）『目で見る出版ジャーナリズム小史』高文研、一九八六年
手塚治虫『ぼくはマンガ家』毎日新聞社、一九六九年

■放送

志賀信夫『テレビ番組事始―創生期のテレビ番組25年史』日本放送出版協会、二〇〇八年
日本放送協会『放送夜話―座談会による放送史』日本放送協会、一九六八年
『ドキュメンタリー紅白歌合戦　あの時、あの歌…』日本放送出版協会、一九八四年
『NHK紅白50回　栄光と感動の全記録』NHKサービスセンター、二〇〇〇年
合田道人『怪物番組　紅白歌合戦の真実』幻冬舎、二〇〇四年
太田省一『紅白歌合戦と日本人』筑摩選書、二〇一三年

■音楽

下山光雄『「リンゴの唄」の作曲家　万城目正の生涯』北海道科学文化協会、二〇一七年
古関裕而『鐘よ鳴り響け―古関裕而自伝』集英社文庫、二〇一九年
刑部芳則『古関裕而―流行作曲家と激動の昭和』中公新書、二〇一九年
辻田真佐憲『古関裕而の昭和史　国民を背負った作曲家』文春新書、二〇二〇年
加藤和也（ひばりプロダクション）『美空ひばり公式完全データブック　永久保存版』角川書店、二〇一一年
美空ひばり『ひばり自伝―わたしと影』草思社、一九八九年
美空ひばり『虹の唄』日本図書センター、二〇一二年
竹中労『完本　美空ひばり』ちくま文庫、二〇〇五年
西川昭幸『美空ひばり　最後の真実』さくら舎、二〇一八年

中川右介　なかがわ・ゆうすけ
1960年東京都生まれ。早稲田大学第二文学部卒業。2014年まで出版社アルファベータ代表取締役編集長として「クラシックジャーナル」ほか音楽家や文学者の評伝などを編集・発行。作家としてクラシック音楽、ポップス、映画、歌舞伎などの評論・評伝に定評がある。『歌舞伎 家と血と藝』『阿久悠と松本隆』『江戸川乱歩と横溝正史』など著書多数。

朝日新書
789

文化復興 1945年

娯楽から始まる戦後史

2020年10月30日第1刷発行

著　者　中川右介

発行者　三宮博信
カバーデザイン　アンスガー・フォルマー　田嶋佳子
印刷所　凸版印刷株式会社
発行所　朝日新聞出版
〒104-8011　東京都中央区築地5-3-2
電話　03-5541-8832（編集）
　　　03-5540-7793（販売）
©2020 Nakagawa Yusuke
Published in Japan by Asahi Shimbun Publications Inc.
ISBN 978-4-02-295096-3
定価はカバーに表示してあります。
落丁・乱丁の場合は弊社業務部(電話03-5540-7800)へご連絡ください。
送料弊社負担にてお取り替えいたします。